El Nombre
que Ahora Digo

Esta obra obtuvo por unanimidad el Premio
Primavera de Novela 1999, convocado por
Espasa Calpe y Ámbito Cultural y concedido
por el siguiente jurado: Ángel Basanta, Luis
Mateo Díez, Francisco Nieva, Ramón Pernas
y Rafael González Cortés

Antonio Soler

El Nombre que Ahora Digo

ESPASA

ESPASA ℮ NARRATIVA

Director Editorial: Rafael González Cortés
Directora de la colección: Constanza Aguilera Carmona

© Antonio Soler, 1999
© Espasa Calpe, S. A., 1999

Diseño de la colección: Tasmanias
Cubierta: Tasmanias, basada en el cuadro *Dream and Reality,* de Angelo Morbelli
Realización de cubierta: Ángel Sanz Martín
Foto del autor: Anna Löscher

Depósito legal: M. 9.207-1999
ISBN: 84-239-7956-3

Espasa, en su deseo de mejorar sus publicaciones, agradecerá cualquier sugerencia que los lectores hagan al departamento editorial por correo electrónico: sugerencias@espasa.es

Impreso en España/Printed in Spain
Impresión: Mateu Cromo Artes Gráficas, S. A.

Editorial Espasa Calpe, S. A.
Carretera de Irún, km 12,200. 28049 Madrid

María Eugenia,
el nombre que ahora digo.

He perdido mi patria, dejó escrito Gustavo Sintora en el inicio de uno de sus cuadernos. Pero cuando escribió esas palabras, Sintora no hablaba de ningún país, de ningún ejército ni territorio, de ninguna bandera. Su patria fue una mujer, una mujer que tenía nombre y ojos de atardeceres. Lo dejó dicho, escrito en esos cuadernos de letra menuda y fragmentos sin orden que Sintora entregó a mi padre y que finalmente acabaron por llegar a mis manos. Ahora los voy leyendo despacio, recomponiendo aquella historia que sucedió muchos años antes de que yo naciera, y a través de ellos voy conociendo a esos personajes que tantas veces vi a lo largo de mi infancia. Entonces no eran más que nombres, rostros. Ahora sé verdaderamente quiénes fueron aquellos hombres que combatieron en una guerra lejana.

Mi padre estaba entre ellos, formó parte de aquel extraño destacamento que cruzó la guerra llevando de un lado a otro artistas y saltimbanquis. Ahora sé cuáles fueron los anhelos y los miedos de esa gente, pero sobre todo conozco lo que se ocultaba detrás de la mirada de Gustavo Sintora, aquel tipo insignificante y con gafas destartaladas que pasó por mi infancia sin que yo apenas reparase en él.

Quizá en aquel tiempo en el que yo lo veía, callado y sereno, todavía estuviese escribiendo algunos fragmentos de estos cuadernos que ahora empiezo a ordenar con mi propia letra, quizá cuando estaba con la mirada perdida por los arriates del patio recordaba a Serena Vergara, y a la par que veía los pétalos de las margaritas también veía los árboles de otro tiempo bajo los que se refugiaba con Serena, los tallos de las flores, la oscuridad de la tierra y a Corrons, su pecho puesto en el punto de mira de su fusil, el coche del Textil volando por los cielos, Montoya herido en la escalera del Marqués. Los días de la furia pasando en torbellino por la trastienda de aquellos ojos que a todas horas debían de andar rebobinando aquella historia que empezó una tarde remota, cuando, después de atravesar medio país huyendo de la guerra, Gustavo Sintora llegó a un hangar en el que había camiones, coches a medio desguazar y unos vehículos cubiertos de lonas y de los que sólo se veían las ruedas. En el primero de los cuadernos dice que llevaba el nombre de mi padre escrito en un papel de estraza, y que era un papel viejo, con dos dobleces y una mancha de aceite en una esquina, un arrebol que hacía de luna o de sol sobre el horizonte corto y estremecido que formaban las letras con el nombre de mi padre: cabo Solé Vera.

El hangar estaba en penumbra y Sintora, delgado como habría de ser siempre pero sin las gafas que yo le conocí y que le aumentaban los ojos como si viviera inmerso en un asombro permanente, caminaba sin apenas atreverse a pisar el suelo, viendo cómo los objetos y los camiones se le hacían borrosos a medida que se iba acercando a ellos. También él fantasma de sí mismo, espectro del adolescente que hacía poco había dejado de ser y anticipo del hombre en el que estaba a punto de convertirse. *Yo tenía miedo de las telas*, dice su letra pequeña y apretada, *yo tenía miedo de los camiones y de aquellas ruedas que asomaban debajo*

*de los trapos, algunas con dientes negros, de lobo negro. Y los
dientes me miraban como si en vez de dientes fueran ojos. Tenía
muchos miedos, miedo de los pasos que dejaba a mi espalda y de
los que quedaban ante mí, miedo del silencio y miedo del aire,
que podía ser un veneno, o una voz, una voz que dijera mi nombre como quien nombra a un muerto. Miedo del nombre que llevaba escrito en el papel de estraza y que era el nombre de alguien
que tendría voz y dientes, y unos ojos, quizá de lobo, que pronto
iban a mirarme. Sin saber cómo.*

—¿Y dices tú que no? ¿Arte? Cosa de maricones. Gitano. Mira, mira qué forma de bailar.

La voz llegaba de detrás de un camión, amortiguada
por los trapos y proveniente de una zona iluminada.

—Mira tú.

Era la misma voz, y nadie le respondía.

—Por muchos toros que maten, estos tíos van a ser
siempre unos mariconasos.

Sintora, al rodear el camión, en medio de la zona iluminada por los faros de otro vehículo, vio a un hombre alto,
vestido de modo estrafalario con chaqueta y calzón de torero y dando un capotazo, toreando el aire muy despacio.

—Mira, mira. Y luego se mueven así, como si tuvieran
un palo metido por el culo —dijo el tipo aquel mientras
acababa de dar su pase al viento.

Avanzó dos pasos más y vio a los dos hombres a los
que les estaba hablando el que iba vestido de torero. Uno
gordo y con la cara congestionada, como si estuviera haciendo un esfuerzo que nadie sabía cuál era, y el otro delgado, con una gorra de plato torcida en la cabeza y con los
labios estirados por una sonrisa que no acababa de aso-
marle a la boca, recostado contra el guardabarros de un camión. Era mi padre, el cabo Solé Vera, que llevaba un chaquetón de cuero desabrochado y entre los dedos
jugueteaba con un cigarro sin encender. El cabo, mi padre,
pasó la vista por Sintora, pero fue como si no la hubiera

pasado, porque lo que hizo a continuación fue mirar el cigarro que tenía entre los dedos, por ver si el cigarro le decía algo, como preguntándole, como se mira a un amigo o a un cómplice que está a punto de confesarnos un secreto. Y luego levantó los ojos y le dijo al que toreaba el aire que ya era tarde y tenían que irse, como si el cigarro en vez de un cigarro o un amigo hubiera sido un reloj que acabase de decirle la hora.

—Y luego se colocan esto en la cabesa —seguía hablando el del capote, poniéndose una montera—. Se les pone cara de hospital, mira, con la cosa esta. Mira tú —y se ponía de perfil, como si posara para un fotógrafo o él mismo fuese ya una fotografía, una fotografía antigua y despintada que llevaba muchos años colgada en la pared de una casa en la que ya nadie sabía quién era el hombre de la foto. Eso le dijo mi padre: Montoya, le dijo, tienes cara de retrato antiguo, de esos que hay en casa del Marqués y que ni él mismo sabe quiénes son. Y tú, qué buscas, niño, siguió diciendo mi padre con el mismo tono, pero no dirigiéndose ya al que iba vestido de torero y que se llamaba Montoya, sino a Gustavo Sintora, que dudó, miró para atrás y no supo si mi padre le hablaba a él.

Y entonces fue cuando Sintora entró en la luz y, quitándole los dobleces al papel de estraza, sin leerlo, dijo que buscaba al cabo Solé Vera y que lo mandaba el teniente Villegas. Y se quedó con el papel colgando de su mano estirada, viendo cómo el tipo vestido de torero lo miraba con extrañeza, cómo mi padre no lo miraba y cómo una nueva figura, un hombre con el pelo negro y un flequillo lacio y en forma de hacha, un tajo negro partiéndole la frente, salía de la sombra y lo miraba con la negrura de sus ojos, manchándolo de hollín, de betún, con la mirada.

—¿A ti no te paresen maricones los toreros, niño? Maricones o moñas, sarasas. Cagalís o como los mentéis en tu pueblo. ¿Ponerse esto no es de maricones? Mira.

Se señalaba Enrique Montoya, el torero del viento, la entrepierna, el apretamiento que allí tenía. Pero a Sintora poco le importaba aquel traje sucio, rosa y oro, en el que apenas cabía medio cuerpo del furtivo matador, ni las botas medio reventadas en las que llevaba metidos los pies o la camisa militar que tenía puesta bajo la chaquetilla de los bordados, abierta y a punto de estallar.

—Di, niño, ¿qué te parese?

—Yo busco al cabo Solé Vera —miraba dudoso Sintora el papel y el galón raquítico de mi padre, que él veía borroso y que tenía un color demasiado oscuro, casi marrón.

—Lo que nos hacía falta era un niño de pañales. Se piensan que el destacamento de Villegas es el coño de la Charito. La última mierda.

El que hablaba era el hombre que venía de la oscuridad, el que tenía el flequillo cortándole la frente como un hacha de color negro. También tenía los ojos negros, y las manos, y las puntas de las uñas. Y los labios también tenían un tinte de carbón, oscuros y muy perfilados, y parecía que fuese la voz, que también era negra, la que le dejase un rastro de alquitrán en la boca. Era Ansaura, el Gitano, que no se sabía si era o no gitano pero al que todos llamaban Ansaura, el Gitano, y que, primero en un camión, luego a lomos de un mulo y al final cargada sobre sus propios hombros, habría de llevar por todos los frentes, por tierras empantanadas, por trincheras y pueblos devastados, una máquina de coser al lado de la cual acabarían fusilándolo mientras él pensaba en su mujer y murmuraba su nombre, Amalia, Amalia, Amalia Monedero. Pero eso fue mucho tiempo después, cuando Sintora ya había conocido a Serena Vergara y le había perdido el miedo a aquel hombre que entonces hablaba de las debilidades del teniente Villegas y de cómo todo lo que no valía para otra cosa era enviado a ese destacamento, el coño de la Charito.

Mi padre se puso el cigarro en la boca, prendió un encendedor que tenía una llama medio verde y, después de echar el primer humo despacio, mirando al suelo empezó a andar hacia un camión destartalado y de morro chato a la par que hablaba, tranquilo, con la voz baja de quienes tienen una autoridad que está más allá de los galones:

—Venga, niño, que te vamos a enseñar la guerra. Guárdate el papel y sube al camión. Tú, Montoya, quítate el traje, que se lo tiene que poner uno al que mañana va a coger el toro. Doblas. Ansaura, el camión de la Doce.

Y todos, después de quedarse un instante mirando cómo andaba mi padre, mirando sus propias sombras alargadas entre los camiones y las lonas que cubrían los vehículos, se pusieron en marcha. Doblas, al que mi padre le había dado una palmada en el hombro y que era el de la cara congestionada, fue el primero en moverse, sombra lenta de mi padre, respirando, sin ser viejo, como respira un perro o un oso viejo o quizá un elefante marino viejo y de color morado.

—Y tú, Ansaura, ya tendrías que saberlo.

—¿Lo qué? —miró indignado Ansaura, el Gitano, al cabo.

—¿Lo qué? Que la guerra entera es el coño de la Charito.

Y aquellos hombres, uno negro, otro vestido de torero y cojeando por la angostura del traje, uno que resoplaba con el ruido de un elefante marino y mi padre, que era cabo y se llamaba Solé Vera, subieron a aquellos camiones que tenían unas letras, UHP, pintadas en las puertas. Y los motores de los camiones y los camiones enteros empezaron a temblar, y sus ruedas, que no estaban llenas de dientes ni eran ojos de lobo, comenzaron a dar vueltas. Y Gustavo Síntora iba con ellos.

*L*a guerra, la guerra era un laberinto de mujeres vestidas de
negro, de perros perdidos y niños que jugaban a la guerra,
de niños que jugaban a los muertos, a ser muertos como
su vecino al que le había caído un cascote de metralla mientras
tomaba una sopa con restos de patatas y anguila o pagel o roda-
ballo, un pez que asomaba su raspa entre el caldo naranja, un es-
tanque tintado de pimentón o sangre. Un pez que no nadaba,
que miraba con su ojo muerto los ojos muertos del vecino, el
trozo gris de metralla del que goteaba una sangre espesa y os-
cura, lenta, vaga, aburrida la sangre de tanta guerra, de tanto
fluir por cabezas, pechos y espaldas, cansada de salpicar paredes,
mesas, árboles, adoquines y tapias. La guerra era una soledad
con bombas, voces y banderas, una soledad de niños y de muer-
tos. De ojos, de peces sin vida. Un relámpago que estallaba den-
tro de mi cabeza. La guerra era yo.

Gustavo Sintora, quizá vislumbrando en su mente
aquello que tiempo después escribiría, viajaba en el camión que conducía mi padre, apretado entre Doblas y la
puerta contra la que lo exprimía su respiración recia y profunda. De reojo, miraba Sintora los ojos de huevo del ayudante de mi padre y los terrenos destruidos que iban atravesando, tapias con carteles y troneras, descampados,

paisajes sin árboles. Nadie hablaba y a nadie parecía importarle Gustavo Sintora ni de qué modo había llegado a Madrid. No era más que una brizna de paja flotando en el torrente alocado de la guerra. Así se había visto en la carretera de Almería, su familia llevada por el río de la gente y las tropas que se batían en retirada, huyendo de Málaga. Muebles, lebrillos, un piano, animales, colchones, niños y soldados viajando a paso lento en las cajas abarrotadas de los camiones. Baúles destripados, sillas y muertos por la carretera.

Sintora se perdió de su familia en medio de un bombardeo. Los proyectiles venían del mar, de un barco diminuto y gris que apuntaba sus cañones hacia la costa mientras que del cielo bajaban los aviones acariciando las copas de los árboles, rozándolos para ametrallar soldados, lámparas, mulos, muertos y camiones. *Todo ardía o parecía que iba a arder, todo me decía que al instante siguiente ya no iba a estar allí, nada iba a estar, ni el fuego, ni el tiempo, ni yo, ni siquiera mi esqueleto. Yo era una bocanada de viento que corría entre las rocas, por entre las ramas de los matorrales que me arañaban las piernas sin dolor. Yo era el viento y yo vi la cara de un hombre que me miraba con los ojos muy abiertos y oí que un árbol me hablaba y me dijo soy la muerte, y todo era una lámina, la vida era un papel que alguien estaba a punto de echar en medio de una hoguera,* escribió Sintora.

Cuando dejaron de pasar los aviones fue caminando por entre los grupos que se arremolinaban alrededor de la carretera. Buscaba a su familia, a la hermana pequeña que al empezar el ataque llevaba de la mano. Decía el nombre de la niña como si estuviera dentro de un sueño, lo murmuraba y luego lo gritaba y lo volvía a susurrar. Y así fue carretera adelante. Caminó no se sabe cuántos días, semanas, hasta que un amanecer, quizá en la provincia de Murcia, llegó a un campamento ruso en el que unos soldados le dieron de comer y entre palabras y risas que Gustavo

Sintora no entendía acabaron adoptándolo como corneta. Estuvo más de dos meses Sintora con aquellos hombres. Pasaba el día por los campos, viendo despegar aviones, ensayando con su trompeta pobre el modo de despertar por las mañanas a aquellos aviadores que venían de Rusia y que en verdad parecía que tuviesen los ojos llenos de nieve, con el celeste de las pupilas desvaído por unos copos que constantemente debían de caer por el interior de sus cabezas.

Y además de esos rusos había otros que decían que también eran rusos pero que mayormente tenían cara de esquimales y comían una cosa que olía a pescado crudo, una masa que echaba peste y que siempre me la querían dar de comer, y se reían al ver mi asco y me daban licor. Hacían fuego y té. Me enseñaban algunas palabras. Me hablaban mucho rato, sabiendo que yo no los entendía, pero me seguían hablando y me abrazaban, borrachos, me daban palmadas en la cara y me decían mi nombre mal dicho, Guesteva. Leían cartas con unas letras que yo ni siquiera sabía que eran letras. Cantaban y siempre se reían con voces muy altas, como si quisieran que los escuchasen en Rusia. Y una mañana, cuando me levanté para tocar la trompeta, vi que ya todo el mundo estaba de pie y los barracones vacíos y todos, con los intérpretes corriendo de un lado para otro y hablando todas las lenguas, iban por la pista de aterrizaje, arrastrando macutos y armas y levantando un polvo que en el amanecer parecía blanco, nieve que con el ajetreo y las carreras se les derramaba de los ojos. Ya nadie se reía, y por primera vez parecían soldados. Hacían el ruido que hacen los soldados, un sonido de metal y cuero. Detrás de un barracón vi a dos muertos, uno al que le decían Vania y otro Maslobóyev y que al morirse se había quedado con una sonrisa muy dulce en la cara, como si acabase de recibir una de aquellas cartas que venían de la Siberia y tenían el perfume de una de las mujeres de las que ellos hablaban y a las que yo imaginaba con la piel también nevada y el color de un río pálido en los ojos. Cereza en los labios. Pero no era una carta, sino una bala lo que había recibido, o dos. Y de las cabezas de los muertos Vania y Maslobóyev salía un río que no era el río que las mujeres rusas debían de tener en los ojos, sino un pequeño surco rojo que serpeaba en la tierra y que todavía avanzaba lento, arrastrando tierra y briznas de paja, la sangre. Y un oficial al que yo había visto por las noches beber y cantar con ellos, con Vania y Maslobóyev, se alejaba del barracón, enfundando la pistola con la que los acababa de matar y dando órdenes a unos soldados que plegaban una lona con miradas de miedo. La traición, le dijo a Sintora uno de los intérpretes, la patria.

Y cuando la luz del día ya despuntaba empezaron a despegar los aeroplanos y a desaparecer con su zumbido ronco de aviones averiados por entre unas nubes que, al igual que los ojos de los rusos, también amenazaban con descargar nieve, sólo que ésta, de haber caído, habría sido una nieve sucia, manchados de barro los copos antes de tocar el suelo. Gustavo Sintora se quedó en la orilla de la pista, mirando los barracones vacíos en los que nunca parecía haber vivido nadie. Y cuando ya ni siquiera se oía el eco de los aviones, se puso a tocar la trompeta al lado del ruso que se llamaba Vania y del ruso que se llamaba Maslobóyev por ver si al oír la trompeta se levantaban como habían hecho días atrás. O quizá tocaba para despertarse él mismo del sueño de la guerra.

Pero nadie despertó. Sólo las ramas de los árboles se estremecieron, desnudas. Dejó atrás el campamento abandonado por los rusos, llegó a un pueblo en cuya entrada había un espantapájaros con sotana y un muerto desnudo que debía de ser el cura dueño de la sotana, colgando ambos del arco de una muralla, enganchado cada cual por un garfio que al espantapájaros le entraba por la joroba de paja y al cura por la boca de sangre. Había revuelo de militares. Metieron a Sintora en un camión con vacas y soldados y lo llevaron a Madrid, al destacamento del teniente Villegas.

Estuvo dos días sentado delante de la oficina cerrada del teniente. Los soldados y milicianos que por allí pasaban, llevando con ellos olor a pólvora y sudor, unos con fusiles y uniformes, otros heridos y con vendajes marrones, de sangre vieja, lo miraban extrañados y algunos le decían con sorna que el teniente andaba con Salomé Quesada, que estaba estudiándole la coreografía a la cantante. Y se encontraba allí, durmiendo en medio del pasillo, cuando notó que la puerta de Villegas se abría y que por encima de él alguien entraba en la oficina. Abrió los ojos y, borroso, vio a un hombre alto, con gorra de plato bajo el brazo, bigote fino y una fusta de cuero usado aliñando el primer uniforme impecable que Gustavo Sintora veía en toda la guerra. Cuando el oficial ya estaba a punto de cerrar la puerta, Sintora le cogió el pantalón y le dijo que estaba esperando al teniente Villegas, si era él. Si es usted, mi teniente, le preguntó. Tiró el oficial con suavidad para soltar el pellizco que el otro todavía le tenía cogido y, alisándose la tela, calibrando una posible arruga que no se había producido, le hizo un gesto con la cabeza, ordenándole con la frente recién peinada que entrara.

El despacho estaba lleno de carteles y fotos de toreros y artistas. *Había el retrato de un novillero con un pañuelo al cuello, un pañuelo que por el gris oscuro de la foto, debía de ser rojo. El novillero se llamaba Rafalito Ballesteros y, según rezaba en el pasquín en el que estaba metido su retrato, en el frente de Guadalajara había toreado nueve novillos en una tarde. Tenía un garabato al pie de la fotografía, una firma y el nombre de Villegas, una especie de dedicatoria con una letra que parecía la letra de los rusos. Había dos enanos equilibristas que andaban por un alambre y llevaban en la mano una sombrilla estampada de flores, unos hombres con turbantes y unas túnicas a las que se les notaban los remiendos, un mago con capa blanca subido a lomos de un caballo también blanco. El cantante Miguel de Molina retratado de perfil, con la mirada mística y un sombrero cor-*

19

dobés que en la foto parecía de plata, a lo mejor de aluminio, un tipo muy delgado con un bigote largo y lacio y un punzón atravesándole la cara de un lado a otro, medio sonriéndose a pesar del punzón y el hambre que se le adivinaba en los ojos más que en la abundancia de costillas y huesos del pecho. Al lado del faquir, que según decía el pie de la foto se llamaba Ramírez, estaba el retrato de una mujer que tenía un casquete del que salían unas plumas blancas y que sólo iba vestida con un corsé de piedras brillantes. Tenía las cejas negras y casi corridas y yo supe que ésa era la Salomé Quesada que me había tenido dos días en el pasillo, durmiendo en el suelo y comiéndome mi hambre.

Y mientras Gustavo Sintora, con la vista yendo y viniendo de las tinieblas a la nitidez, miraba todos aquellos retratos y carteles, el teniente Villegas, sentado detrás de su escritorio, miraba los documentos que tenía encima de la mesa, olvidado de la existencia de Sintora. Sólo al cabo de unos minutos, alzó la vista para preguntar:

—¿Así que tú te llamas? Siéntate —miró otro documento—. Los Faraones antifascistas, cuadro flamenco y zambra gitana. Si no tienes en qué entretenerte, los días que quieras te vienes por aquí y miras estos papeles. ¿No te parece?

—Sí, mi teniente —dijo Sintora sin saber a qué contestaba—. Sintora, mi teniente.

—Y tú tendrás hambre, viniendo de donde vienes, que tiene que ser lejos. Por la pinta que traes. Y el olor —tenía los ojos serenos, Villegas, jugaba nervioso con los dedos en la mesa. Tamborileaba sin sonido.

—Por las vacas. Vengo de.

—No te preocupes, aquí vas a estar bien. Te acostumbrarás pronto —dijo, levantándose despacio, echando un último vistazo a los papeles que dejaba encima de la mesa.

Vamos, ordenó sin mirar a Sintora. Con la gorra bajo el brazo y la fusta azotándose suave la pierna, marchó por un laberinto de pasillos el teniente, el paso largo y rápido y Sintora caminando un par de metros atrás. Se intentaban levantar los heridos al paso del teniente Villegas, se cuadraban los sanos y a todos se les ponía una mirada de orgullo al verlo pasar, sin saludar él a nadie. *Y ya en el comedor, un sótano que tenía las ventanas cerca del techo y con barrotes, me senté donde él me dijo que me sentara y me comí lo que él le dijo que me trajese a un hombre pequeño que tenía la frente cuadriculada de arrugas y las orejas muy despegadas del cráneo. Me miraba comer sin decir nada el teniente, como si en vez de mirarme a mí mirase un prado largo y unas montañas al fondo. Como si la guerra se hubiera acabado me miraba el teniente Villegas. Y cuando dejó de mirarme cortó un trozo de papel y a la par que escribía algo me dijo que fuese a los hangares de transporte y preguntase por el cabo Solé Vera.*

El lugar al que llegaron los camiones era un jardín abandonado por el que los vehículos, entre setos medio calvos y árboles con aire de prehistoria, avanzaron royendo la grava. Al fondo del jardín había una casa grande que en la caída de la tarde parecía de color amarillento y tenía luces encendidas. Se bajaron los hombres de los camiones y mi padre, el cabo Solé Vera, iba andando delante, con su gorra de plato torcida y su chaquetón de cuero. Enrique Montoya fue corriendo tras él, con el traje de torero en la mano y dando explicaciones. Aquí está, Solé, nuevo. Impecable. Impoluto disfrás, como si no me lo hubiera puesto. Ansaura, el Gitano, caminaba al compás de Sintora, en silencio, y detrás de ellos iba Doblas, tragándose la noche con aquella respiración de animal cansado.

Al empezar a subir la escalera que daba entrada al edificio, mi padre se detuvo a hablar con una mujer que en ese momento salía. Enrique Montoya le hizo una reverencia y entró en el caserón antes de que Sintora, esquivando la espalda de mi padre, lo siguiera, aunque deteniéndose el recién llegado a mirar, borrosa por la penumbra y por la enfermedad de sus ojos, la cara de aquella mujer. Vio Sin-

tora una melena corta, morena *aunque con un resplandor ro-*
jizo, como si cerca de ella hubiese una hoguera, y vi unos ojos
grandes que también parecían estar anocheciendo al lado de un
fuego que no se sabe de dónde venía, y también vi un abrigo os-
curo de color remolacha, un pañuelo al cuello, con dibujo verde
en el burdeos del fondo, y una sonrisa de labios largos que pare-
cían tener, en pálido, el color del abrigo. Entró Sintora en la
casa dejando atrás a mi padre y a Serena Vergara, la mujer
que el joven soldado llevaría tatuada a fuego el resto de
sus días y por la que habría de perder todas las patrias.
Atravesó un pasillo corto y al pronto fue como si todas las
fotos que había visto en el despacho del teniente Villegas
hubieran cobrado vida y, huidas de sus retratos y carteles,
se hubiesen echado a andar por el mundo.

Había gente llevando vasos de vino y botellas, humo y
ruido, risas al fondo. Aquí es donde vivimos, la Casona,
así se le llama por santo nombre, pupilo mío, le dijo Enrique Montoya, que se había quedado rezagado, esperándolo. Lo que ves es la cantina, bien provista, paraíso bélico, allí arriba están los dormitorios, le señaló Montoya
unas escaleras por las que en ese momento bajaba el novillero que él había visto en la oficina de Villegas, Rafalito
Ballesteros, vestido ahora con un uniforme gastado pero
con el mismo pañuelo rojo al cuello. Hablaba con el hombre que Sintora también había visto retratado en la oficina,
aquel que, a lomos de un caballo, iba vestido entero de
blanco y que ahora también llevaba chaqueta, corbata, camisa y pantalón blancos.

Avanzaron hacia unas mesas de tablones largos. Una
mujer pálida y con el pelo de color anaranjado se abrazó al
cuello de Montoya y le besó los labios, Montoya, mi Montoya. Luego, luego, le dijo el soldado apartándola, luego.
La Ferrallista, loca importante que quiso reventar con dinamita los altos hornos porque desía que eran del capital
y se vino aquí a ver si reventaba Madrid, tiene huevos y

de ves en cuando se va a la Ciudad Universitaria o a la Huerta del Obispo a pegar tiros y matar fasistas, todo por Stalin y la barragana que lo parió, le explicó Montoya a Sintora.

En una de las mesas ya estaba sentado Ansaura, el Gitano, con un tipo de uniforme que tenía bigote de púa y una cicatriz que le bajaba desde el ojo izquierdo hasta la boca. Paquito Textil, le dijo Enrique Montoya a Sintora al oído mientras se sentaban. Sivergüensa, simpático Textil, única persona en el mundo que puede considerarse amiga del Gitano, nunca han conosido los siglos una ocasión en la que el Gitano se haya reído si a su lado no ha estado éste, el Textil.

—Digo que Stalin podía ser torero. Por lo hijoputa, se me ocurre —dijo Montoya en voz alta en el momento que llegaban a la mesa el cabo Solé Vera y su ayudante Doblas.

—¿Dónde andas, Solé? —saludó el Textil—. ¿Y el niño quién es? —preguntó señalando a Sintora.

—Nuevo —respondió mi padre desabrochándose el chaquetón de cuero, antes de sentarse.

—Nuevo. La leche que mamaste, me vas a comer el níspero como no hagas lo que te digo, o lo que te diga aquí el cabo Solé —se sonrió Paco Textil arqueando la cicatriz que le bajaba del ojo como una lágrima de carne, y ya habló dirigiéndose a los demás—. La leche que mamó, que tiene cara de gracioso, el nuevo. Míralo. La leche que mamaste.

Trajeron unos vasos y dos botellas de vino negro y el gordo al que decían Doblas y que era de color morado se tomó un vaso de un trago, después otro, sin beber, como se echa líquido por un embudo, y soltó una especie de regüeldo, un sonido de cañerías que se le perdió pecho adentro por los radiadores y turbinas que debía de tener por allí. Tenía cara de camión, con el parachoques de los labios grueso y algunos dientes niquelados, unos de oro y otros de metal oscuro. Los faros de los ojos medio apagados y el ralentí del motor subido y a punto de ahogarse, con mala com-bustión. Probó Sintora el vino, áspero y con posos de tierra o serrín. La Ferrallista estaba dos mesas más allá, besán-dose ahora con uno de los enanos que él había visto en las fotos de la oficina, uno que tenía cara de niño hervido y el cuerpo proporcionado de un hombre menguado, sólo con un apunte de joroba delatando su condición de enano. Lo besaba apasionada la Ferrallista y con su hombro iz-quierdo rozaba el de un soldado que tenía la cabeza ven-dada y un ojo cubierto, un hombre joven que miraba im-pasible con su ojo único cómo al otro lado de la mesa el faquir Ramírez, con mucho trabajo, intentaba meterse el mango de una cuchara por la nariz. Déjalo, déjalo, le decía al faquir un enano zambo y con la frente abultada por una prominencia de elefante mal disimulada por un flequillo estropajoso, todo vestido de negro y haciéndole al faquir gestos de calma con sus brazos arqueados a la par que otros dos soldados y una mujer gorda miraban con caras de repugnancia la maniobra del hombre famélico. Por la otra punta del salón se oían aplausos y el sonido de una guitarra.

Bebió más Sintora. Miraba la gente que iba de un lado a otro y los rostros de quienes estaban sentados con él. La cicatriz, siempre risueña y en movimiento del Textil, los dientes metálicos de Doblas, la mirada y el flequillo ne-gros de Ansaura, el Gitano, y la calma de mi padre. Mon-toya, con sus eses y sus cuñas de telegrama, seguía ha-blando de toreros y de Stalin, sin que nadie le hiciera caso. *Me acordé de mi hermana en el bombardeo. No sabía si la guerra era aquello o esto que ahora vivía. La mano tierna de mi hermana y el fuego que venía del mar. Un barco cruzaba la noche por den-tro de mi cabeza, bombardeando los recuerdos.*

Vio Sintora los ojos del Textil señalando a su espalda, y antes de volverse vio aparecer al teniente Villegas, que lle-gaba acompañado de la mujer de las cejas corridas. Sa-

lomé Quesada. Un traje blanco con piedras o cristales brillantes y los ojos oscuros debajo de las cejas largas y lisas.
Los labios eran de desprecio, y apenas se abrieron para saludar. Se sentó al lado de Villegas, sin que se le notaran los
movimientos de los músculos ni el giro de las articulacio-
nes, una marioneta delicada que encendió un cigarrillo
muy despacio y que mientras se sacaba de los labios una
hebra de tabaco estuvo mirando a Gustavo Sintora, sin
verlo.

El teniente Villegas y sus hombres hablaban de un
enano que la semana anterior habían perdido al caer
desde la torre de una iglesia a la que el enano, borracho, se
había empeñado en trepar para hacer equilibrios. Por lo
que decían, entendió Sintora que el destacamento se dedicaba a llevar por los frentes y la retaguardia toreros y artistas para amenizar a las tropas y subirles a ellas y a la población civil la moral.

Eran el cabo Solé Vera y el teniente quienes hablaban. Se les
notaba la amistad y también se notaba que al cabo no le gustaba
la cantante Salomé Quesada y cuando ella habló de la actuación
que ese día había tenido y de lo mal preparada que había estado,
el cabo la miró todavía con más desprecio del que ella miraba. Iba
a hablar el cabo cuando llegaron a la mesa el novillero del pa-
ñuelo y el hombre vestido de blanco. El torero levantó el puño y
el de blanco se cuadró sin saber cuadrarse, con mucho aparato
y burla. Era el mago Rafael Pérez Estrada. Un mago que antes
de la guerra había alcanzado fama en los cabarets de Barcelona entrando en los escenarios a lomos de un caballo
blanco llamado Ulises al que, después de sacarle palomas,
también blancas, de la boca y las orejas, hacía desaparecer,
y luego aparecer, nadie sabía cómo.

Según le contó esa noche Montoya a Gustavo Sintora,
al principio de la guerra el mago había hecho desaparecer
el caballo del escenario sin que luego lo hubiera podido
recuperar de la nada. Las moléculas de mi caballo vagan

dispersas por el firmamento y los días de luna se oye el re-
lincho del polvo galáctico y un galope de estrellas, dicen
que decía a cada momento el mago. *Se reía Montoya al con-*
tármelo en la habitación aquella donde me había tocado dormir
con él y con Ansaura, el Gitano, y decía que la gente de aquel
pueblo de mala muerte en el que estaba actuando el mago le ha-
bía estudiado con mucha maña el truco de la desaparición y se
había apropiado del pobre Ulises mientras estaba en el limbo, ca-
muflado detrás de unos biombos de tela negra, y que el mago Pé-
rez Estrada, por elegancia, se resignó a no desvelar su artificio y
a considerar portento de la magia lo que había sido el robo de una
gente hambrienta que a buen seguro antes de que el mago hu-
biese concluido su función ya habría convertido al caballo Ulises
en filetes y preparativo de cecina.

Se reía Montoya en aquella habitación estrecha y con
literas mientras Ansaura, el Gitano, ya en la cama y con el
tajo negro del flequillo desbaratado, miraba al techo moviendo los labios, rezando, sólo que en vez de rezos cris-
tianos lo único que hacía era repetir un nombre, siempre
el mismo, cien, doscientas veces cada noche, Amalia,
Amalia, Amalia, Monedero. Amalia, Amalia Monedero,
Amalia, que era el nombre de su mujer y que él había empezado a recitar el día que había salido de Barcelona. Al
verla corriendo entre el público que despedía el desfile en
el que él marchaba, entre las ovaciones y los gritos de la
gente, murmuró el soldado, Amalia, Amalia, que nos se-
paran, que no voy a verte más, Amalia mía, Amalia Monedero. Y, según le había confesado en medio de una borrachera a Paco Textil, fue en ese instante cuando pensó,
Cuántas, cuántas veces voy a decir tu nombre antes de que
te vea otra vez, Amalia, Amalia, y empezó a contar las veces que murmuraba el nombre de su mujer, revuelto en no
se sabe qué cadencia con el apellido, Amalia, 1, Amalia, 2,
Amalia Monedero, 3, Amalia mía, 4, Monedero, Amalia, 5.
Desde ese momento, allí en Barcelona, Ansaura, el Gitano,

tuvo la ilusión de que antes de que pronunciase el nombre de su mujer, Amalia, 6, Amalia, 7, un millón de veces volvería a verla y a besarle los ojos, que, según aparecían en la foto que por las noches colocaba bajo la almohada, también eran negros, como el carmín de los labios, no se sabe si contagiados por los de él o por su propia naturaleza, quizá también gitana.

Amalia, Amalia Monedero, Amalia, no paraba de murmurar aquel hombre mirando al techo. Y mientras él susurraba yo me vi en un espejo borroso que había en la pared sin saber si era yo el que estaba allí asomado, al otro lado de las aguas movidas del cristal, al otro lado del mundo. Con mucha dificultad me miraba la cara, que yo entonces tenía estrecha y de hambre, el pelo revuelto y corto, castaño claro, y unas manchas de barba suave a medio afeitar. Y apenas veía mis propios ojos, cansados y ya no sé si del color de los ríos en los días limpios, con sombra de árboles y barro. Mira, mira la cara que tiene el nuevo, oí la voz del Textil, y también, en el espejo o en lo hondo de mis ojos, vi su cara, la cicatriz doblándose por la risa. Me tumbé en la litera bajo el rezo de Ansaura, el Gitano, que al rato se mudó en una respiración ronca, negra quizá. Y en medio del sueño vino de nuevo la guerra, la otra guerra, la cara de una niña, un muerto que aunque estaba muerto lloraba lágrimas, un caballo pasó al galope, oí la voz de una mujer y allí estaba la melena con reflejos de fuego, el abrigo color remolacha y aquellos ojos que tenían la luz de un verano al caer la tarde. La mujer subía las escaleras de un subterráneo y por el cielo gris, muy bajo, cruzaba un avión arrojando bombas que no explotaban.

La mañana era gris. El cabo Solé Vera, Doblas, Ansaura y un hombre con el pelo muy peinado con oleaje de rizos y ondas hablaban al lado de los camiones. El cabo levantó la vista hasta la ventana en la que yo estaba, me miró y con la barbilla le señaló mi figura al hombre del pelo rizado. Por encima del jardín abandonado, allí donde las nubes eran más grises, vi el resplandor blanco de un rayo, y no supe si era el inicio de una tormenta o una bomba que caía en el frente y mataba hombres.

En el desorden de su escritura, en el ir y venir de la memoria en el que todo lo mezcla, Sintora habla de una mañana gris, quizá la primera de las que vivió en la Casona, cuando en aquel lugar rodeado de árboles se reunió con los hombres que componían el destacamento, el cabo Solé Vera, Doblas, Enrique Montoya, y Ansaura, el Gitano. El teniente Villegas dio las órdenes del día. Llegaba el primer calor que anunciaba el verano. El cabo llevaba abierto su chaquetón de cuero, fumaba, y le hizo un gesto a Sintora:

—Ven, muchacho —le dijo—. Vamos a trabajar.

Y juntos subieron al camión. También Doblas. En la caja, Ansaura y Montoya. Se despidieron del teniente, que los vio marchar calándose unas gafas oscuras. Se adentraron con ruido de grava y lentitud hacia el interior del jardín y en un camino que rodeaba una fuente de agua estancada se cruzaron con un coche negro y de morro largo que también llevaba en la puerta y en el motor pintadas las letras UHP, sonó el claxon del coche y por su ventanilla asomó la cara del Textil, su cicatriz con la sonrisa, el bigote de púas y una gorra gastada y en forma de vaina sobre la frente, La leche que mamaste, Solé. La mano quedó flotando en el aire al alejarse. Se perdió el coche hacia la salida del caserón.

—El Textil no es del destacamento —miró mi padre a Sintora.

—Qué más quisiera —habló por primera vez Doblas, morado, respirando y sin apartar la vista del frente. Tenía voz de sarcófago.

Al fondo de aquel camino flanqueado por dos hileras de árboles muy altos y verdes había otro edificio, amarillento, destartalado y con algunas ventanas con la tizne negra de un incendio reciente. Detuvo el cabo Solé el camión y los miembros del destacamento descendieron del vehículo. Montoya silbaba. En el hombro llevaba echado el traje de torero con el que se había vestido el día anterior. Delante del portón del edificio estaba el hombre del pelo rizado. Corrons, dijo mi padre señalándoselo a Sintora, que a pesar de lo borroso de su visión observó cómo el hombre aquel tenía los ojos medio descolgados y apenas lo saludaba. *Labios de carne, era una cara de tortuga o de muerto, de bicho disecado al que sólo se le adivinaba la vida en el borde aquel de sangre y agua que tenía debajo de la mirada y que en cualquier momento se le iba a derramar cara abajo en una lágrima de color naranja. Corrons. El Muerto.*

Corrons habló en voz baja con el cabo, y después éste hizo un gesto a los soldados de su destacamento y empezó a andar hacia el portón. Tras él, además de Sintora, avanzaron Doblas y Montoya, que ahora cantaba en voz baja y que interrumpió su cante para decir, Sintorita, atiende, explicasión importante, aquí es donde les echan sursidos a los trajes de los toreros y hasen uniformes o lo que sea para la tropa, remiendan trajes de muertos y de artistas, de noche seguro que también les ponen pespuntes a los propios muertos para sacarlos por la mañana al frente, cosas de comunistas, la canalla, ya sabes, Stalin. Entraron en el edificio.

Era una nave amplia y en penumbra que tenía bombillas colgando del techo con un cable muy largo. Una bombilla encendida sobre cada máquina de coser y cada costurera. Las máquinas tenían un ruido de trenes pasando por encima o por debajo del edificio, estremeciéndolo dulcemente, y mezclado con ese temblor había un rumor de voces, y ecos. Dejando todas las filas de máquinas a su izquierda, el cabo Solé Vera andaba el primero y algunas mujeres levantaban la vista y saludaban a la gente de mi destacamento cuando pasaban por su lado, con una palabra, con una mueca, con sonrisas.

Llegaron hasta el fondo de la nave. Allí había unas mesas grandes cubiertas de ropa enmarañada encima de la que Montoya soltó con un gesto de asco el traje de torear. Y también había una especie de mostrador, con unas hornacinas tras él que estaban llenas de fardos y ropa doblada. Entre las hornacinas podía verse la sombra de una cruz y sólo entonces, mirando a su alrededor y viendo ladrillos desnudos y algunos muros derribados, comprendió Sintora que aquel trozo último de la nave eran los restos de una capilla.

De entre las últimas filas de máquinas se levantó la sombra de una mujer que empezó a andar en dirección al grupo. Saliendo y entrando de un foco de luz en otro, Gustavo Sintora reconoció a la mujer que la noche anterior había visto en la entrada del caserón, sólo que no tenía el abrigo de color remolacha y el pañuelo anudado al cuello ahora lo llevaba abierto, con las puntas colgando sobre el inicio del pecho. Los ojos y la melena, a lo lejos, sí tenían un resplandor de fuego, de atardecer rojo que las bombillas alumbraban y apagaban a cada paso.

—¿Cómo estáis mis hombres de los camiones?

Dentro de la alegría la voz tenía un peso de tristeza y los ojos, antes de que se me pusieran borrosos en mis ojos, a pesar del reflejo de la candela, también tenían sombras y sótanos y oscuridad y yo habría querido bajar las escaleras de aquel sótano, perderme hacia abajo, hacia adentro y vi cómo movía los labios, y hablaba.

—¿Dónde os habéis dejado al Gitano?

—Éste es Sintora. Nuevo —le dijo el cabo Solé Vera a Serena Vergara señalando al soldado de la mirada borrosa—. El Gitano está en la puerta. Con Corrons.

Desvió la vista Serena Vergara, un viento frío le pasó por la cara antes de que recobrara la sonrisa y volviese a mirar a Sintora. Tan joven, parece que dijo. *Tan joven, oí que decía desde el centro de una hoguera, no sé si una voz o el viento del fuego.* Y en seguida dio la vuelta a aquella especie de mostrador, y desde dentro empezó a sacar bultos y fardos de ropa atada con cuerdas, uniformes de tela áspera como los que había en las hornacinas. Doblas agarró varios fardos por las cuerdas y se los cargó a la espalda. Resoplando con más ruido del habitual y sin decir nada empezó a andar hacia la puerta. Vamos a practicar el castigo bíblico, las ordenansas, le dijo Enrique Montoya a Sintora a la par que se agachaba delante del mostrador para cargar sobre los hombros un par de bultos. Lo imitó Sintora, y tambaleándose miró por última vez a la mujer del pañuelo abierto, que le dedicó una sonrisa y luego, con una mueca de pena, dijo, ahora sí con la voz clara, Qué crimen, tan joven. Si es un niño.

Fueron caminando hacia la salida. Dale duro, Montoya, gritó una voz infantil desde las filas de las máquinas de coser. Era el enano vestido de negro que la noche anterior intentaba serenar al faquir mientras se metía la cuchara por la nariz y que ahora, mientras cosía de pie ante una de aquellas máquinas, los miraba pasar con una sonrisa abierta, pálido y vestido con la misma ropa oscura. Visente, respondió Montoya a modo de saludo. A sus órdenes mi cabo, dijo el enano al cabo Solé Vera, llevándose el brazo corto y doblado a un lado de la frente, abultada y llena de huesos.

En la puerta no estaban Ansaura ni Corrons. Doblas, que ya había bajado la puerta trasera del camión, fue echando dentro los fardos de ropa, y ya estaba a punto de volver a levantar la portezuela cuando el cabo le ordenó que la dejara abierta:

—Me parece que es un viejo —añadió el cabo mirando hacia un lateral del edificio.

Y por allí aparecieron Ansaura y Corrons. En medio de ellos venía un hombre mayor y muy delgado. El celeste de los ojos casi blanco y una calva huesuda sobre la que le bailaban unas cuantas canas largas y lacias. Iba vestido con un mono azul.

—Venga para arriba —dijo Corrons a la vez que agarraba por un brazo al viejo y, a la par que Ansaura lo cogía por el otro, lo alzaban hasta la caja del camión.

Nos vamos de viaje, reverendo, dijo Enrique Montoya subiendo de un salto al lado del hombre tembloroso que nada más hacía mirar para arriba, el cielo, deslumbrado por la luz. *Yo supe lo que era. Yo supe que era un cura antes de que Montoya le dijese reverendo. Era un cura y lo tenía escrito en la forma de andar, en el temblor que tenía en el cuerpo y en el olor que echaba a cura. Y pensé que iban a querer que yo lo matara, para que dejase de ser un niño, como ellos me decían y como me había dicho la mujer con los ojos y la melena de fuego. Y miré la pistola que el cabo Solé Vera tenía colgando de la cintura, por debajo del chaquetón de cuero. Miré la pistola con la empuñadura negra y el cabo miró cómo yo la miraba. Y no me tuvo que hacer ninguna señal para ordenarme que subiera al camión, a la cabina.*

35

Atrás, en la caja, con Montoya y el viejo, subió Ansaura. Corrons se quedó en la puerta del edificio, andando muy despacio detrás de la estela del camión, mirando cómo el vehículo se alejaba lento y cabeceando por la grava. Gustavo Sintora lo vio hacerse pequeño en el temblor del espejo.

Madrid era un pueblo gris y desbaratado, unas calles en las que rebotaban mis huesos en los adoquines del camión. Yo veía pasar otros camiones y pensaba que todos los camiones eran el camión en el que yo viajaba. En todos los camiones iban un cabo Solé Vera, un Doblas y un cura tembloroso y con olor a miedo y a cura. Madrid era una tumba que todavía no quería saber que era una tumba, era un nombre, seis letras por las que avanzaba mi cuerpo como avanza un caracol por el borde de una navaja de afeitar.

Con un bufido ronco remontó el camión una calle en cuesta. Dejaron atrás unas casas con verjas y jardines y el cabo Solé Vera detuvo el vehículo delante de una casa con las ventanas tapiadas y en cuya fachada, encima del portal, tenía el relieve de un león con la boca abierta en un rugido de mármol.

—No para de temblar, lleva el terromoto de San Fransisco en el esqueleto —oyó Sintora la voz de Montoya mientras bajaban del camión—. Míralo. Si no nos damos prisa nos va echar una cacota, el amable párroco.

Enrique Montoya y Ansaura, el Gitano, estaban bajando al viejo, que sacudía la cabeza de un lado para otro y tiritaba más que antes. Parecía que quisiera salirse de su cuerpo con los temblores.

—Se nos va a morir y no va a valer nada —protestó Ansaura, los ojos destilando negrura. Y traqueteando al viejo, le dijo—: Te juro que te metía una bala dum-dum por la boca, pero no te voy a matar. Tira para adelante, viejo, y no te mueras.

—No te mueras que te mato, amenasa, Ansaura, el Gitano —sentenciaba Montoya.

—Arriba —ordenó mi padre mirando la casa del león.

La del león era la casa del Marqués. Sintora dejó escrito en sus papeles de la guerra y en los cuadernos que años después escribió cómo era la casa aquella, con un ascensor que entre las tripas de una red metálica subía con un crujido de cadenas y un traqueteo que siempre parecía anunciar su desplome. Es por lo de las estatuas que al principio de la guerra sacaron de la casa, pesaban toneladas y ahora son del pueblo o de algún hijo del pueblo que se las quedó para venderlas, le dijo Montoya a Sintora mientras subían y el joven soldado miraba a su alrededor, apercibiéndose de lo que meses o años después escribiría: *Escombros y suciedad por las escaleras. Había dos hombres con cananas de cartuchos y balas que jugaban a las cartas en el descansillo de la planta principal. Tosían y fumaban delante de una puerta de madera oscura, labrada. Detrás de ella, pasillos y salones con suelo de arlequín. En la pared, cuadros y señales de cuadros que ya no estaban, y todo olía como olían los ricos, a madera vieja y a un perfume que yo nunca había olido nada más que al bajarme del tranvía por las noches y pasar por debajo de las casas de El Limonar, donde las flores de los ricos tenían un olor más limpio que el de las macetas de mi madre, y de sus ventanas, además del olor de las flores, bajaba un aire tibio que era el mismo olor que dejaban a su paso aquellas mujeres con tacones, zapatos que marcaban en las aceras el eco del dinero que yo iba pisando con mis alpargatas detrás de ellas, cubriendo sus huellas, haciendo yo un ruido que no era ruido, el sonido blando de los pobres.*

Por la casa vio Gustavo Sintora a dos hombres y una mujer mayor, vestidos con monos como el del viejo que ellos llevaban o con ropas viejas que se veía que no eran suyas. Con ellos estaba una joven con los ojos muy negros y el pelo casi rapado, hermosa. Sintora supuso que también serían curas o falangistas, las mujeres quizá monjas. También vio a otros dos hombres armados muy parecidos a los que había en la entrada, uno tumbado en un sofá y el otro rascándose de las botas un barro seco y rojo con una bayoneta oxidada. Los miraron pasar. *Hacían ruido las armas dentro de la casa, al rozarse contra las paredes, al crujir ellas solas, haciendo la digestión de la pólvora y el fuego.* Los hombres del destacamento y el cura llegaron a una habitación con el suelo de madera y las paredes forradas de libros.

Aunque estaba de espaldas, Sintora reconoció al Textil sentado delante de una mesa larga, contando billetes. A su lado había un hombre delgado y con nariz de águila que, ataviado con un batín de seda roja, observaba cómo el otro se humedecía los dedos con saliva y amontonaba billetes. En una punta de la mesa había una montaña de libros. También había libros destrozados y formando una pirámide rota en una esquina de la habitación. Allí, un hombre menudo y con gafas los destripaba con mucho esmero.

El hombre de la nariz de águila y el batín de sangre era el Marqués y era el dueño de la casa. Estaba preso. Aquellos tipos que andaban con armas por allí y los hombres del destacamento lo tenían encerrado en su casa desde el principio de la guerra. El otro, el hombre menudo que estaba descomponiendo libros era Sebastián Hidalgo, sonreía, y era falsificador. Ahora se preocupaba en sacar láminas muy finas de oro de las pastas de aquellos libros. Le había regalado a Doblas oro suficiente para que un dentista de Vallecas le pusiera un colmillo y un molar. Doblas se arrancaba dientes sanos y se los colocaba de metal. Oro o lo que fuese. Aparte de romper libros y de falsificar salvoconductos, Sebastián Hidalgo también trabajaba en un periódico de anarquistas. Les ponía las cejas corridas y arrugas de demonio a las fotografías de los generales enemigos. Hacía el trabajo con lupa y con una sonrisa de niño, y los pelos y las arrugas que pintaba parecían de verdad. Más verdad que el resto de la cara de los generales. A mí me miró y me dijo que tenía una enfermedad en la vista, con la sonrisa.

—Un inquilino nuevo. Nos va a valer una fortuna —dijo Ansaura, el Gitano, empujando al viejo de los temblores contra la mesa en la que el Textil contaba dinero.

—Y viene sísmico —añadió con mucha seriedad Enrique Montoya.

Paco Textil, todavía moviendo los labios por el recuento de dinero, se levantó de la silla y con cara de sorpresa dijo:

—Cuarenta y siete, cuarenta y ocho. Me cago. Cuarenta y nueve y cincuenta. Cincuenta. Me cago en tu nación. La leche que mamaste. ¿De dónde habéis sacado a éste? Si tiembla más que un pollo. Tú, qué te pasa —le preguntó al cura, inclinándose para hablarle, casi a gritos, al oído. La cicatriz le temblaba, no se sabe si de ira o por aguantar las ganas de reírse.

—No le metas más miedo, tú —el cabo Solé Vera agarró al cura por el hombro y lo sentó en la silla que había estado ocupando Paco Textil—. Siéntese, y esté tranquilo.

—De la parroquia del Carmen. Amigo o compañero de estudios de un obispo. Dice Corrons que la familia tiene todo el dinero que hay que tener. Se llama Anselmo —Ansaura, el Gitano, miró un papel que llevaba doblado en el bolsillo—, Anselmo Luque Quintana. Quintana o Quintero, no sé qué dice aquí.

—Quintana —la voz del viejo fue como un soplo, una brisa muy leve que sin embargo anunciaba firmeza, un viento fuerte—. Luque Quintana y no tengo miedo, sólo temblores, por enfermedad.

—Y sabe hablar. Míralo —Montoya iba hacia el rincón donde estaba Hidalgo, el hombre que deslomaba libros, pero seguía hablando, de espaldas a los demás—. Todos los curas saben hablar, y ya mismo éste andará subido por ahí, en cualquier mesa, dándonos una misa, predicando y convensiéndonos de lo que quiera, el cura Quintana, Luque Quintana. Única ventaja de los toreros, que están callados siempre, pensando en el miedo que les dan los toros. Ven, Sintora. La guerra entera tiene justificasión nada más que por conoser a Sebastián Hidalgo.

De modo deslabazado, cuenta Sintora que mientras el resto del destacamento se quedaba hablando con el Textil, él se acercó con Enrique Montoya a aquel hombre que los estaba esperando con una sonrisa y que sin levantarse dio un abrazo a la cintura de Montoya a la par que éste se inclinaba para besarle la frente. Nada más poner la mirada en él, Sebastián Hidalgo, le dijo, Tú debes de andar mal de la vista, se nota que se te ha quedado el fuelle de los ojos sin gas, a ver lo que se puede hacer por ti. Sebastián Hidalgo soltó con mucho cuidado la herramienta que tenía en la mano, una especie de bisturí, tapó la cajita de nácar en la que había unas hebras doradas y se quitó las gafas, las dobló antes de levantarse y hacer una señal para que lo siguieran.

Los llevó Hidalgo por la casa, desandando el camino que habían hecho al entrar, hasta una puerta de doble hoja que el falsificador abrió después de dar muchas vueltas a un cordón cargado de llaves. Por toda la habitación había muebles mal puestos, amontonados, cuadros, lámparas y alfombras enrolladas, baúles antiguos.

—A ver, Enrique, bájame esa caja de ahí —le señaló a Montoya una caja que estaba encima de un armario.

Estiró los brazos Montoya, agarró el cajón y lo puso en el suelo. Hidalgo le sopló el polvo y levantó la tapa. La caja estaba llena de gafas, patillas y cristales revueltos como un pozo de reptiles disecados.

—Empieza con ésta —le ofreció Hidalgo, con sus dedos de niño, unas gafas a Sintora—. De aquí me he apañado yo las mías. Se ve mejor con ellas que con unos ojos buenos. Te tendrías tú que probar alguna, Montoya.

—Para el ojo anal, Hidalgo, me las voy a probar.

Con las primeras vi peor, también las cosas que estaban lejos se me torcían, y con las segundas fue igual. Con otras veía nada más que borroso, con bruma, y así fui probando, mientras Montoya abría cajones y miraba cuadros, sin dejar de hablar, y yo lo veía unas veces muy lejos, otras con la cabeza en un sitio y el cuerpo en otro, o metido bajo el agua. Y de pronto, al ponerme una de aquellas gafas y abrir los ojos, lo vi todo distinto, la cara de Montoya, el cuadro que miraba y las gafas que Hidalgo tenía en la mano, y era como si de verdad lo hubieran extraído todo de debajo del mar, y tuve miedo porque parecía que yo también surgía de algún sitio en el que siempre había estado escondido y ahora me encontraba fuera de mi escondrijo, descubierto. Me dijeron que al ponerme las gafas los ojos se me abrieron, se me hicieron un poco más grandes y las pupilas parecía que me rozaban las lentes. Eso me dijeron, y eso pensé yo al verme en un espejo, que mis ojos eran unos peces pegados al cristal de su pecera mirando el mundo.

De regreso a la Casona, al final del día viajaban en la parte trasera del camión Enrique Montoya y Gustavo Sintora, con sus gafas, redondas y de montura gruesa, quizá de carey. Montoya hablaba con aquellas eses y acento extravagante que según él le venían de la educación que le habían dado en Méjico y Francia:

—Sí, hermanito, dura es la guerra, y nosotros, aparte de llevar artistas a cantar y toreros a matar animales por los pueblos, ayudamos a llevar uniformes a donde sea, hasta ahí cumplimos con el Sentro Mecanisado de la Industria del Transporte y con el Comité de Espectáculos, pero como en el destacamento tenemos mucho tiempo y libertad, algunas veses le hasemos otro tipo de transportes a Corrons, nuestro comité de supervivensia. Corrons siempre está alerta, comunista infatigable, pistolero, siniestro, paga informasión y en un poso seco, en el altillo de un almasén abandonado o donde menos te lo pienses, encuentra enemigos del pueblo, y nosotros los hospedamos en casa del Marqués. Corrons pide un rescate por ellos a sus hermanos, a sus mujeres, a sus obispos, a quien sea. El destacamento los lleva a la Casa de Campo o a donde nos digan y Corrons y los suyos hasen el cambio.

Tres cambios llevamos hechos. No nos vamos a haser ricos, pero cuando acabe esto tendremos algún sitio adonde ir y no nos moriremos de hambre al segundo día —se calló Montoya mirándose la punta de las botas, sucias, cansadas—. Nadie, Sintorita, nadie nos va a querer cuando esta guerra acabe, ve metiéndote eso en la cabesa, mayormente porque la guerra la van a ganar los otros, los desconsiderados que están ahí enfrente y por las noches gritan que nos van a matar y se van a follar a nuestras señoras.

Madrid era un cielo naranja que yo veía pasar por el hueco que el toldo del camión me dejaba ver. Un cielo naranja con vetas de color verde y también azul claro y morado, un cielo como el que flotaba en los días quemados de mi niñez. Parecía que había un fuego a lo lejos y que Madrid era una ciudad a punto de arder, de incendiarse rápida, silenciosa, de una sola llamarada, como arde una brizna de paja seca.

—Por si es de tu interés, Sintora amigo, te diré que aparte de los hombres del destacamento están en el negosio el Textil, que es el responsable del taller ese de costura que has visto esta mañana. Y luego están los hombres de Corrons, los que has visto en la casa del Marqués. Son sus primos, bueno, tres primos y un sordomudo que no sé qué le toca, aunque los cuatro paresen sordomudos, solamente hablan con Corrons, que los trajo de su pueblo al empesar la guerra y parese que sólo entienden el idioma de él, como las cabras o los animales conosen las mañas de sus amos. Viven en la casa del Marqués y por lo menos uno de ellos, no sabría desirte cuál porque todos son iguales, uno que tiene la cabesa un poco más gorda y la barba más negra, Asdrúbal, parese que es un desertor. Pero nadie quiere haser averiguasiones. Es lo mismo que lo del propio Marqués, no se lo fusiló cuando sobraban voluntad y balas y se le dejó estar, y ahí vive, con la casa desvalijada y esperando que lleguen los suyos para la vengansa. Seguro que vendría vestido de etiqueta a nuestras ejecusiones, le he visto unos sapatos de charol con las suelas sin estrenar escondidos, amarrados al somier de la cama. Me lo veo con esos sapatitos puestos, niquelados de betún y pidiendo darnos el tiro de grasia, en pago por no haberlo liquidado nosotros.

Las gafas, quizá el camión con su traqueteo y las curvas, me traían un mareo dulce, iban y venían las casas, se deslizaban por mis ojos como se desliza por el mar y el agua todo aquello que flota, inseguro. Y al lado del mareo estaba la voz de Montoya fundiéndose con el eco del camión, se anudaban aquellos sonidos como mi vida empezaba a anudarse a la vida de aquella gente que vivía en los sótanos de la guerra.

—El Marqués, antes de que empesaran a caer bombas, aparte de parásito y de explotar al oprimido, ya sabes tú lo que te digo, a lo que se dedicaba mayormente era al puterío, con niñas de poca edad, putas jóvenes digo, no niñas. Quinse, diesiséis años. El Textil, gran intrigante, gran conversador, lo sabe todo, se lo contó el propio Marqués. Lo hasía, lo de las niñas, porque le recordaban a su mujer cuando la conosió, dise, cuando la veía pasar por delante de la casa con estudiantes de su edad, siempre pensando en cómo iba a levantarle muy despasio, un día, las faldas, y cómo sería la vellosidad rubia que ella tendría por los muslos, pensaba en el modo en que le iba a soplar los vellos y en cómo iba a verlos moverse, como si fueran trigo y su boca viento. Por eso dise que luego, cuando su mujer se puso mayor y ya no paresía que venía del colegio, él buscaba putas jóvenes, por encontrar de nuevo a su mujer, por todo lo que la había querido. Sólo que una ves encontró a una amante, que él dise que no era puta sino dependienta de una sapatería, y estuvo un año enriquesiendo a la sapatera y con la cabesa ida por aquella niña, tanto que mandó a un pintor que le hisiera un retrato a la sapatera, pero no como sapatera, sino como Virgen María. Y le regaló el retrato a su mujer y mandó que lo pusieran en el oratorio

45

que tenía en la casa. La fuersa del visio. Y cuando veía a su mujer de rodillas y resándole a su amante, el Marqués se sentía rejuveneser, dise que a veses lloraba. La emosión. A la Marquesa llegamos a conoserla, se murió después de ocupar la casa, del corasón disen. Aparesió muerta una mañana y tuvimos que enterrarla de noche, por la Casa de Campo. Corrons dise que a lo mejor un día alguien paga por el Marqués y nos salva la vida, pero a veses se equivoca, como se equivocó cogiendo a la niña esa que has visto en la casa, Beatrís, la del pelo rapado, que es una novisia sin familia ni nadie que quiera dar un real por ella. La usan de criada.

Era la noche y en algunas casas yo podía ver una luz que siempre era una luz pobre y yo imaginaba gente bajo esa luz, una mujer, un niño, un marido que no estaba en el frente, imaginaba sus voces y las palabras que la gente que se quiere se dice bajo las luces, no importaba que las palabras no hablaran de la verdad, y no dijesen estamos aquí, estamos vivos, y estamos juntos, alumbrados por nuestra luz, mi mano es vuestra mano, y el aire que entra en mis pulmones y que me alimenta como una comida pobre, es vuestro aire y el vuestro el mío. Las palabras sólo decían ven, toma, coge, dame, pero también decían sin decirlo, mañana, verdad, sí. La luz tejiendo la vida y yo cruzando en la oscuridad del camión una ciudad desconocida.

—Nadie sabe nunca lo que piensa Corrons, sólo el cabo Solé Vera lo sabe llevar. Lo trata desde lejos, pero los dos saben todo lo que el otro piensa. Y eso es difísil, porque aquí, aunque parese que todos queremos lo mismo, cada uno va por su cuenta. No hay más que ver el destacamento, el teniente Villegas no está metido en nada de lo de Corrons. Repudia las bajesas. Mira para otro lado y quiere saber lo menos posible, dise que así no se gana una guerra y que si se gana así es mejor no ganarla. Y a lo mejor tiene rasón, su rasón. O a lo mejor, sensillamente, es que el teniente puede permitirse el lujo del escrúpulo. Valiente Villegas, audás, lo he visto, Sintorita, lo he visto meterse en medio de una casa que estaban demoliendo con ráfagas de ametralladora y salir de allí con una niña medio muerta en los brasos y dos pacos encañonados con su pistola. Un ejérsito disparando contra la casa y él solo los sacó a los dos, y a otros dos que dejó dentro, uno muerto, con las boqueadas, y otro con una bala en el pescueso. Pero por mucha valentía que echemos y por mucha enteresa que tenga nuestro teniente nadie nos va a querer cuando esto acabe. Por eso yo lo que quiero es un poco de dinero y volver a Fransia y estableserme allí y no saber nada de esta gente que no para de matarse y nada más que piensa en fusilar al primero que pasa sólo porque tiene un peinado distinto al suyo. Quiero tener una casa de piedra, Sintora, pequeña, para que me quepan el culo y la cabesa, una casa y unas cuantas viñas, para vivir, y una mujer rubia, también pequeña, de esas que disen mersí todo el tiempo y tienen los ojos muy asules, para mirarlos y para que me hable por las noches, cuando llueva y yo oiga el agua caer en mi tejado de piedra y en las hojas de mi viñedo.

Estaban las tapias y las casas derrumbadas que había visto la primera vez que fui en el camión, al lado de Doblas, sin que nadie me hablara. Me toqué las gafas, pesaban, y me las quité para que todo fuese como antes, como siempre había sido. Y entonces le pregunté a Montoya por ella, le pregunté quién era la mujer del fuego, la mujer del abrigo y el pañuelo color remolacha, la que habíamos visto en la escalera de la Casona y por la mañana nos había dado los uniformes. Le pregunté quién era. Y Montoya giró su cabeza grande y me miró y yo no le veía la mirada por la oscuridad y por la nube de mi vista. Y me dijo no, dos veces.

—No, no. Ella no es nadie, ella no existe. Olvídate de que la has visto y olvídate ahora mismo. No la has visto nunca, y si vuelves a verla será como si no la vieras porque no existe. Es fásil. Para ti no existe, porque aparte de

que casi podría ser tu madre, y tú para ella no puedes ser
más que un chucho extraviado, ella, escúchalo por si te di-
vierte, es la mujer de Corrons. Y a Corrons, escúchalo también porque a lo mejor te interesa, le da igual meterte dos
tiros que cuatro. Y además tiene una hija, una hija, una
cosa de esas que a las mujeres les salen de las tripas. No
existe, fantasma, aparisión. Se acabó. Si nesesitas un alivio
está la Ferrallista, mujer efisiente, contoneo sísmico. Y si la
Ferrallista no es de tu agrado hay otras, aunque meneen
peor el culo y tengan menos locura, también está una mili-
siana que dise que es torera, y mientras torea o no, la tenemos aquí sacándole brillo a la parte blanda de la tropa.
Aunque yo, ya sabes, antes de meterme a la cosa de follar
con un torero, o torera, prefiero la abstinensia, la horca y
mayormente la ferralla.

Gustavo Sintora fue conociendo a la gente que vivía en la Casona. Y muy pronto empezó a decirle al Textil, La leche que mamaste, ¿dónde andas, Textil? Y el Textil, torciendo con una sonrisa la cicatriz que le bajaba del ojo, respondía, La leche que mamó, el niño, las gafas que se ha echado ¿lo habéis visto?, y le decía a Sintora que se sentase con él si estaba en la cantina, o fingía que le disparaba con los dedos si iba en su coche de morro largo y con las letras UHP mal pintadas en la puerta y en el motor.

Conoció al mago Pérez Estrada y al novillero Ballesteros. Y también al enano que siempre iba vestido de negro y al que todos llamaban Visente en honor a la pronunciación de Enrique Montoya, y al faquir Ramírez, que era un hombre triste al que no le gustaba su oficio, que había sido chatarrero y que para salir de la miseria poco antes de empezar la guerra, al ver en un escaparate unas estampas de unos hindúes traspasados de alfileres se puso a razonar sobre su escasa sensibilidad a los martillazos, cortes y perforaciones ocasionados por su trabajo y empezó a clavarse agujas y a masticar trozos de chatarra y metal, primero para los amigos, ganándoles apuestas, y luego en cafés y salas de espectáculos del Madrid nocturno, con unos bigotes postizos para que no lo reconocieran y que ahora llevaba siempre en los bolsillos de la ropa, poniéndoselos nada más que en los pueblos y teatros donde pensaba que lo podía ver alguna amistad de su madre, por guardarle la memoria, decía él. Y lo hacía todo con mucha tristeza, moreno y con los ojos hundidos, la nariz larga y también triste, acordándose de su madre muerta y de los cuidados que ella siempre le había procurado, viéndose ahora como carne de un espectáculo que a él le parecía miserable y lamentándose de los males que aquellas tareas algún día le acarrearían a su salud, que siempre era débil y desde su infancia andaba resentida con unos catarros crónicos, vértigos y náuseas que ahora sólo tenían el consuelo del enano Visente, su amigo costurero que a pesar de enano y de haber sido seminarista, a pesar de que a cada paso andaba santiguándose y en el pecho llevaba un recorte de tela con una estampa y el lema «Deténte bala, el Sagrado Corazón está conmigo», tenía el respeto de toda la gente de la Casona.

Y a la miliciana Sarah de Boston, y a la torera Nuria Velarde, y al rapsoda y ventrílocuo Domiciano del Postigo, conoció Gustavo Sintora en sus primeros días en la Casona. Y una mañana, al salir del edificio, en la misma escalinata donde la había visto el primer día, se cruzó con Serena Vergara, que entonces llevaba un vestido de flores pequeñas y amarillentas, y los labios, *y a la luz del día por la cara se le veían huellas de pecas, restos de fuego derramado de las pupilas, el pelo casi pelirrojo,* y fue ella la que le habló:

—Tú eres.

Sintora pensó en Montoya, en los días que la había visto de lejos, por los jardines de la Casona. Y ella, soplo del viento sobre las llamas, siguió diciendo, con la duda:

—Tú eres, el nuevo.

Y sonrió, *abiertos los labios. Los ojos limpios. Mirándome. Los dos detenidos en la escalinata. Pensé en las palabras de Montoya: No existe. Pero en ese momento quien de verdad no existía era Montoya. Corrons.*

—Así, como ahora llevas gafas, no sabía si eras tú.

—Sí. Me llamo Gustavo Sintora —*sí existía, y yo existía, y mi voz era mi voz, y ella me miraba, y sonreía, y el arco suave de las cejas se le hacía más alto y a los ojos le entraba más luz.*

—Sí —dijo ella—. ¿Y estás bien?

—Sí, señora.

—Señora —abrió todavía más la sonrisa y siguió andando, *volvió a andar y aquel campo de girasoles que había en su vestido se estremeció y fue como si la tierra se levantara de la tierra y volase, los campos y los árboles y la tierra y el mundo que llevaba en su cuerpo.*

Señora, pareció repetir ya dentro del edificio. Y Sintora bajó la escalinata sin saber que la bajaba, empezó a notarse la respiración. Vio la cara de Corrons y supo que aquel hombre nada tenía que ver con ella, con esa mujer. Volvió a ver su sonrisa pero esta vez, con la imagen de los labios estirados le vino una oleada de negrura. De nuevo oyó las palabras de Montoya refiriéndose a él, un perro perdido, alguien que nunca podría significar nada para ella. Y de pronto la sintió lejos, una extraña, igual que las mujeres que veía desde el camión. Y se sintió libre, Sintora, atravesando el jardín abandonado de la Casona. Y pensó, No existe.

Pero en el tiempo que siguió a aquella mañana, Sintora comprobó que Serena Vergara sí existía. Lo comprobó al verla pasar en el comedor, y en el taller, en la nave de la costura, un día que entró con el enano Visente para recoger el traje de un cantante, al levantar la vista y ver cómo sus ojos miraban sus ojos, ella ya sin sonreír. Y también lo supo una tarde, cuando viajaba en la caja del camión con Ansaura y la vio caminando por la acera, entre los árboles.

El abrigo color remolacha. Lloviznaba. El cabo Solé Vera detuvo el camión y Sintora oyó la voz del cabo llamándola, y ella, Serena, se agarró las solapas del abrigo y corrió hacia el vehículo, hacia la cabina. Sus miradas se cruzaron cuando pasó bajo el camión. Sintora oyó cómo se abría la puerta y ella subía al vehículo. Y pegado a la caja estuvo sintiendo la presencia de ella al otro lado de la madera y del metal de la cabina, sabía que estaba allí, que existía y respiraba, que su piel estaba dejando su calor en el asiento del camión y que su cuerpo vibraba al mismo compás que el suyo.

Y fue en esos días cuando Gustavo Sintora salió a hacer su primer transporte de espectáculos. Salieron los dos camiones del destacamento. En uno iban el cabo Solé Vera y Doblas llevando detrás a Sintora, al mago Pérez Estrada y a dos músicos, Martínez el trompetista y otro al que le decían Lobo Feroz por lo pacífico que era y porque nada más que sabía tocar el xilófono y hacer acompañamiento con maracas. Y en el otro camión, que conducía Ansaura, iban en la cabina Salomé Quesada con sus cejas corridas que parecía que se las había pintado el falsificador Sebastián Hidalgo, y el teniente Villegas, y en la caja llevaban a un cantante joven, Arturo Reyes, que había llegado a la Casona unos días después que Sintora y que tenía palidez de muerto, los ojos hundidos y toda la sangre del cuerpo agolpada en el bermellón de los labios. Y con él iban otros dos músicos y Enrique Montoya, que igual que Sintora, hacía de escolta y debía viajar con el fusil montado, sólo que Montoya lo llevaba tirado por el suelo del camión, revuelto entre unas mantas, descargado y con las balas metidas en los bolsillos del pantalón.

Mientras estaba en el jardín de la Casona cargando el camión, Sintora estuvo observando la entrada del taller de costura. Pero sólo vio a Paco Textil, que detuvo su coche al lado del camión y asomado por la ventanilla, le dijo, La leche que mamaste, Sintora, qué envidia, con los artistas, a ver cuándo los del destacamento me lleváis de espectáculo, yo todo el día aquí encerrado viendo tricotar, o en casa del Marqués, haciendo cuentas como una mona.

Y se fueron los dos camiones, salieron de Madrid y llegaron a un pueblo de casas oscuras que tenía una plaza cuadrada con banderas en los balcones. En medio de la plaza había un entarimado que parecía un patíbulo pero que era un escenario. El escenario en el que, al caer la noche, cuando los balcones y la plaza entera se llenaron de gente, actuaron el mago Pérez Estrada, que con cierta desgana sacó de los pliegues de su capa varias palomas y de dentro de su boca una cadena de pañuelos, todos blancos, los pañuelos y las palomas. Saca un pollo al chilindrón, mago Pérez, Y a mí sácame una prima que tengo en Cuenca y es muy puta, se reía un grupo de milicianos sentados en el suelo de la plaza. También actuaron, primero por separado y luego a dúo, los cantantes Arturo Reyes, delgado y con voz de flauta, Maricón, le gritaba la tropa, y Salomé Quesada, que imponía el silencio con su voz y su mirada a pesar de que llevaba un vestido, con lentejuelas entre azul y verde, que era casi todo escote y había empezado tarde su número, amenazando con suspenderlo por lo indecoroso del camerino, que tenía arañas en el techo y trozos de pared derrumbados por la humedad.

Después de la actuación hubo un discurso. Hubo un discurso en el escenario, que lo dio un hombre gordo, y otro frente a él, que lo dio Montoya. Sólo que Montoya no gritaba ni hacía gestos de teatro, sino que murmuraba y respondía a cada frase del gordo. No, no quiero ser libre si es contigo y tú me vas a rasionar la libertad y ya me la estás rasionando, mofletudo, metiéndome tanta mierda por las orejas. Consiensia de pueblo no tienes tú, tú nada más que eres un serdo. E imitaba el gruñido de los cerdos Enrique Montoya, pero nadie del destacamento lo escuchaba, ni a él ni al hombre de la tarima. Ansaura, el Gitano, movía los labios como si también él echara otro discurso, pero seguro que lo que estaba haciendo era contar el nombre de su mujer, repetirlo por 380.000, 420.000 vez quizá. Doblas respiraba, mirándose los pies, los boquetes de las botas. Mi padre, el cabo Solé Vera, fumaba con la vista perdida y el teniente Villegas le susurraba algo, volcado sobre ella, a Salomé Quesada, que tenía las cejas más juntas que nunca y la boca con gesto de repugnancia, mirándose de reojo la voluptuosidad del escote.

Acabado el discurso, los cuatro músicos volvieron a subir al escenario y empezaron a tocar. Desde un balcón tiraron algunos petardos, varias bengalas que parecían mojadas, y alguna gente se puso a bailar. Había un soldado con muletas que bailaba solo entre las parejas, y niños que daban vueltas sobre sí mismos. El cantante Arturo Reyes, más pálido de cerca por efecto del maquillaje, se aproximó al grupo del destacamento y casi inclinándose, tomó la mano de Salomé Quesada y le dijo a Villegas:

—Con su permiso, mi teniente.

—Con el mío, con mi permiso, Arturo —contestó Salomé Quesada levantándose, sin mirar a Villegas ni a nadie del destacamento, sólo los ojos del cantante escuálido.

Mi padre se levantó y señaló a los demás una tabla puesta entre dos toneles que hacía de mostrador. Vamos, dijo. Los invitó a vino y a comer unas tripas enrolladas en una caña que sacaban del fuego. Y allí, apoyados en la madera mojada y masticando aquella especie de goma salada, miraban cómo la gente bailaba y cómo entre la gente, haciendo aspavientos y dando unas vueltas muy rápidas, bailaban Salomé Quesada y Arturo Reyes. Los demás se apartaban para dejarles espacio y muy pronto fueron ellos los únicos que bailaban en mitad de la plaza, mirándose muy fijos a los ojos, viendo en las pupilas del otro el rumbo de sus pasos. Mi padre cogió un vaso y se lo puso frente al pecho al teniente Villegas. Sintora los miraba y quizá ya entonces pensara en escribir lo que luego escribió:

El teniente llevaba la gorra de plato puesta. El bigote le había adelgazado y era un trazo de lápiz sobre los labios. Miraba a Salomé Quesada y al cantante con cara de calavera, los pómulos abultados como dos huevos. El cabo Solé Vera le ofreció un vaso de vino negro y dijo, con una sonrisa que no era una sonrisa: Cosas de artistas. La música hacía zigzag. Bebieron, y yo miré al teniente Villegas y a la cantante que bailaba y también miré a un soldado que había empezado a bailar con una mujer joven, miré la mano del soldado en la espalda de la mujer, los dedos en el desierto de la tela, meciendo aquel cuerpo. Y supe que si ella, Serena Vergara, estuviese allí, también yo le pondría la mano en la espalda, y el mundo, la guerra y la noche empezarían a girar despacio a nuestro alrededor, y serían ellos los que dejarían de existir. Nunca ella ni yo.

Volvíamos por la misma carretera pero la carretera parecía otra, todavía más sola. Páramos de verde y ocre y árboles grises. El músico Martínez acompañaba el vaivén del camión con una música suave de trompeta que el mago Pérez Estrada tarareaba con una letra inventada por él. Yo veía los campos y la cabina del camión que conducía Ansaura, el Gitano, a su lado la cantante Salomé Quesada apretándose contra el teniente Villegas, buscando un cariño que había empezado a mendigar la noche antes, nada más concluir su baile. Luego hubo risas, vino y miradas oscuras. Y cuando ya estábamos acostados en la caja del camión, entre mantas, palomas y fusiles, volví a acordarme de los dedos del soldado en la espalda de la mujer y quise hablarle a Montoya de Serena Vergara, aunque sólo hubiera sido para pronunciar su nombre en voz alta, decir sus letras y que sus letras rodaran por mi boca antes de salir al aire. Pero Enrique Montoya, con la cara en la madera del camión, dijo, Te lo digo, Sintora, por si no te habías enterado, por si no lo habías visto con esas gafas que ahora tienes: el amor no está hecho para las clases bajas, piénsalo. Nos quedamos respirando. Y ya toda la noche fue un revolver el sueño, oír ruidos por las tripas del camión, manos que se iban a las manos, una pistola puesta sobre un tonel de vino y el vestido de flores de Serena

Vergara ondeando al viento, el llamear de sus labios hablándome sin palabras y aquel pañuelo abierto que le colgaba del cuello deslizándosele suave por el pecho, sin caer nunca.

Volvían los camiones a Madrid con marcha lenta, como si el compás se lo marcase el músico Martínez con la suavidad de su trompeta. Y allí, de pronto, Gustavo Sintora recuperó la conciencia de que la guerra existía, *continuaba viva, alentando en su madriguera y dispuesta a arrebatar de un zarpazo la sangre de cualquiera de nosotros.* En un primer momento no reparó Sintora en lo que sucedía, sólo vio unos cuantos hombres caminando por el campo, paisanos que avanzaban en dos pequeños grupos. Colgados del hombro, eso sí lo vio, algunos llevaban fusiles, un par de naranjeros y tres o cuatro escopetas de caza.

Oyó Sintora un grito en la cabina de su camión, que hizo una maniobra brusca, y vio la cara de alarma del teniente Villegas, ordenándole algo a Ansaura, que con un frenazo seco casi dobló su camión en medio de la carretera. Mirando hacia el campo, hacia el grupo de hombres, el mago Pérez Estrada abrió los ojos y paró de cantar. La trompeta de Martínez siguió sonando, más flojo, a pesar de la cara de miedo del músico, y entonces sí comprendió Sintora, y vio cómo en medio del grupo más numeroso iba un hombre, canoso y menudo, con los brazos atados a la espalda. Le empujaban los otros y él daba traspiés en dirección a una muralla baja, hecha con lascas de pizarra.

Se sobresaltó Sintora por el portazo de la cabina, el cabo Solé Vera pasó corriendo por al lado del camión. Sin saber cómo, el teniente Villegas ya estaba en medio del campo, corriendo en dirección a los hombres. *Se oían sus voces mientras corrían. Se alejaban el cabo y el teniente y sus figuras se iban haciendo pequeñas, igualándose a las de aquellos hombres, y ya casi tenían su mismo tamaño en la lejanía. Se dividieron los hombres, cinco o seis continuaban empujando al que iba atado hacia la muralla, otros dos se separaron para recibir al*

teniente y al cabo. El músico seguía soplando la trompeta y la
música, que continuaba siendo dulce, empezaba a convertirse en
lamento.

Se vio cómo a lo lejos el teniente y el cabo discutían con
los dos hombres. Levantaban los brazos. Uno de aquellos
tipos se bajó la escopeta del hombro. El teniente Villegas
sacó su revólver de la funda y entonces fue cuando Sintora se dio cuenta de que Montoya y Ansaura, el Gitano, se
habían bajado de su camión y estaban en el borde de la carretera, apuntando con sus fusiles a aquella gente. Sacó la
cabeza para ver la cabina de su propio camión y vio cómo
por la ventanilla asomaban el codo y el fusil de Doblas.

Apartó al mago Pérez Estrada y, atropellado, Gustavo
Sintora cogió su fusil y se apoyó en la puerta trasera. Se
pegó las gafas a los ojos y miró al campo. El teniente seguía gesticulando, ahora con el revólver en la mano. El
cabo Solé Vera se había abierto el chaquetón de cuero y
también había sacado su pistola. Notó el temblor del fusil,
Sintora.

Estaba eligiendo un blanco entre aquellos hombres, el
que sostenía la escopeta delante del teniente y el cabo, el
que estaba a su lado y tenía, ahora se daba cuenta, una hoz
en la mano, cuando vio unas nubecillas de humo blanco
saliendo del otro grupo de hombres. Muy despacio, simulando un juego, el de las manos atadas dobló las rodillas,
cada una para un lado, y cayó sobre sí mismo, como si
fuese papel y alguien lo arrugara, y sólo mucho después
oyó Gustavo Sintora la detonación de los cuatro o cinco
fusiles y escopetas que habían disparado sobre el hombre,
casi a quemarropa. Se le fue el punto de mira de un grupo
a otro, a los hombres que miraban al muerto, que se le
acercaban, todavía apuntándole, al de la hoz, al que apuntaba al teniente Villegas y que ahora daba un paso hacia
atrás, atacado por el teniente, que lo cogió por el cuello, se
movieron hacia ellos los que habían formado el pelotón de

fusilamiento, apuntaba el cabo Solé al de la hoz, a los que se acercaban, y sonó una detonación, un tiro que rompió desde el camión de Sintora. Doblas había disparado al aire, seguía apuntando. Los hombres del campo miraron a los camiones, dudaron. El teniente había puesto de rodillas al de la escopeta, seguía agarrándolo del cuello con una mano, con la otra le apuntaba la cabeza con el revólver. *Parecía que se lo iba a hincar en la sien. Pensé que lo iba a matar. Pensé que ya lo había matado y cómo se iban a mover los otros, quién iba a disparar, a quién iba a disparar yo, cuántos tiros recibirían el teniente y el cabo. Si llegarían vivos a Madrid, quizá desangrados. Vi los torniquetes y los vi en agonía. Vi la cara de un médico, el pasillo de un hotel hecho hospital, y me vi a mí disparando salvas en su funeral. El dedo temblándome en el gatillo como ahora me temblaba.*

Pero no le disparó el teniente al tipo aquel. Desde los camiones vieron cómo después de gritarle y de darle golpes con el revólver en la cabeza, el teniente Villegas levantó de un puñado al hombre y le dijo algo al cabo Solé Vera, que se le acercó y, enfundándose la pistola, sacó de un bolsillo de la chaqueta de cuero una libreta y algo que debía de ser un lápiz con el que tomó alguna nota. Se sostenía el hombre la cabeza, se la tocaba con un trapo que desde lejos se veía cómo se tintaba de rojo mientras el teniente y el cabo, pasando entre los hombres del pelotón, se acercaron hasta donde había caído el fusilado. Se quedaron mirándolo, de pie, sin agacharse.

—Ahora habría que ir y sacarle al cadáver la paloma blanca que lleva dentro —dijo el mago Pérez Estrada—. Pero yo ya estoy muy cansado.

Se volvió Sintora a mirar al mago, que se dejó caer abatido contra la lona del camión, murmurando, Cansado de tanto asesino de palomas, y sólo entonces, al verlo a su lado, advirtió Sintora que Martínez seguía con la trompeta en la boca, soplando de un modo tan débil que la música apenas alcanzaba a salir del círculo dorado en el que acababa el instrumento. Y aquellas notas, sólo insinuadas, acompañaron el camino de vuelta del teniente y el cabo, que regresaron andando despacio a los camiones, sin hablar entre ellos, sus figuras entre el verde, y la música.

Sólo cuando estuvieron cerca de la carretera y pasaron junto a Montoya y Ansaura, dejó Sintora de apuntar a los hombres que todavía seguían en el campo. Se detuvo el teniente Villegas al pie del camión. Tenía la cara pálida y le acababan de aparecer unas ojeras de color marrón. Hijo de la gran puta, murmuró limpiando el revólver en el toldo del camión, dejando pegados allí unas manchas negras de sangre y unos pelos revueltos con algo que parecía hierba o pellejo. Se enfundó el revólver, alzó la barbilla y empezó a ajustarse el nudo de la corbata cuando a lo lejos se oyó un disparo.

Le habían dado un innecesario tiro de gracia al fusilado. Uno de aquellos hombres alzaba su escopeta y la agitaba gritando algo. Hijo de la gran puta, volvió a decir el teniente a la par que le hacía una señal a Ansaura y le ordenaba, Quieto, Ansaura, baja el fusil, quieto. Y Ansaura, el Gitano, que ya se había llevado el arma al hombro y el dedo al gatillo, la bajó muy despacio y dejó de apuntar a aquellos hombres, ahora gritando todos. Cuando los camiones pusieron sus motores en marcha, volvieron a oírse disparos sobre el muerto, y más gritos.

Gritaban como gritan los pájaros que vuelan bajo mirando la gusanera de la que se van a alimentar. Ya no sonaba la trompeta, ni el músico la tenía en los labios. Íbamos hacia Madrid y yo sentía la guerra como un pulso que me cabalgaba las sienes, más rápido su caballo que mi pensamiento. Íbamos con el silencio, y aunque habláramos todo seguía callado. La guerra venía detrás de mí, la oía respirar. Aquellos hombres en mitad del campo eran la guerra, la guerra era una hoz en una mano, una tapia y un descampado. Árboles de la guerra, música de la gue-

rra. *La guerra crecía. Ponía sus huevos por todas partes. Podía arrebatarme la vida mientras Serena Vergara, sin esperarme, sin temer por mí, sin quererme, sin saber quién era, seguía inclinada bajo una bombilla pobre, cosiendo uniformes. Entonces era yo quien ardía, y sólo deseaba, la mano del soldado, poner mi mano sobre su espalda y dejar que mis dedos sintieran sus huesos, su peso, su piel, su calor. Sólo eso. Rozarla, dejar la huella de mis yemas en su piel. Después la guerra podía llevarme, después podía venir la bala, la bomba o la metralla que habían de llevarse mi vida. Pasaban los paisajes por el cristal de mis gafas y yo quería que el camión avanzara más rápido, que comiera kilómetros. Y los camiones jadeaban como un pulmón enfermo hacia Madrid.*

Pero Madrid fue creciendo. Se fue complicando, haciéndose un laberinto cuando entraron por sus calles y llegaron a la Casona. Allí Sintora se sintió más lejos de Serena Vergara de lo que lo había estado en todo el viaje, los metros que lo separaban de ella en el comedor o en el taller, se multiplicaban por miles de kilómetros, y lo que en el pueblo aquel había percibido como algo que podría alcanzar, entonces le parecía un sueño imposible. Ya ni siquiera estaba el consuelo de los ojos, ni las sonrisas, desaparecidas después de que él se quedara parado en ellas. Ya no estaban aquellas miradas de calor que se habían tornado esquivas en los ojos de Serena Vergara y que apenas duraban un instante en la suya.

Y así fue cómo un atardecer, cuando ya empezaba a caer la noche y un aguanieve flotaba en el aire, Gustavo Sintora, quizá precisamente impulsado por lo huidizo de aquellas miradas, por esa fugacidad tras la que no acababa de saber qué se ocultaba, dejó en la cantina a sus compañeros de destacamento, a la Ferrallista y al enano aquel con el que se besaba, al teniente Villegas y a la cantante Salomé Quesada. Se quedó Sintora caminando entre los árboles abandonados del jardín, guarecido bajo sus ramas desnudas y envuelto en un capote raído.

Sin saber si la estaba esperando ni qué haría cuando viese a Serena Vergara, quizá deseando en lo hondo de sí que no apareciese, Sintora andaba de un lado a otro con lentitud, yendo de la verja del jardín al cañizo de los camiones y volviendo bajo los árboles. Al cerrarse la noche hubo grupos de mujeres saliendo, rumor de voces que se acercaban. Pasó, sin verlo, andando con la dificultad de las piernas zambas, el enano Visente, y luego fueron saliendo mujeres aisladas. Desde los árboles apenas se oía ya el ruido de las máquinas, que entonces figuraban un tren perdiéndose en la lejanía, cada vez más débil.

Estaba Sintora girando alrededor de uno de aquellos árboles cuando la vio. Primero reconoció el abrigo color remolacha, oscurecido por la noche, y luego a ella, que ya casi estaba a su lado. Salió rápido de detrás del árbol y ella, ya demasiado cerca, se sobresaltó al ver aparecer su sombra. Primero abrió los ojos, fue a dar un paso atrás, luego se paró y vino una sonrisa. Eres tú, dijo aliviada. Pero al instante la sonrisa se hizo fría, desapareció como si nunca hubiese existido:

—¿Qué haces aquí?

Y Sintora no contestó. *Ella lo sabía. Yo se lo estaba diciendo con mi silencio y ella me lo estaba diciendo con sus ojos. Lo sabía. Y me sentí como si hubiera llegado a un lugar remoto y conocido después de un viaje muy largo, de muchos años. Supe que había nacido para estar allí.*

—Vete para adentro —le señaló Serena con los ojos la Casona, las luces de las ventanas—. Vete.

Empezó a andar deprisa y Sintora se fue a su lado. Caminaron unos metros, callados.

—Yo —dijo él.

Y Serena Vergara se detuvo, con brusquedad. Se cerró con ambas manos las solapas del abrigo:

—Tú, qué.

—Yo, si tú estás enfrente, si tú estás cerca de mí, todo cambia.

—Tú eres un niño. Y no sabes nada.

—Soy un hombre. Los niños no van a la guerra.

—Los hombres y la guerra. Niños jugando a matarse.

—Los niños no van a la guerra y si van o la hacen da igual. No te escondas en las palabras. Soy, siento como un hombre, como muchos, como muchos hombres no han sentido nunca.

—Nos van a ver —Serena miró hacia las luces de la Casona, a la puerta oscura del taller. Volvió a andar. Sintora a su lado—. Vete.

—Sé lo que estoy diciendo. Y también sé lo que te falta, lo que no tienes.

—Tú —aceleró más el paso Serena Vergara, torció la cabeza, casi fingió que sonreía.

—Yo.

—Tú lo sabes.

Avanzó más rápido Sintora y se detuvo delante de ella. Acababan de doblar la verja de la Casona:

—Yo no quiero nada, sólo quería decírtelo, que lo supieras. Que supieras que soy como esos árboles en medio del invierno, aguantando la lluvia y el frío, sin hojas —le empañaba la lluvia las gafas a Gustavo Sintora, y del flequillo, revuelto y húmedo, le caía una gota como si de verdad fuera un árbol y el agua resbalara mansa por su corteza—. Que estoy vacío y lejos de todo, más lejos y más vacío porque tú existes, y estás lejos. —Se miraron—. Quería decírtelo, que lo supieras. Aunque sé que ya lo sabías.

—Y tú, ¿sabes que estoy casada, y que debo de tener quince o veinte años más que tú? —lo miró extrañada, Serena—. ¿De dónde sales tú, ahora?

El agua caía sobre la llama y la hacía blanda, el viento oscilaba y las brasas se volvían esponja. Un calor que no llegaba, y de los ojos y por la cara le caía lluvia como si le llorase la piel, y seguía mirándome. Mirando mi silencio y cómo yo la miraba bajo el viento y los árboles que se estremecían dentro de mis huesos.

—Anda, vete. Vete. Estás —negó con la cabeza—, estás empapado —extendió la mano Serena, casi le rozó el cuello del capote, viejo y mojado, pero la mano hizo un dibujo lento en la noche y volvió a ella, a su cuerpo—. Vete y olvídate de todo.

—No te olvides tú —dijo Sintora, y se quedó allí, en la entrada de la Casona, con un temblor que no venía sólo del frío, sino de lo hondo de su cuerpo.

Y sólo cuando vio perderse la silueta de Serena Vergara en la oscuridad, su abrigo y sus pasos, se puso él en movimiento, y muy despacio, crujiendo sus pies en la grava del jardín, se acercó a la Casona, a aquel rumor que ya desde la puerta le resultaba conocido y le traía el olor rancio del tabaco, un tufo de humedades y ropa sucia que se mezclaba con vino derramado y que llevaba asociado un vocerío en el que se cruzaban notas perdidas de música, risas y el conato de alguna discusión.

—Mira, la leche que mamaste. No sabía yo que eras tú de Málaga —lo recibió Paco Textil, con su gorra de vaina echada sobre la frente y la cicatriz bailándole al compás de la borrachera—. La leche que mamó. Que yo, yo, este pedazo de cuerpo, soy de Ronda, y uno de Sanidad, que se llama Juanito Marés, también. De Ronda.

De Málaga, la leche que mamó, repitió el Textil, entonces a Enrique Montoya, mientras le entregaba una carta a Sintora. Cogió el joven soldado el sobre, cuajado de matasellos y de tintas despintadas, arrugado por los bordes. Y en medio de él reconoció la letra torpe y temblorosa de su madre.

—¿Y esto?

—El teniente Villegas te la ha procurado. ¿Qué tú te crees? El teniente Viguellas nunca se descuida de los suyos. De Málaga —lo señalaba el Textil—. Míralo, Montoya, al niño.

—Ha llegado el correo de la Cruz Roja. La ha traído el teniente Villegas para ti. A mí se me ha muerto un gato que se llamaba Perro. Seguro que se lo han comido los vesinos. Mi abuela, que nunca se va a morir, le desía Gato. Por provocar, provecta, coja falsa, la vieja —le explicó Enrique Montoya mostrándole un sobre arrugado que volvió a meterse en un bolsillo del chaquetón—. A ella nunca se la van a comer los vesinos, ni nadie. A mi abuela. El moño de nueve vueltas, el carácter de noventa y nueve.

—La leche que mamaste tú también, Montoya —se reía el Textil, llorando.

—Me voy a ir a Fransia y se va a venir conmigo. Es inmortal la vieja. Para mí hoy todo son desgrasias.

Se apresuró Sintora a abrir el sobre. Manchó de agua la carta y se corrió la tinta de las primeras líneas. Se quitó el capote, y bajo él le quedaron manchas de humedad. Entre los borrones del agua, Sintora leyó algunas palabras sueltas. Estoy viva, todos, en la carretera, perdidos, de saver de ti. Y siguiendo la letra picuda y temblorosa, ya donde el agua no había emborronado la tinta, Sintora fue entendiendo que su familia había regresado a Málaga y que a él y a su hermana pequeña los dieron por muertos. «Pero undia por la mañana que estava lloviendo unhombre grande llamo a la puerta y dijo que venia de la carretera de Almeria y que en esa se abia encontrado a unaniña que estava llorando porque abia perdido a su hermano en el bonbardeo y el se la abia llebado. Cuando los italianos llegaron dando pan y diciendo que no iban a matar anadie el se volvio a Malaga y se trajo a la niña, que la tenia en la esquina con una hermana sulla. Era el hombre calvo grande y llorava de ver como la niña se me abrazo a la falda y llorava, y decia tunombre Gustavo.»

Se recostó Sintora contra el respaldo de madera de la silla y miró a la gente que deambulaba por la Casona, el humo, las risas, el faquir Ramírez y el mago Pérez Estrada. *Sentí ganas de levantarme y abrazarlo, al faquir, porque era maravilloso atravesarse el cuerpo con punzones y vencer el dolor, sentí ganas de acercarme al mago y decirle que nunca se cansara de sacar palomas blancas de todos los rincones y de todos los muertos, porque el vuelo de las palomas llegaría a alguna parte, porque el vuelo lleva al vuelo.*

—Son buenas las notisias, Sintorita, o pasa algo de gravedad —lo miraba con las cejas levantadas Montoya.

—Muy buenas —le costaba hablar, estaba fatigado—. Mi hermana, y mi madre y mi familia, están bien, todos. Han vuelto a la casa.

—A Málaga —sonrió el Textil—. Es paisano mío, Montoya. ¿Dónde andas, Sintorita? Que parece que te han dado noticias de luto. Cómo se ha quedado.

Sonrió Sintora, y se inclinó para acabar de leer las palabras de su madre, la despedida, los deseos de reunirse, de salud y de tener noticias suyas. Dobló el papel con cuidado, lo metió en el sobre y lo dejó sobre la mesa, justo cuando el cabo Solé Vera llegaba del mostrador con unas botellas de vino bajo el brazo.

—Cabo Solé. A nuestro paisano también le ha traído el teniente buenas noticias buenas —señaló a Sintora el Textil a la par que cogía una botella.

Me miró el cabo preguntándome sólo con la vista y al ver cómo yo afirmaba sonrió enseñando los dientes, grandes y parejos. Me puso un vaso delante y me dio con la mano, con la nicotina amarilla de los dedos, en la cara. Vamos a beber por los tuyos y por los míos.

—Al cabo le han dicho en la carta que ha tenido una hija —señaló con el índice el Textil al cabo Solé Vera, mi padre.

Levantaron los brazos los hombres y yo con ellos, pero yo los veía desde muy lejos, como si estuviese en el mismo lugar en el que se había escrito aquella carta que yo tenía a mi lado, en la mesa. Y desde allí, desde aquella habitación de la que yo conocía el olor y la luz y que estaba a más de quinientos kilómetros, me parecía ver al cabo Solé Vera, abrazando a Ansaura, el Gitano, al teniente Villegas estrechando entre los brazos al cabo, el vino derramándose del vaso del Textil, su cicatriz moviéndose lenta como en un sueño, y Doblas con la mirada y la sonrisa, sus dientes de oro y de metales extraños, observándolo todo. Volvía a ver al mago, a Enrique Montoya, besando en la mejilla al cabo, a la cantante Salomé Quesada con una pluma verde y larga asomándole del pelo, al enano Visente y al músico Martínez, al faquir con su cara de tristeza, su bigote guardado en cualquier bolsillo, y me di cuenta de que en ese momento no habría querido estar en aquel lugar a más de quinientos kilómetros, en la casa donde se había escrito esa carta que acariciaba, la letra de mi madre, entre mis dedos. No habría querido estar ni allí ni en otro lugar que no fuese aquella casa perdida en medio de una ciudad sitiada por la guerra, al lado de aquella gente que se movía muy despacio ante mi mirada, al lado de artistas fracasados o de porvenir incierto, de mujeres con armas, con los hombres que lucharon.

—Y además tenemos la boda —empecé a escuchar la voz aguada del Textil.

—¿Boda? —preguntó alguien.

—La Ferrallista y el enano Torpedo Miera, la leche que mamaron, dicen que se casan.

El mundo en fiesta y Montoya sin gato y perseguido por la desgrasia, sin querer ofenderlo, tendré que haser cornudo al Torpedo Miera, estaba diciendo Enrique Montoya, pero el sonido y las voces volvieron a quedar en suspenso cuando apareció Corrons. Cruzó su vista conmigo, vino el viento de los árboles, y palmeó al cabo Solé Vera en un hombro, sus párpados descolgados y aquellas olas picudas que le formaban las crestas del pelo. Aceptó un vaso que alguien le ofreció, y sin beber se acercó todavía más al cabo. Aproximando sus labios de piedra al oído de Solé le hizo llegar un susurro. Sentí el frío de los árboles y entre ellos volví a ver la figura de Serena avanzando en la noche. Y no quise estar en ningún otro lugar de la tierra.

En aquellos cuadernos que Gustavo Sintora fue escribiendo, algunos fragmentos quizá durante la guerra y la mayor parte de ellos muchos años después, cuenta que al día siguiente acompañó a Enrique Montoya a entregar uno de los rehenes que Corrons y sus hombres tenían presos en la casa del Marqués. Aquélla también fue la primera entrega que realizó el propio Montoya, que casi nunca hacía de conductor y en las ocasiones anteriores ni siquiera había ido como acompañante de Ansaura o del cabo Solé Vera, que ese día debían llevar a Ballesteros, a otro novillero al que le decían el Hijo de Lenin y a sus cuadrillas a torear en un pueblo de Madrid.

Recogieron a Corrons cerca de la Puerta de Toledo. Era muy temprano y más allá de la Puerta se oía el trabajo de los artilleros. Corrons tenía la mirada agria y se subió a la cabina protestando del frío. Al sentarse, por entre los botones de la chaqueta, se le vio la culata de una pistola, metida en la cintura, y al frotarse las manos para darse calor, dice Sintora que hubo un momento en el que pudo percibir el olor que la noche anterior tenía Serena Vergara, un aroma parecido al de la hierba recién cortada, algo más dulce, y que durante un segundo cruzó por la cabina del

camión, muriendo rápidamente entre la peste de la gasolina y la combustión del motor.

Ni Montoya ni Sintora se apearon del camión al llegar
a la casa del Marqués. Se quedaron abajo, esperando a Corrons.

—Te lo digo, Sintora, de esta gente nada más que sal-
vaba de los cocodrilos a Sebastián Hidalgo, tu oculista, el
mejor falsificador que ha habido en el mundo. Los demás,
paredón y mierda, decía Montoya viendo al Marqués asomado a la única ventana de la casa que estaba sin tapiar,
justo en el momento en el que Corrons aparecía en la escalinata de la entrada.

Les hizo una señal con la cabeza. Saltaron al suelo y fueron a la parte trasera del camión. Y sólo cuando quitaron
las correas del toldo y acabaron de bajar la puerta de atrás,
volvió a entrar Corrons en el portal. Salió un momento después. Llevaba del brazo a la mujer mayor que Sintora había
visto el día que estuvo dentro de la casa. Tenía el pelo revuelto, canoso, y llevaba las mismas ropas de hombre que
Sintora le había visto el primer día. Uno de los primos de
Sintora, Armando, Asdrúbal o Amadeo, o probablemente
el Sordomudo, asomó detrás de ella, mirando a las ventanas vecinas y con la boca de un fusil empujando la espalda
encorvada de la mujer. Tenía los ojos de agua, claros, quizá
había llorado, y de la nariz le manaba un hilo de sangre.

—No quería salir —explicó Corrons mientras se sacaba
un cigarro de la boca y lo aplastaba contra el suelo— y mi
primo le ha dado con la mano. Sólo rozarla. Las beatas y
las putas tienen la sangre fácil.

Del portal salió otro de aquellos hombres repetidos
que, con el Sordomudo, Corrons y la mujer subió a la parte
trasera. En la ventana que antes ocupaba el antiguo dueño
de la casa estaba ahora otro de los hombres, podría decirse
que el mismo que acababa de entrar en el camión detrás
de Corrons y el Sordomudo.

Cuenta Sintora que no hablaron de Corrons ni de la mujer que llevaban detrás, sino de la noche anterior, y del cabo Solé Vera. Y allí, primero en la voz de Enrique Montoya y luego en el cuaderno de Sintora, quedó reproducido un retazo de la vida de mi padre, un fragmento más, igual a los que a lo largo de mi infancia y juventud oí:

—Disen que el cabo Solé siempre estuvo metido en todos los líos, en la agitasión sosial. Siempre al lado de un hermano sindicalista, sólo que él, el cabo, sin estar afiliado nunca a ninguna parte. Yo creo que la mitad de las veses para divertirse, como disen que hasía en su barrio, montando teatros y resitales. El lado gososo de la vida. Había nasido en otra parte, en Alicante o por ahí, pero vivía en Málaga. Hasía negosios, dise que no quería trabajar para nadie. Escupía en las fotos de los patrones. Estuvo un tiempo ayudando a un primo suyo a sacar contrabando del puerto. Me parese que fue entonses cuando conosió a Doblas. Alquiló una tienda, después un camión, hombre emprendedor el amigo Solé, y empesó a transportar madera por no sé qué montes de por allí, de Andalusía. Luego vino la cosa esta de los maricones del alsamiento. El asunto bélico.

Cuenta Sintora que pasaron cerca del Puente de los Franceses y que a pesar de que a lo lejos oyeron disparos, Enrique Montoya, con su cabeza grande, el pelo enmarañado en ondas, ni siquiera apartó la vista del frente:

—La guerra se lo puso todo al revés al cabo, que no era cabo ni nunca quiso ser cabo. A saber qué habría sido de cada uno sin la guerra. Aunque estuviésemos como estábamos habríamos cambiado, pero no tanto, no seríamos los que éramos, pero tampoco esto que ahora somos, Sintora. A lo mejor sin la guerra nunca habríamos llegado a ser quienes de verdad éramos, quienes somos. Nuestra esensia. Pero habría sido mejor, yo no me habría tenido que pasear con ningún torero y estaría en mi ofisina de seguros, poniendo sellos, que es lo que más me gusta en el mundo. Más que nada, Sintora, fíjate, poner sellos. El sonido que hase.

Con mirada de falsa ensoñación, levantó Montoya una mano del volante, muy despacio, y con el puño cerrado simuló que daba un golpe sobre una mesa imaginaria:

—Unos papeles escritos a máquina, un tampón empapado en tinta y tú, ahí, pum, pam, marcándolos como si fuera ganado, dósiles los papeles, sumisos, resibiendo, agradesidos, pam, pum. El cabo, nada más empesar las bombas, se casó. He visto su foto, muy joven, cara de inosente, más bien guapa, hija de un sosialista, un practicante tuerto. Se llama Libertad, nombre con complicaciones. La vida marital que le disen les duró poco, porque en cuanto Solé vio que la guerra de verdad era guerra, se apuntó a los carabineros. Doblas con él, claro, ¿tú lo has visto? Su sombra. Fueron de los primeros en llegar destinados a la Casona, yo casi a la par. Luego Ansaura, el Gitano. El teniente ya estaba, de organisador de este puterío. Disen que en Málaga, en no sé qué café donde va la gente de los pueblos, a lo mejor tú lo conoses, el Pombo me parese, el cabo simulaba que le daban ataques epilépticos y cosas de ésas, por reírse con sus amigos y meterle miedo a algún aldeano al que luego le sacaban unas rondas de anís. Aquí lo hiso igual cuando llegó Ansaura, se tiró al suelo y echó babas, pero el Gitano lo que hiso fue darle dos bofetadas, por revivirlo dijo, y luego no convidó a nada.

Ahora es por aquí, por allí se queda el Camino de los Rojos, y nosotros por aquí, dijo Montoya al girar con el camión por en medio de una arboleda y coger un camino secundario, ya en las afueras de la ciudad. A partir de ese punto avanzaron despacio. La carretera empezaba a perder el adoquinado y a llenarse de socavones. En la cabina sonaron unos golpes que venían de atrás, de la caja. Detuvo Montoya, con muchos resoplidos del motor, la marcha. Oyeron el salto de Corrons al suelo, sus pasos. Subió a la cabina, protestando otra vez por el frío. La pistola la llevaba ya del todo visible, asomándole por la chaqueta. Le dijo a Montoya que continuase, y unos metros más adelante le señaló un camino de tierra que salía a la derecha y que poco a poco se iba convirtiendo en un barrizal cubierto de hojas podridas.

—Despacio. Para. —Se quedó Corrons, ya con la pistola en la mano, escuchando el silencio, el ruido del motor, pájaros—. Sigue un poco más, hasta aquellos árboles, los de las matas negras. Donde empieza la bajada. Allí das la vuelta y nos esperas.

Bajaron los hombres de atrás. También la mujer. En el campo se la veía todavía más frágil. Montoya y Sintora los vieron adentrarse en el camino, descender por la cuesta precedidos de Corrons, que, girando un dedo en el aire, le recordó a Montoya que le diese la vuelta al camión. Los hombres simétricos, el Sordomudo y tal vez Armando, miraban a todas partes. La mujer, resbalando entre el barro y las hojas, cayó de rodillas. La recogió el que quizá fuera Armando, sin mirarla, usando su brazo como un garfio. Se perdieron entre los árboles. Montoya ya no hablaba, también él miraba el retrovisor, el frente lleno de árboles, a los lados.

—A mí los pájaros me calientan la cabesa. No sé qué mierda tienen que cantar. —Acariciaba el volante, le pasaba la mano por encima, Montoya, y quizá más por hacer algo que por la propia angostura del sitio, decidió moverse—. Esto es muy estrecho para dar la vuelta, la vamos a dar allí, en aquel ensanchamiento.

Descendiendo muy despacio, casi patinando las ruedas por el mismo camino que Corrons y los demás acababan de hacer a pie, llegaron al punto que desde lejos había señalado Montoya y una vez allí vieron que estaba atravesado de árboles caídos.

—Pues si aquí no se puede, más abajo. ¿Que no oyes tú la pajarera esa, Sintora, coño? Parece que se están riendo de nosotros los maricones de los pájaros.

Y todavía bajó un tramo más Montoya, muy despacio, hasta llegar a una curva en la que el camino, haciéndose menos empinado, se abría en dos. Hizo unas cuantas maniobras entre el barro hasta dejar el vehículo enfilando el camino de vuelta, y justo en el momento de apagar el motor resonaron unas detonaciones que parecieron una prolongación de los estertores con los que el camión se había parado. Volvieron a sonar, secos, dos, tres disparos. Su eco retumbó en la bóveda de los árboles.

—La madre que los parió, la madre que los parió —Montoya cogió el fusil que llevaba encajado al lado de su asiento, lo atravesó en la cabina, golpeó el cristal, el volante con la culata, lo soltó, arrancó de nuevo el camión y aceleró el motor, sin poner ninguna velocidad. Volvió a coger el fusil, y retorciéndose en el asiento, se sacó unas balas del bolsillo. Cargó el arma, la montó con destreza—. La madre que los parió.

Sintora, imitando a Montoya, también había cogido su fusil. Se quedaron mirando por las ventanillas, por los espejos. *Entre los árboles sólo se veían árboles, pero a cada instante parecía que brotaba uno nuevo, que se multiplicaban, que se movían. Nada más que había silencio y el silencio también se movía, se arrastraba. Y el martillo de los corazones.*

—Hasta los pollos se han callado, los hijos de puta. Mira cómo ya no cantan los cabrones.

Hizo un gesto de silencio Montoya, como si se ordenara callar a sí mismo. Se oyeron los ecos de unas voces, creciendo, acercándose. Montoya, pisó el embrague y metió una marcha. Sin soltar el pedal, se llevó el fusil a la cara y apuntó hacia el camino. En el instante en que Sintora enfiló su arma hacia el mismo lugar, el pecho de Corrons se colocó en su punto de mira. Al verlo, saltó Corrons hacia atrás, después gritó algo que Sintora y Montoya no pudieron oír. Detrás de él aparecieron los dos primos, o el Sordomudo y uno de los primos, Armando, Asdrúbal. Bajó el arma Sintora. Montoya siguió en guardia, observando la carrera de Corrons, sus gritos.

—Qué hacéis ahí. Qué coño hacéis ahí con el camión. Qué coño hacéis. Montoya.

—Qué han sido esos tiros. Qué ha pasado —Montoya dejó de apuntar, pero no bajó el arma de la ventanilla—. Hemos oído por lo menos seis, seis tiros. Sintora, cuántos has oído tú.

—Os dije que os quedarais arriba. No me oíste o qué. Qué pasa si ahora el camión se atasca con la mierda del barro —Corrons llevaba la pistola en la mano. Los otros dos intentaban no distanciarse de él, uno de ellos apoyaba la culata del fusil en el barro a modo de bastón.

—Tres, cuatro, no sé —Sintora miraba a todos lados. A Corrons.

—Y ahí abajo qué ha pasado, o es que vosotros no habéis oído la traca. Si un novato dice tres o cuatro es que por lo menos han sido ocho tiros. Y allí, allí no se puede dar la vuelta, me cago en la puta, Corrons. No se puede.

Los tres hombres jadeaban delante de la cabina. Montoya y yo arriba. Ellos parecían hincados en el barro, árboles de corteza blanda a los que el barro se estaba tragando. Corrons se abrió la chaqueta y se metió muy despacio la pistola en la cintura del pantalón, y yo pensé que Serena habría puesto sus manos en aquella camisa. Desde arriba, la mitad de los ojos de aquel hombre nadaban en una sangre desvaída, en un charco de color naranja que le anegaba los párpados.

—Es un peligro bajar hasta aquí, con el barro y la cuesta —dijo Corrons ya con más sosiego—. Y ahí abajo no ha pasado nada. Mi primo se ha puesto nervioso y ha creído ver gente emboscada, ha disparado. El Sordomudo le ha seguido y a mí se me ha ido un tiro al aire para poner orden. Nada más que el susto. La vieja y uno que venía a recogerla casi se mueren, menos mal que había uno más joven y los ha calmado. Traían un buen coche, Ford. Se ve que los hijos de puta tienen posibles de verdad.

Nos dio la noche camino de Madrid, entre los árboles. Y yo no pensaba. Miraba alguna luz.

En el inicio de un cuaderno, después de hablar de las sirenas de la aviación y del miedo que le provocaban, más intenso que el de los propios aviones, la escritura de Sintora durante unas páginas se hace menos enrevesada de lo habitual y narra lo sucedido en los días siguientes sin saltos en el tiempo ni contorsión en la sintaxis:

Estuve algunos días sin ver a Serena Vergara. Pasaba las jornadas yendo de un lado para otro. Limpiaba los camiones, iba a los hangares del Centro Mecanizado donde por primera vez había visto a la gente del destacamento, cuando Enrique Montoya estaba vestido de torero con aquel traje en el que apenas cabía. Allí me trataba con los mecánicos y miraba a Doblas arreglar los camiones. Callado y con una colilla en los labios, se pasaba horas volcado dentro de los motores, vestido, a pesar del frío, con una camiseta de tirantes, agujereada y sucia de grasa. Montoya y yo, subidos en el guardabarros de otro camión, lo mirábamos distraídos. Montoya le preguntaba por el trabajo que estaba haciendo, y Doblas, las más de las veces contestaba con un gesto, mostrando una pieza, encogiéndose de hombros. Decían que era el mejor mecánico de la guerra. Había llegado a reparar él solo un carro de combate. Y a veces, cuando en otras unidades tenían problemas con motores que nadie entendía, iban a pedirle ayuda.

A él o al cabo Solé Vera, que era quien, por voluntad del propio Doblas, le daba autorización para hacer aquellos trabajos.

Me dijo Montoya que la mujer de Doblas había muerto antes de la guerra, muy joven, de una enfermedad de los huesos. Era una mujer débil y muy pequeña que tenía los ojos de un verde muy intenso y oscuro. El cabo Solé, que llegó a verla en una foto, había dicho que era una de las mujeres más bellas que había visto nunca. Mi flor, la llamaba Doblas. Se murió de pobre, me dijo Montoya, no tenían ni para comer. Dicen que Doblas ni siquiera fue al entierro, se quedó sentado en una silla mirando el suelo y estuvo así no se sabe cuántos días, luego se levantó muy despacio, como si se acordara de algo, y se fue de la casa, de la habitación en la que vivían. Se puso a vivir en la calle, quería matarse con la bebida. Parece que fue entonces cuando lo encontró Solé. Le dio calor, y en cuanto tuvo un camión lo cogió como ayudante. La mecánica la aprendió él solo, mirando cómo trabajaban en los talleres y desarmando por la noche motores viejos.

También, en aquellos días, Montoya me enseñaba a conducir los camiones. Salíamos de los hangares y rodábamos por la explanada, haciendo círculos. Algún día venía con nosotros el Textil, se reía de verme dar vueltas y me echaba maldiciones. Entonces las dábamos marcha atrás. Se reía más fuerte y volvía a maldecirme. Me decía siempre la leche que mamaste. Algunas tardes se nos olvidaba que estábamos dando vueltas y nos caía la noche en la explanada, hablando los tres. El Textil nos contaba historias de cuando había vivido en Barcelona. A Ansaura, el Gitano, lo había conocido allí, y también a muchas mujeres. A mí me gustaba conducir con las luces encendidas, cortando la noche con la navaja blanda de los faros.

A veces íbamos a ver a Sebastián Hidalgo, el falsificador, al periódico en el que trabajaba, por la Gran Vía, haciendo caricaturas y desfigurando con mucha paciencia y un pincel muy fino a los generales enemigos. Siempre me preguntaba por las gafas y se me quedaba sonriendo, delgado, muy pequeño, ajeno a todo el alboroto que siempre había a su alrededor en el periódico. Nunca había soñado yo con entrar en un lugar como aquél, todo lleno de papeles y gente que escribía. Montoya estaba orgulloso de poder llevarme allí y de su amistad con Hidalgo. Me lo señalaba con el dedo y me decía: Míralo, Sintora, nunca en tu vida vas a ver a nadie más honrado. Alguien que se declara falsificador es una persona desente, cabal.

Y el otro se quedaba sonriendo con su cara de niño, con sus monigotes y caricaturas mientras Montoya y yo nos íbamos camino de algún restaurante subterráneo de la Gran Vía o a la Casona, donde pasábamos el tiempo hasta la hora de dormir y veíamos a la gente del destacamento, otra vez al Textil y a los artistas. El novillero Ballesteros, que había tenido una cogida y ahora llevaba su pañuelo rojo liado en la frente, nos hablaba de política, el faquir Ramírez de las enfermedades que había padecido a lo largo de su vida.

Cuando el enano Visente no estaba, Montoya hacía apuestas con el faquir, y le ponía en la mesa unas monedas y al lado unos tornillos. Ramírez, con la cara muy triste, iba cogiendo monedas y tragándose tornillos, uno por cada moneda. Montoya lo invitaba a vino, para que pasara la chatarra, y se reía mucho. Cuanto más tornillos tragaba, más triste se le ponía la cara al faquir, y la nariz parecía que se le alargaba con la tristeza. A veces se ponía el bigote, para esconder la pena. Ansaura, el Gitano, también le ponía monedas, pero no se reía. Lo miraba con cara de repugnancia, y no lo invitaba a beber.

Y a veces, cuando me cansaba de estar allí, me subía al cuarto donde teníamos las literas y miraba el saco que había traído cuando llegué al destacamento. La trompeta abollada que me dieron los soldados rusos. La llave de mi casa. Y me parecía que habían pasado muchos años. No me sentía triste. Miraba por la ventana y pensaba en las noticias que venía oyendo de la guerra como si hablaran de otra guerra y yo estuviera en otra parte, fuera del mundo.

También pensaba en Serena Vergara. No importaba que llevara días sin verla. Era como si ella, dentro de mí, mirase todo lo que yo miraba y oyese todo lo que yo oía. Dejaba pasar los días. Tenía la certeza de que muy pronto la vería de nuevo, de que algo importante iba a suceder de modo irremediable. Desde la ventana de la habitación yo veía los árboles desnudos bajo los que Serena y yo habíamos hablado. Me acordaba de la mano del soldado en la espalda de la mujer. Y entonces escribía, escribía algunos papeles que después he ido copiando en estos cuadernos. Todos llenos de faltas de ortografía. Escribía para leer cómo había sido aquel tiempo y cómo había sido yo en aquel tiempo, para leerlo muchos años después, cuando la guerra hubiera acabado y yo ya conociera el rumbo de mi destino.

Pasados aquellos párrafos, volvía el verbo de Sintora a retorcerse, a hacerse cerrado para hablar de sus sueños, *de bombas que estaban a punto de estallar porque su espoleta era mi corazón, un reloj que las mantenía vivas*, o de cómo *el tiempo se enroscaba en espiral, igual que los pétalos de una rosa, y se tocaban los años y los siglos*. Y al final de esos pasajes hablaba de la boda de la Ferrallista y el Torpedo Miera, el enano altivo que, con una jerga medio italiana, siempre estaba hablando de Nápoles, de Roma y de los triunfos que allí había tenido.

Fue un día de sol, y cuando Sintora llegó con Doblas y Ansaura de los hangares del Centro Mecanizado, en el jardín de la Casona ya habían empezado los preparativos de la ceremonia. La Ferrallista y una amiga suya que siempre iba cargada de bombas de mano y exabruptos, Rosita la Dinamitera, estaban colgando de los árboles unas tiras de trapos que les habían dado las costureras, casi todos marrones y de tela basta, y era como si de pronto a los árboles les hubieran salido unas hojas largas y ya secas. Unos cuantos soldados estaban sacando mesas de la cantina. Enrique Montoya estaba asomado a una ventana:

—Un momento gososo, compañeros —gritó al ver a sus amigos—. La Ferrallista sienta cabesa.

Ansaura, el Gitano, se quedó mirando muy fijo todo aquello. Una boda, dijo pasándose por la mejilla una mano de uñas negras. Amalia, susurró, y luego una cifra que nadie pudo saber cuál era. Entraron en la Casona y Montoya se reunió con ellos, y allí estuvieron bebiendo, asomándose de vez en cuando Montoya por la ventana para seguir los preparativos. Qué manera de trabajar, son hormigas, el Torpedo Miera es el sángano, ni se le ha visto en todo el día, decía, a lo mejor está escondido, pensándoselo mejor, il piccolo enano. Oyeron el ruido de un coche, tocaba el claxon con aire festivo. Ahí llega el señor Lalechequemamaste, seguía hablando Montoya, la Ferrallista tampoco está, habrá ido a engalanarse, ahora la que hase de abeja reina es la Dinamitera, mandando cambiar las mesas de sitio y dando órdenes, igual que si todavía estuviese poniendo dinamita en Asturias, al que se descuide le lansa una granada en los huevos.

Los jardines de la Casona empezaron a llenarse de gente, había algunos civiles vestidos de domingo. ¿Tendrá familia en Madrid la Ferrallista o serán parientes del enano? Oye, Visente, ¿los enanos tenéis familia?, le preguntó Montoya a Visente, que en ese momento llegaba acompañando al teniente Villegas y al cabo Solé Vera. El enano, que como siempre iba vestido de negro aunque con una chaqueta algo más nueva y con las ondas del flequillo recién peinadas sobre la preñez de la frente, ni siquiera le contestó. Siguió ajustándose el detente en medio del pecho, y sólo al rato, cuando ya salían todos hacia el jardín, le dijo el enano a Montoya, cogiéndolo por el borde inferior del chaquetón:

—¿Sabes lo que te digo, Enrique Montoya? Que te mueras. Y otra cosa, a la Ferrallista, a Dolores, a partir de ahora la respetas.

—Eso que usted me dise tiene mucha dificultad. Aparte que yo no sabía que la Ferrallista se llamaba Dolores.

El jardín, con aquellos trapos, tenía el aspecto de una verbena después de un bombardeo, arrasada y otoñal. El enano Torpedo Miera estaba delante de una mesa que habían rodeado de banderas. Le habían hecho para la ocasión un uniforme militar que por las mangas le estaba un poco cojo, quizá por la premura de la confección o quizá por la dificultad que su amago de corcova ofrecía a las costureras. Las piernas, rectas y sin el arqueo habitual de los enanos, las tenía adornadas con una tira roja a cada lado del pantalón. Estaba repeinado, con agua, aunque los pelos de la coronilla los llevaba tiesos. La cara blanca, recién hervida.

Cogidos del brazo, llegaron Salomé Quesada y Arturo Reyes, él todavía más pálido de lo habitual, los labios como si acabara de chupar sangre, y vestido con un esmoquin en el que se veían los restos de algunas manchas mal lavadas. Salomé Quesada, con sus cejas largas y el pelo recogido sobre la parte superior de la cabeza, se separó del cantante nada más ver al teniente Villegas, que la recibió cogiéndole las dos manos y besándole la mejilla que ella le ofrecía, tenuemente maquillada de rosa.

Se inició un aplauso. Por la escalinata de la Casona, donde se habían agrupado el mago Pérez Estrada, con su traje blanco inmaculado, un par de enanos, el faquir Ramírez, con una camisa de lunares sobre una camisa militar, y los músicos, empezó a descender la Ferrallista Dolores. Los músicos tocaban el himno de Riego y el novillero Ballesteros, a quien, según parecía, la herida de la frente no le iba por buen camino y además del pañuelo rojo llevaba una venda liada a la cabeza, levantaba el puño y susurraba para sus adentros la letra del himno.

A la Ferrallista le habían puesto los pelos de color naranja y un maquillaje tan lívido que parecía propio de un muerto o del cantante Arturo Reyes. Los labios también se asemejaban a los del cupletista, con carmín de sangre. Llevaba un vestido que aún la hacía más alta, no se sabe si azul, gris o verde, largo, brillante como el raso pero sin ser raso. Va con tacones de altura, que es lo más propio para casarse con un enano, aclaró Montoya a sus compañeros de destacamento. Pero con quien parecía que la Ferrallista iba a casarse era con el propio Enrique Montoya, pues no hacía más que mirarlo y avanzar en su dirección, escoltada por Rosita la Dinamitera, que por toda gala se había colocado en un ojal del mono unas hojas verdes de helecho, y por una costurera gorda y canosa que era experta en echar cartas y maldiciones y a la que llamaban la Bruja de Segalerva.

Cuando se encontró a la altura de Montoya, la Ferrallista se detuvo. De cerca se le notaba la pasta del maquillaje, que le bajaba dispersa por el cuello, hasta el escote pronunciado por el que asomaban dos tercios de unos pechos también demasiado blancos, no se sabe si por los polvos embellecedores o por la sombra en la que normalmente vivían. No me guardes rencor, Montoya, yo a ti no te lo guardo, dijo. Y le dio un beso largo en la boca. La música se había parado. Montoya no respondió a las palabras de la mujer, se quedó con los labios y también con parte de la nariz manchados de rojo, mirando cómo la Ferrallista y sus dos madrinas o lo que fueran se dirigían hacia la mesa de las banderas, donde las esperaban un capitán desarrapado y los enanos Visente y Torpedo Miera. Hubo amago de aplausos, un músico que volvió a tocar unas notas del himno. El capitán, bigote y ojos negros, fue breve, y en cuanto acabó su parlamento dio la mano a la Ferrallista y al Torpedo Miera y se retiró de la mesa. Le hizo una señal a alguien, más con la mirada que con la cabeza, y se dirigió hacia la salida del jardín.

Iban con él un sargento y dos soldados. Se notaba que estaban en el frente. Y al pasar por mi lado yo olí el aroma de la gue-

rra. Se percibía la guerra en la pesadez y en la seguridad de sus movimientos, en el olor a cuero y a metal y a ropa vieja que dejaban a su paso.

Cuando todavía estaba en el aire el sonido del coche en el que se fueron los soldados, empezó a hablar el enano Visente. Y se atrevió a hablar de Dios y de que el amor trae la paz al mundo. Que cada uno llamase al padre de ese amor, Dios, Naturaleza o como quisiera. Ansaura, el Gitano, con su flequillo más caído que de costumbre, casi líquido, alquitrán derramándosele por la frente, miraba al enano y movía los labios muchas veces.

—Tiene cojones el Visente —murmuró Montoya—. Nasen curas y se mueren curas.

—Y si el capitán Rivera no se hubiese ido, estaría diciendo lo mismo, el enano —dijo el cabo Solé Vera, mi padre—. El día que menos se lo piense se va a encontrar echándole el responso a un pelotón de fusilamiento. Con ocho balas metidas en el cuerpo.

—Serán ocho balas amorosas, mi cabo. Y se las habrá mandado Dios, o la Naturalesa —aplaudía ya Montoya el final de la plática.

La música volvió a sonar. La Ferrallista y el enano Torpedo Miera, cogidos del brazo, él a la altura del ombligo de ella, pasaban bajo la breve bóveda de fusiles que le habían formado nueve o diez soldados. Al final de aquel arco en el que flotaba la amenaza de alguna bayoneta, el grupo de paisanos con aire de domingo esperaba a la desigual pareja. La Bruja de Segalerva miraba al cielo y hacía gestos para ahuyentar a los malos espíritus. Y fue entonces cuando Gustavo Sintora, al girar la cabeza, vio a Serena Vergara en un lateral del jardín, al pie de los árboles más altos y desnudos.

Sonreía, con su abrigo de color remolacha, a unas compañeras del taller de costura, y era como si estuviese lejos de ellas y pensara en otra cosa. A su lado estaba Corrons, que miraba a

otra parte, con los ojos más descolgados que nunca. Los párpa-
dos eran la tapa de un ataúd sobre la mirada. Y ella, en la son-
risa, vio que yo estaba allí y que la miraba con mis gafas y mis
ojos. Y pareció que una llama la alumbrara por dentro. Un
viento pasó rápido sobre el fuego, agitándolo, y le alumbró la os-
curidad de la mirada.

Siguió Serena hablando con sus compañeras un instante más. Hacía gestos con las manos, y la sonrisa se le
hizo más abierta al despedirse de las mujeres. Cogió a Corrons del brazo y se dirigieron hacia la Ferrallista. Se perdieron entre la gente mientras Sintora y sus compañeros
del destacamento se aproximaban a una de las mesas
donde habían colocado las botellas de vino, algo que parecía cecina y unos trozos de pan untados con una especie
de manteca oscura, casi negra.

A ver si sabes de qué motor es esta grasa, Doblas, le
dijo Montoya al ayudante del cabo Solé Vera pasando un
dedo por la manteca. Pero el otro no le contestó, masticando ya un trozo de aquel pan embadurnado de betún y
mirando cómo el mago Pérez Estrada sacaba dos palomas
blancas, una con un buche gris, del vestido de la Ferrallista. Si mi caballo Ulises no estuviera vagando por el universo convertido en moléculas estelares, ahora mismo se-
rías una diosa subida a su grupa inmaculada, decía el
mago, quizá celoso de ver cómo el falsificador Sebastián
Hidalgo, que al parecer también había tenido relaciones
de cama con la Ferrallista, le entregaba a la recién casada
una foto en la que se la podía ver bastante más guapa de
lo que en la realidad era, acompañada de un Torpedo
Miera que en la fotografía había dejado de ser enano por
obra de aquel falsificador que además de borrarle las arrugas de la cara y de ponerle al enano un cuerpo más alto,
había incluido en la foto un cañón antiguo y panzudo en
referencia a la antigua profesión del Torpedo Miera, que,
según él decía y nadie certificaba, antes de trapecista ha-

bía sido el mejor hombre bala de los circos italianos. El enano Angulo, despeñado en medio de una borrachera desde lo alto de una iglesia al llegar Sintora al destacamento, siempre había asegurado que el sobrenombre de Torpedo se lo habían puesto a Miera por lo mal que se desenvolvía en los trapecios y no porque se hubiera metido nunca en las tripas de ningún cañón, y que de Italia sólo conocía el puerto de Génova, cuando lo habían atrapado de polizón en un barco y lo habían devuelto a Valencia o a Cartagena, adonde ya llegó diciendo mucho Ciao y palabras que acababan en ini.

Yo bebía aquel vino que ya no me sabía a tierra. Y de la amargura del paladar me bajaba hacia adentro una sensación dulce, como si los posos del vino fueran azúcar y no arena.

Por primera vez, Sintora vio cómo Ansaura, el Gitano, abría la boca en una sonrisa y enseñaba unos dientes parejos y muy blancos que hacían contraste con la negrura de su mirada y de su piel. Se reía escuchando a Paco Textil, que hacía muecas y hablaba algo que Sintora no llegaba a oír. Montoya escuchaba con una sonrisa triste a Sebastián Hidalgo, que lo miraba todo sonriente, con una cara de niño que parecía haber contagiado a su amigo Montoya, rejuvenecido por aquel aire de ensoñación que tenía y por la luz limpia de la tarde.

La guerra se había amansado, respiraba, oculta en alguna guarida, pero allí, entre los árboles, al sol y con la música, parecía que se hubiera muerto y que nosotros estuviéramos celebrando su funeral. Pensé en el capitán y en los hombres que se habían ido con él al frente y quise creer que eran fantasmas, espectros de otro tiempo. Pero en verdad sabía que eran el futuro, y que pertenecían a la entraña misma de aquello que estaba aguardándome en un recodo de los días.

Arrimaron una mesa a la que había servido para la ceremonia. Se reunieron alrededor de ella los músicos que estaban tocando y el cantante Arturo Reyes, con su esmoquin mal lavado, se subió al improvisado escenario. Después de dedicarle unas palabras empalagosas a los recién casados, empezó a cantar, con su cara de calavera. Bailaban algunos de los endomingados. El teniente Villegas lo hacía con Salomé Quesada, dando el oficial unos pasos largos y elegantes, como si el pasodoble del famélico Reyes fuese un vals. Torpedo Miera, subido a hombros del enano Visente, bailaba con la Ferrallista, que con una mano agarraba la espalda de su marido y con la otra hundía la cabeza del enano Visente contra su pubis de falso raso, dando la impresión de que estaba bailando con un hombre partido en dos.

—Ese Visente es igual que todos los curas, mira cómo mete los hosicos donde otros congéneres tanto hemos gosado, Hidalgo —dijo Montoya, apenas sin salir de su mutismo.

—Nosotros y medio Madrid, Montoya.

—Aparte de casi toda la cornisa cantábrica. Es más puta, con perdón, que Teruel, cada día en manos de un ejército distinto —terció el Textil, que se reunía con el grupo acompañado por Ansaura justo cuando el teniente Villegas, con una mirada de orgullo, entregaba al cabo Solé Vera a la cantante Salomé como pareja de baile.

—Por mucho que se empeñe el teniente en que bailen, nunca van a llevar el mismo compás su amigo y la cupletista —afirmó severo el Textil—. Le agarra la mano como si ella la llevase llena de mierda.

—Escatología severa la tuya, Paquito —apuntó Montoya, mirado de reojo por el Textil.

Caía la tarde y desde la Casona la luz de una ventana se derramaba amarilla sobre la fachada del edificio. Se arremolinaban por la escalinata y sus alrededores los artistas, el mago, el ventrílocuo Domiciano del Postigo y Ballesteros con su frente vendada. La Dinamitera se abrazaba con un soldado al lado de un seto desgreñado, huérfano de poda. Serena Vergara, despojada de su abrigo, bailaba risueña con una compañera del taller. Corrons bebía, hablaba con un soldado. *Le miraba la chaqueta y pensaba si bajo ella llevaría la pistola que yo le había visto en el camión, y también pensaba en el momento en que apareció en el punto de mira de mi fusil, y en cómo me miró. Sin sorpresa, con desprecio. Pensé en su cara y pensé que Corrons nunca me había hablado. Entre los árboles le había gritado a Montoya, y a mí sólo me había mirado un instante, pero no me había hablado, aunque sabía que mi fusil le había estado apuntando al pecho y que al final, en lo hondo del punto de mira, en la oscuridad de mi arma, había un trozo negro de plomo que miraba a su corazón.*

Cesó la música, y la Ferrallista, tambaleándose, sirviéndose de una silla, se subió a gatas a la mesa que acababa de abandonar Arturo Reyes. Estaba borracha, tenía el maquillaje revuelto, con los ojos rodeados más de tizne que de pintura, y al ponerse de pie se vio que llevaba el vestido desgarrado, abierto en dos desde la rodilla. Los pechos, pálidos como pequeñas lunas que se asomaban a la caída de la noche, tampoco soportaban ya la disciplina del escote y se le estremecían, fuera casi por completo del vestido. Con una voz gangosa, parecida a la que el ventrílocuo Domiciano empleaba para hacer hablar a sus monigotes, anunció que iba a cantar, y que la canción iba a estar dedicada al soldado Montoya, a quien no guardaba rencor.

Aunque los músicos emprendieron la melodía que la Ferrallista les había pedido y las notas eran alegres, el sonido de aquella música llenó el jardín de una tristeza súbita y profunda *y la noche pareció tragada de pronto por la garganta de un animal enorme que nos llevase a lo hondo de sus tripas, y todos dejaron de bailar, porque de pronto tuvieron la sensación de que estaban bailando sobre una tumba.*

Serena Vergara se acercó a Corrons y le habló un instante. Volvió a dejarlo solo, se cruzó con la cantante Salomé Quesada y tomó el camino entre los árboles en dirección al taller de costura. Gustavo Sintora se separó del grupo, empezó a andar. Tras ella. Rodeó los camiones que había aparcados en el jardín para que nadie viese hacia dónde iba y luego cruzó hacia los talleres. *Me gobernaban las piernas. Yo era un cuerpo sin voluntad o quizá con una voluntad ciega, poderosa, que venía de lo más hondo de mí y me arrastraba. Yo era un hombre que volvía a su patria después de mil años de destierro. Yo era un planeta que seguía el surco invisible de su órbita.*

La oscuridad era absoluta en aquel lugar en el que el jardín se convertía en una especie de páramo yermo, sin más vegetación que unos arbustos y unos eucaliptos con los troncos descarnados. A lo lejos se oía la música, y de los árboles bajaba el rumor estremecido de sus ramas. Sintora avanzaba sin ver a nadie. Pensó que quizá Serena no hubiese tomado aquel camino. Se detuvo. A su espalda creyó oír sonido de pasos, tan próximos que parecía que fuera el ruido de sus propios pies el que continuara resonando en la grava. Pero no había nadie, sólo la oscuridad.

Siguió avanzando. Y aunque desde lejos vio la luz de la nave de costura apagada, decidió llegar hasta ella. *Iba a volverme, iba a salir de mi sueño, de aquel rapto, volvía a tener latidos en el corazón, aire en los pulmones, volvía a tener cuerpo y a ser yo, la música volvía a existir a lo lejos cuando en medio de la negrura vi que la puerta del taller estaba abierta y que dentro quizá sí, quizá hubiera un atisbo de luz.*

Se acercó a la puerta. Entró Gustavo Sintora en la nave y al fondo, detrás de todas las filas de máquinas de coser y de todas las bombillas que colgaban dormidas del techo vio a Serena Vergara. Apoyada en el mostrador que había allí al final, delante de las hornacinas y el dibujo de la cruz arrancada. Estaba de espaldas y sólo la alumbraba la luz endeble que emitía una bombilla fijada a la pared, en uno de los brazos donde había quedado la señal de la cruz.

Fui dejando atrás, a mi izquierda, todas las máquinas y en mis sienes me parecía oír el rumor de sus pedales, los ojos de las bombillas mirándome, apagadas, transparentes como mi respiración. Ella, de espaldas, llevaba su abrigo puesto, miraba unos recibos en el mostrador. Se volvió muy despacio, primero la cabeza, el cuello, la nuca. Luego los ojos. Luego el cuerpo, y los labios.

No había sorpresa en su mirada ni en la lentitud de sus movimientos. Estaba esperándome, me estaba esperando desde el día de los árboles y la lluvia. Negó débilmente con la cabeza e hizo un gesto de reproche, y aquel fuego que yo había sentido estremecerse en el interior de ella cuando un rato antes la había visto en el jardín asomaba ahora con su resplandor renovado, intenso, limpio, y a pesar de todo, su mirada también era triste y pedía que me fuera. Y sólo dijo, Tú, otra vez. Y en su voz no había odio, ni ira, sólo dulzura, no sé si conmiseración o súplica. Y me miró con la oscuridad de sus ojos, intentando ver lo que había detrás de los míos, preguntando o preguntándose.

Y también dijo, Ya te dije. Pero yo negué con la cabeza y ella dejó de hablar. Se dio la vuelta para recoger los papeles que había estado mirando e hizo un gesto para retirarse de mi lado, de espaldas. Yo no supe si estaba moviéndome bajo el agua o en medio de un incendio, el oleaje del fuego, y di un paso y hundí mi cabeza en su melena, y ella, volviéndose, me empujó sin empujarme, las manos en mi pecho, primero querían apartarme y luego me agarraron la solapa, la camisa, apretando en un puñado la tela, y apenas vislumbré sus ojos cuando ya sentí la humedad de su boca en la mía, y mi mano, sin creer lo que sus dedos percibían, rodeaba su cuerpo, lo atraía hacia mí y la mano del soldado en la espalda de aquella mujer fue una paloma que volaba de mi pensamiento, Serena venía a mi boca y mi piel estaba en su piel. Ella apartó su cara de la mía y yo continué rodeándola con mis brazos y respirando su aliento. Sus dedos bajaron despacio por mi mejilla. Los ojos se le habían enturbiado, no eran lágrimas, era la respiración del fuego. Me apartó muy despacio, y empezó a andar por aquella bóveda de silencio. Salió ha-

cia el jardín abandonado y yo me quedé en la oscuridad de las
bombillas, con el silencio de las máquinas.

Salió Sintora del taller. La noche le devolvió el rumor
de la grava y los árboles, pero no el de la música, que había dejado de sonar. Hizo el mismo camino que a la ida,
pero no importaron los rodeos para Montoya. Cuando
llegó hasta donde estaban los hombres del destacamento,
al poner Montoya la vista en él, Sintora supo que su amigo
sabía dónde, con quién había estado.

—Sintorita —le dijo—, eres como el enano Visente,
dando misa en mitad del infierno.

Corrons ya no se encontraba en el lugar donde Sintora lo había dejado. El grupo que había al pie de la escalinata se había disuelto y ya sólo quedaban allí los músicos Martínez y Lobo Feroz. Sintora buscó a Serena con la
mirada.

—Se han ido —le dijo Montoya—. Se acabó por hoy la
funsión. Y si quieres que te diga la verdad, prefiero un entierro a una boda como ésta, aunque sea un entierro de
ésos en los que le ponen al muerto un pañuelo alrededor
de la cabesa y lo tienen allí todo el rato en la cama, mirán-
dote con los ojos esos que tienen los muertos.

Y esa noche, mientras Ansaura, el Gitano, murmuraba
el nombre de su mujer y su retahíla de números, elevada
la voz por los vahos del vino, acostado en su litera, Sintora
fue enterándose, según le iba contando Enrique Montoya,
de que mientras él estaba en el taller de costura, a la Ferrallista habían acabado por bajarla de la mesa desde la que
estaba cantando, y que el Textil, estimulado por las aber-
turas que se iban produciendo en el vestido de la mujer,
había intentado bailar con ella, ya sin más música que la
del trompetista Martínez. Y que, como Paco Textil ya se
encontraba casi a punto de consumar el matrimonio de la
Ferrallista en el jardín ante la vista de la gente que por allí
quedaba, se produjo un altercado.

—Pero no fue el enano Torpedo el que intervino. Disen que estaba dentro de la Casona, que no vio nada, pero a mí lo que me parese es que a pesar de toda su chulería, ese enano es un cobarde —comentaba Enrique Montoya desde su litera, apurando todavía una botella de vino—. No me va a dar escrúpulo colocarle cuernos al miserable. Fue la asturiana, la Dinamitera, que salió de detrás de unas matas, quien cogió al Textil por la espalda y lo apartó de ensima de la Ferrallista, que sólo mentaba mi nombre, con mucho dolor, con dolor y ternura. Papusito, Montoyita, cosas así desía, girando como una peonsa, perdida, mientras Rosita la Dinamitera agarraba un cuchillo con pringue de manteca y se lo ponía al Textil en el pescueso y le desía que le iba a cortar los huevos y esas cosas que disen las señoras enfuresidas. Pero la Ferrallista ya me había encontrado y quería abrasarme. Olía a mucho vino, y los pelos, con ese color que no sé cómo le han puesto, paresían greña. Pero aun así te digo, Sintorita, que preferiría ahora estar hablando con ella y no contigo.

En la cama de Ansaura se oyó una especie de gruñido que súbitamente acabó con el recuento del soldado.

—Este muchacho se va a fracturar la tráquea de un ronquido. Menos mal que sólo rebusna cuando bebe. Lo deberían declarar incapasitado, lo mismo que a ti. A ti por las gafas, que te las deberías quitar para que te empeoraran los ojos y a él por querensia a su mujer. Que os mandaran a vuestra casa, a ti a trabajar en los tranvías, si es que no los han destrosado las bombas, y a él al boquete ese de sapatero que tiene en el portal de su casa, metido debajo de una escalera por la que sube y baja su mujer a la asotea donde viven, en Barcelona. Se vino a Madrid con los anarquistas, el Gitano, y mira dónde ha acabado. Con unos saltimbanquis, en la boda de la Ferrallista.

Se bajó Enrique Montoya de la cama con mucho crujido de muelles y mucha lentitud. Ansaura, el Gitano, emitía unos alaridos sofocados que de un momento a otro estaban a punto de llevarlo a la asfixia. Montoya apuró un último trago de la botella y la dejó en el suelo:

—¿Tú sabes que lo que toca Martínes es una cosa que se llama jass, o sea, jota, a, seta, seta? Dise que lo aprendió en América, de los negros. El Lobo Ferós estuvo con él, tienen una foto, con rascasielos. No como el mierda enano ese que dise que ha estado en no sé dónde de Italia y es una puta mentira.

Se acercó Montoya a la cama de Ansaura y lo zarandeó con fuerza, casi a punto de tirarlo al suelo. Cojones, Gitano, gritó Montoya, y el otro, apenas sin inmutarse, emitió un pitido, una queja y se dio la vuelta. No me ronques más o te meto una bala en el bisoñé, compañero, añadió Montoya antes de recoger la botella y volver a su cama.

—El Textil se quedó un poco sin saber qué haser, con el cuchillo mantecoso en la garganta. El cabo Solé, que estaba con el faquir, no como yo, sino dándole directamente monedas que el otro se tragaba, fue quien le cogió la mano a Rosita y la metió en rasón, mayormente porque la Dinamitera se lleva bien con el cabo y le tiene respeto. Y entonses es cuando aparesió el enano Miera, con su uniforme de marioneta y se vino para su señora, que me la tuve que apartar con mucha fuersa, disiendo bambina mía, cara Dolores, y piccola y toda esa basura. Y se la llevaron, a la Ferrallista, que ya no lloraba ni sabía lo que le estaba pasando.

Y todo lo oía Sintora como si la voz de Enrique Montoya y sus palabras fuesen una telaraña de sonidos que iba formándose en la oscuridad, y a través de esa gasa espesa Sintora veía sus propios recuerdos. Una y otra vez volvía a verse entrando en el taller de costura, acercándose a Serena Vergara, volviendo a estudiar aquel gesto de ella cuando lentamente giró el cuello, la melena, y se quedó mirándolo. Intentaba revivir aquel instante, el momento en que su cara se hundió en el pelo y en el olor de ella. Y en su propia piel, en sus dedos, buscaba el rastro, el olor que en ella había dejado, tenue, inaprensible, la piel, el cuerpo de Serena Vergara.

Con el olor en mis dedos, estuve mirando la oscuridad hasta que Montoya quedó vencido por el sueño y yo, levantándome muy despacio, me asomé a la ventana y miré los árboles y la noche y la bóveda de cielo bajo la que Serena Vergara y yo respirábamos el oxígeno de la guerra.

olvió a verla entre los árboles. Volvió Gustavo Sintora, después de la noche en la nave de costura, a esperar a Serena Vergara en la oscuridad, a caminar a su lado y a abrazarse con ella al abrigo de los camiones aparcados en el jardín. Eran dos ladrones que se movían sigilosamente en la noche, robándole vida a la vida. Ella le dijo que sólo tenía un miedo, y no era el miedo de Corrons, su cólera y su pistola, porque ése era un miedo que desde hacía mucho tiempo vivía con ella. Temía que Corrons le arrebatase a su hija, que no la dejara volver a verla nunca más y la niña creciera al lado de aquel hombre. *Corrons era la muerte y yo lo veía en su mirada y en sus manos, cuando ponía sus ojos muertos en la gente, cuando sus dedos se movían en la lentitud y agarraban un vaso, un cuchillo, otros dedos, la mano de otro hombre.*

Vivía Gustavo Sintora con el miedo de Serena, pero también vivía gracias a aquellos encuentros furtivos. Y a la caída de la noche siempre le parecía un milagro que ella volviese a aparecer entre la penumbra del jardín, sus pasos ligeros entre la grava y las hojas. No importaba que ella le dijese que nunca había conocido la ternura, que nunca creía que ya pudiera conocerla, que empezaba a sentir cómo los años se borraban y la vida le traía lo que en un robo silencioso y cotidiano le había estado arrebatando. *Y ahora, ahora no sé lo que va a pasar porque todo es una locura y todo tiene que acabar, pero no quiero perderte, no quiero ahora que me vuelvan a quitar lo que me han dado y me pertenece, me decía Serena y yo le besaba los ojos en la oscuridad y los labios y había un incendio que lo devoraba todo a nuestro alrededor, yo oía sus llamas mientras mi mano se hundía bajo la ropa y avanzaba por aquel cuerpo que aún sólo conocía a ciegas.*

Volvía Sintora una noche de uno de aquellos encuentros cuando al entrar en el jardín de la Casona, desde lejos vio un pequeño grupo de hombres en la escalinata del edificio. Había brasas de cigarros moviéndose en la oscuridad, hablaban los tres hombres que allí había detenidos y que Sintora reconoció como a Paco Textil, el cabo Solé Vera y un tercero que no supo de quién se trataba hasta que ya estuvo a su lado. Era Corrons, que se dio la vuelta y se quedó mirándolo, con sus ojos entornados. Lo saludaron el cabo y Paco Textil. Corrons murmuró algo a los dos hombres, después tiró al suelo la colilla que tenía entre los dedos, expulsó el humo muy despacio, masticándolo, y bajó la escalinata sin ningún ruido. *Pasó su cuerpo y su olor rozando el mío, envenenándome con su rastro.*

Esperaron el Textil y el cabo a que Corrons cruzara el jardín antes de dirigirse a Sintora. Fue el cabo Solé Vera quien le habló:

—Muchacho, aquí nadie se mete en la vida de nadie —le dijo mi padre, arrugando la frente como si hiciera fuerza por sacar las palabras—, pero es mejor que tengas cuidado. Ese que va por ahí no es un buen hombre, y si lo fuese a lo mejor corrías el mismo peligro, o más, porque además de a él a alguien más podría dolerle lo que estás haciendo —respiró con fuerza, mi padre, con cansancio—. La gente del destacamento siempre te va a ayudar. Pero tú debes tener cuidado. Si en vez de alumbrarte el Textil lo hace otro coche en el que va Corrons o alguno de los suyos, ahora a lo mejor estabas muerto. Y ella también. Piénsalo.

Todavía se quedó un instante el cabo Solé Vera mirando a Sintora. Y más parecía que estuviera recordando algún suceso del pasado que pensando en decir algo más. Sonrió débilmente, y ya sin añadir ninguna palabra se dio la vuelta y subió la escalinata mientras Sintora recordaba cómo unos minutos antes, cuando abrazaba a Serena entre los árboles que había fuera de la Casona, la luz de unos faros había pasado cerca de ellos, tan veloces los faros que los dos habían creído que la ráfaga sólo había alumbrado el borde de la acera, la corteza de algún árbol. La cicatriz del Textil y su bigote de púas se movieron con una sonrisa. La leche que mamaste, Sintora, le dijo mientras entraban juntos en la Casona.

Fue al día siguiente, mientras estaba en el Centro Mecanizado esperando a Enrique Montoya y observaba cómo Doblas metía en un líquido espeso las piezas de un motor que tenía a medio destripar, cuando volvió a ver al Textil. Llegó con su sonrisa, le gastó a Doblas una broma a la que el otro ni siquiera se molestó en contestar, y mirando a Sintora le preguntó si además de darle vueltas a la explanada con camiones se atrevería a conducir un coche. Y así fue como Gustavo Sintora se vio conduciendo por los alrededores del hangar aquel automóvil que tenía pintadas en las puertas y en el morro con brochazos blancos las letras UHP, con Paco Textil sentado a su derecha y gritando a cada paso, La leche que mamaste, Sintora, ajústate las gafas que me vas a matar.

Al volver al hangar, después de haber estado a punto de estrellarse contra una garita abandonada, Sintora detuvo el coche y el Textil le dijo, Después de esto yo ya soy capaz de irme a la Ciudad Universitaria y meterme por en medio de los fascistas, tomarme unos chatos y volver cantando. Y antes de bajar del coche, el Textil le preguntó:

—¿Tú sabes que Madrid es muy grande?

—Que Madrid es muy grande —respondió dudoso Sintora.

—Sí, muy grande, y además tienes campo y todos los pases y salvoconductos que Sebastián Hidalgo sea capaz de hacer. Madrid es muy grande, y con esto —alzó el Textil la llave del coche—, con esto se puede ir a donde uno quiera, lejos, sin que lo vean ni le metan una bala en las tripas —sonreía el Textil, los ojos brillantes y la cicatriz que le bajaba del ojo a la comisura de la boca ondulándose como la curva suave de un río—. ¿Lo sabes?

—Lo sé, Textil.

—Pues cuando quieras irte lejos de la Casona, tú me dices, Textil, quiero el coche, o quiero eso, o no me dices nada, sólo Textil. De todos modos, es mejor que mañana nos paseemos otro rato, para ver si acabas de tirar la garita esa, la leche que mamaste.

Yo arrancaba el coche en el jardín de la Casona. Era el mediodía y marchaba rodando despacio por la grava, dejando que las ruedas royeran las piedras y luego salía de los jardines y subía la carretera hasta la parte de atrás, cuando la Casona ya no se veía, sólo la punta de sus árboles más altos, que empezaban a llenarse de unas yemas blandas, de la pulpa que era la vida. Y estaba allí, sin medir el tiempo, hasta que ella aparecía por la cuesta, con la respiración cambiada. Íbamos por las calles de Madrid, ella me guiaba en el laberinto y yo la veía a la luz del sol, la llama del pelo y los ojos, sus uñas que se movían por el aire y me señalaban una calle, un edificio, barricadas, y yo conducía por en medio de la guerra, de los hombres y los uniformes, yo era un soldado y ella mi batalla.

Caminábamos bajo las arboledas del Retiro y Serena me hablaba de otro tiempo y me preguntaba por el mar que ella no había visto y por mi trabajo en los tranvías y cómo era mi vida, y de las preguntas iba a sus recuerdos, casi desde niña trabajando en la costura, había cogido el gusto por las telas y los vestidos, entendía de moda y sabía cómo eran los vestidos que las mujeres llevaban en Francia. Iba a entregar vestidos a casas que tenían criados de uniforme. Desde la puerta miraba los cuadros y las alfombras que tenían. Tuvo un novio que estudiaba para abogado y luego, cuando acabó de estudiar, se fue de Madrid y se casó con la hija de un juez, le escribió una carta y ella estuvo llorando, mucho tiempo, lloraba por la calle, sola, andando y lloraba en su casa.

Hablaba, y Corrons no existía. Sólo su sombra.

Y el coche nos llevaba por las afueras, donde Madrid dejaba de ser un laberinto, y llegábamos al refugio de unos árboles pequeños y con las hojas casi negras y yo miraba a Serena y su cuerpo desnudo era un nuevo laberinto, con colores que se le hacían intensos y luego desvaídos en la depresión de una curva, en el pliegue de los miembros, lunares perdidos en el desierto de la espalda y la blancura rosa, amarilla de los pechos y el color de la tierra, suave, en la punta, cráteres, volcanes, el mundo y en sus ojos yo veía la desnudez entera de su cuerpo y el abismo, y también la tristeza en el silencio que nos envolvía cuando regresábamos y la ciudad aparecía a lo lejos manchada de gris y yo sabía que nos despediríamos sin ninguna palabra, sólo con aquel silencio que había empezado a fraguarse en la bóveda del coche, bajo unos árboles de hojas oscuras. Pero también había en el silencio una mirada, una mano en la mía, y en la mirada y en la piel vivía la promesa de otro tiempo, de un tiempo en el que la pólvora y la guerra sólo vivirían en la memoria.

Sintora fue a casa de Corrons. A casa de Serena Vergara, y conoció a su hija, que se llamaba Luz. Todos los hombres del destacamento, salvo el teniente Villegas, habían salido con dos camiones para llevar por varios pueblos a un grupo de toreros. El novillero Ballesteros, todavía con el vendaje en la frente, y su cuadrilla hacían el paseíllo con el puño en alto. Enrique Montoya decía que aquél era uno de los trabajos más repugnantes que había hecho en su vida, transportar toreros, y que cuando viviera en Fransia con sus viñedos y su mujer de ojos asules aquello le paresería una pesadilla, no la guerra, sino los toreros, sus trajes, sus piruetas y su manía de descuartisar animales vivos. Y todavía en el camino de vuelta iba diciendo Montoya que sentía arcadas y ganas de vomitar viajando con tanto matarife y que nada más que quería llegar a la Casona para meterse en agua y quitarse de ensima el olor que los otros traían.

Pero al llegar a la Casona los hombres del destacamento se encontraron con algo extraño. Había caído la noche y los faros de los camiones alumbraron en el jardín a Paco Textil. Dejó que los toreros bajaran de los camiones y se fueran dispersando y después, cuando el cabo Solé

Vera, Ansaura, Doblas, Montoya y Sintora se quedaron con él, les dijo que habían surgido problemas en la casa del Marqués. La novicia Beatriz, la joven de ojos negros y pelo al rape, se había fugado, había desaparecido a pesar de la vigilancia de los hombres de Corrons. Ni el Marqués ni los otros rehenes habían visto nada ni nunca la habían oído hablar de fugas, pero ella se había evaporado.

Se miraron los hombres del destacamento. El Textil observaba al cabo, y el cabo Solé Vera dijo que quizá no se había fugado, que quizá había ocurrido otra cosa.

—Entonces es que Corrons nos quiere robar nuestra parte. La ha entregado, a la niña, y nos va a robar lo nuestro —Ansaura bizqueaba la oscuridad de sus ojos, se le atravesaba la mirada—. Cabo, Corrons nos está engañando.

—El Sordomudo, Asdrúbal y todos ésos están raros —intervino el Textil—, pero Corrons no nos va a engañar, es leal, a su manera.

—Cabo, míralo, nos está robando —los ojos se le hacían más negros a Ansaura, el Gitano— lo nuestro.

—A lo mejor nos estamos preocupando sin ningún motivo —al Textil parecía que la cicatriz le hubiera crecido y le tirase de la boca hacia abajo—. Lo malo sería que la niña estuviera suelta por ahí sabiendo todo lo nuestro.

Volvieron a mirarse todos en silencio.

—Dónde está Corrons —le preguntó el cabo al Textil.

—Me parece que ha ido a Valencia a un asunto del partido —estaba diciendo Paco Textil cuando en la escalinata asomó la figura del teniente Villegas.

El teniente bajó la escalinata despacio, con la sonrisa, pero al acercarse supo que ocurría algo y que era algo relacionado con la casa del Marqués. Dejó la sonrisa el teniente. Preguntó por los días pasados fuera y si había alguna novedad. Nos miró a todos y a mí volvió a sonreírme. Le dijo al cabo que le diese los pases y los justificantes que debía firmar y el cabo los sacó del interior de su chaquetón de cuero. El teniente nos dio las buenas noches, le puso una mano en el hombro al cabo y entraron en la Casona y Ansaura, el Gitano, escupió en el suelo y volvió a decir que Corrons nos estaba robando. Montoya miraba al cielo. Oh, mi casa de Fransia, decía, qué voy a haser yo cuando llueva, esta puta tierra me va a poner la mortaja.

—Esta puta tierra me va a poner la mortaja, lo estoy viendo. No me mires así, Doblas, es la verdad —decía Enrique Montoya mientras el cabo Solé Vera volvía a aparecer en la escalinata. Traía algo bajo el brazo, y todavía, antes de que mi padre hablara, añadió Montoya—: Qué voy a haser, si hay dolor que sólo sea lluvia, lo dijo un poeta.

—Lo que traigo aquí —dijo el cabo moviendo el paquete liado en papel— es un vestido de la novia del teniente, algo de mucho lujo por lo visto, que quiere que se le entregue en mano a Serena Vergara para que ella, y no ninguna otra trabajadora de ese taller de costura donde nada más que se hacen harapos de poca elegancia, le arregle los bordados y las lentejuelas y la madre que la parió. Y digo que para qué vamos a esperar a dárselo a Serena mañana si ahora se lo podemos llevar a su casa y ver qué se sabe de Corrons en su propia casa. —Miró el cabo a Gustavo Sintora y volvió a sopesar el traje bajo su brazo—. A lo mejor tú puedes averiguar más que otro.

—Así acabas de entrar en la sosiedad del crimen —suspiró Montoya. Se le notaba el asco.

Cogí el paquete, blando y sin peso. Olía a perfume el papel áspero. Miré los ojos de los hombres pero sólo vi los del cabo Solé Vera, sin color en la noche, mirándome. Y ya no me dijo nada, sólo le hizo una señal con la sien a Ansaura, el Gitano, indicándole uno de los camiones en los que acabábamos de llegar. Encendió un cigarro y en la llama de la cerilla vi el color miel y las manchas verdes de sus pupilas.

Enrique Montoya, sin que nadie le dijera nada, se unió a Ansaura y a Sintora cuando iban a subir al camión. Nesesito un paseo, fue lo único que dijo. Ansaura, el Gitano, conducía deprisa, todavía bizqueando. Viajaron callados hasta llegar a una calle con edificios de tres o cuatro plantas frente a los que se extendía la tapia larga y gris por detrás de la que se iban y llegaban los trenes a Madrid. Detuvo el camión Ansaura y miró a Sintora, el alquitrán de los ojos brillándole. Montoya se metió la mano en la guerrera y sacó de su interior un arma.

—La pistola del cabo —le dijo a Sintora, ofreciéndosela—. Por lo que pueda pasar. Éste es el seguro —le señaló una palanca negra.

Sintora dejó el paquete en sus rodillas. Cogió el arma. Se la metió en la parte trasera del pantalón. Ansaura, el Gitano, seguía mirándolo, volvía a bizquear. No te vayas a dar un tiro en el culo, le dijo Montoya antes de que se bajara del camión. Cruzó la acera y entró en un portal oscuro y con olor a humedad. *Se oían voces apagadas que venían de los pisos de arriba. Un ruido de radio, y me pareció que entraba en el portal de mi casa y que olía el olor que cada noche me llenaba la boca y la ropa cuando volvía de trabajar y en el caracol de las escaleras iba escuchando cada noche las mismas voces y yo corría escaleras arriba, por ver si el mundo cambiaba.*

Llamó Sintora a la puerta de la planta baja que le había indicado Montoya. No oyó nada, luego pasos, los pasos de Serena, y después su voz que preguntaba quién era. Soy Gustavo Sintora, del destacamento, vengo a traer un vestido para Serena Vergara, dijo él, con una entonación neutra, pensando más en Corrons que en Serena. Hubo un instante de silencio, luego el crujido de la cerradura. Y apareció Serena Vergara, unas arrugas en la frente y una mirada alrededor, antes de preguntarle a Sintora qué estaba haciendo él allí.

—Para traer un vestido de Salomé Quesada.

—¿Qué estás haciendo tú aquí? —repitió Serena—. Eres. ¿Te has vuelto loco?

—El teniente me ha dado un vestido, dice que Salomé Quesada ya ha hablado contigo.

La miraba sin prestar atención a lo que decía, y era como si lo que yo decía lo dijese otra persona, con la boca le hablaba unas palabras y con los ojos otras que decían, Serena, soy yo, he venido a verte, soy yo.

—¿Y no me lo podíais haber dado mañana, el vestido? Estás loco.

Yo sabía por su forma de hablarme que Corrons no estaba en la casa, pero no me movía de la entrada, sólo la miraba, y mi boca hablaba.

—Me han dicho que es urgente, que la cantante tiene prisa.

Serena Vergara cogió de un brazo a Sintora, tiró de él hacia el interior de la casa y cerró la puerta. El paquete con el vestido cayó al suelo, se agachó ella a recogerlo y sin decir nada se adentró en la casa. *La seguí despacio por un pasillo de penumbra al final del que se veía una luz y unos muebles oscuros. Miraba las paredes, el sitio donde ella vivía, y al llegar a la habitación iluminada volví a ver a Serena apoyada en una mesa, de espaldas como la noche que la había visto a lo lejos en la nave de las bombillas y las máquinas, pero ahora se la veía débil y estremecía los hombros, la luz era pobre y en un rincón, sentada en una silla alta, había una niña que me miraba con los ojos claros y muy abiertos, y ya no supe dar ningún paso más.*

Serena Vergara acariciaba con sus dedos el papel del paquete, abierto por la caída y a través de él podía verse una tela que no se sabía si era azul o verde, brillante y con lentejuelas del mismo color. Miró Serena a la niña, le sonrió y le dijo, Dile cómo te llamas, Luz, y cuántos años tienes, él se llama Gustavo. La niña devolvió la sonrisa de la madre a Sintora, hizo un gesto vago con la mano que no se sabía si indicaba cuatro, tres o cinco y se cubrió la cara con un babero de rayas. *Ella se giró para mirarme, más rápida que la noche primera, los ojos se le habían empañado con brillo de lá-*

grimas, negaba con la cabeza y en la mano tenía un trozo de papel arrancado del paquete. Yo sólo dije, Sabía que él no estaba, y la miraba a ella y miraba el reloj de madera negra que había en la pared, su esfera amarilla, unas tazas de porcelana celeste cuidadosamente alineadas. Y sentí ternura por aquel orden, por el tirador roto del mueble, por el espejo descascarillado que había sobre él. Y en el espejo se reflejaba su perfil y yo la miraba a ella fuera y dentro del espejo.

—No lo soporto más, no sé lo que está pasando ni qué estáis haciendo, pero no lo soporto más —Serena Vergara ahogaba la voz, miraba a la niña, que volvía a esconderse detrás de sí misma.

—Quería verte. Quería verte y en el destacamento me han dicho que él se ha ido fuera, y querían entregarte esto. Y saber si él estaba aquí. Yo quería verte.

Alargué la mano muy despacio y con la yema de mis dedos rocé el dorso de la suya. A ella la respiración le subía desde el vientre hasta los hombros. Frente a mí había un cuadro con árboles muy grandes. Parecían nubes rojas. Había un lago en el que los árboles se reflejaban.

—¿Has venido para averiguar si él estaba aquí? —preguntó Serena.

—Sabíamos que él se ha ido a Valencia. En el destacamento están asustados.

—Yo también estoy asustada, llevo nueve años asustada. Y no es por la guerra, ¿sabes? La guerra no me da ningún miedo.

La niña había dejado de jugar, llamaba a su madre, y Serena, dejando que sus palabras flotaran en el aire, todavía mirándome, se dirigió hacia la niña y la sacó de la silla, la abrazó, le besaba la frente y le hablaba en voz baja. Pasó por mi lado con ella y le dijo a la niña que me dijera adiós y que se iba a dormir porque tenía mucho sueño, y Serena abrió una puerta y yo entreví una cama, una mesilla de noche oscura, la pared de cal amarilla. Avancé unos pasos por la habitación en la que yo estaba, oía la voz de Serena hablándole a la niña, acaricié el vestido de Salomé Quesada, el papel áspero que lo envolvía. Sobre la mesa había un trozo de tela, unas tijeras, en la pared la foto de un hombre con el pelo blanco y los ojos parecidos a los de la niña, la camisa abrochada hasta el cuello.

Mi padre, dijo la voz de Serena a mi espalda. Había perdido la rigidez de la cara y en los labios tenía el asomo de una sonrisa triste. Flotábamos en el aire, separados por el aire, uno a un metro del otro, lejos. Yo, sin querer mirarlo, miré el pasillo que conducía a la calle, y a Serena le acabó de asomar la sonrisa y casi otra vez lágrimas, y me dijo que estaba cansada, y la sonrisa le formó dos arrugas, apenas el dibujo de una cuchilla, a cada lado de la boca y la lejanía se evaporó, y aunque ya podría haberme acercado a ella y haberla abrazado y besarle la sonrisa y las lágrimas que no le salían de los ojos, ante mí estaba la visión del cuarto del que ella acababa de salir, la pared desnuda de cal, el trozo de la cama que allí había y el presentimiento del olor que debía de envolver aquella habitación. El olor de Corrons, el vaho de sus pulmones.

Serena Vergara pasó una mano por la mejilla de Sintora, se cogió de su brazo y lo acompañó hasta la puerta:

—Dile al teniente que esté tranquilo, arreglaré el vestido pronto —y cuando ya Sintora había salido de la casa y ella lo miraba irse, con la sien apoyada en el borde de la puerta, dijo, ya con otra voz—: No ha ido a Valencia, quiere que yo lo diga si alguien pregunta, pero no ha ido allí. Va a volver esta madrugada, quizá al amanecer.

Y yo seguí andando, ya sin querer oírla hablar más de él. Crucé el portal, las voces de los vecinos sonaban ahora más lejos. Delante de mí estaba la noche, y el camión, un animal dormido, esperándome al borde de la acera. Y en la espalda sentía otra oscuridad, el peso de la pistola.

La batalla estaba próxima, la guerra se removía bajo la tierra, alimentando la savia de aquellos árboles que despertaban al calor de la primavera. Y aquella sangre blanca también venía por dentro de mis venas, entonces. 1938.

Hubo días de tensión en el destacamento. Ansaura, el Gitano, apenas rezaba por las noches el nombre de su mujer, y a cada paso rompía su susurro para preguntarle a Montoya qué pensaba él que estaba pasando. El cabo Solé Vera se quedaba a veces mirando el humo de su cigarro, sin decir nada, todo lo contrario que Enrique Montoya, que en ningún momento paraba de hablar, con las eses de su jerga más pronunciadas que nunca. El Textil casi no decía la leche que mamaste, la cicatriz se le marcaba severa en el rostro, y Gustavo Sintora los observaba a todos, atento a cualquier señal que pudiese orientarlo en aquellos sucesos que parecían afectar a todos menos a Doblas, que seguía tranquilamente inclinado sobre sus motores, jadeando al mismo compás de siempre y bebiendo el vino negro de la cantina al lado del cabo Solé Vera.

La conversación que el cabo Solé Vera y Corrons tuvieron dos días después de que Sintora estuviese en casa de Serena tampoco sirvió de nada. Corrons, con la vista muerta y los párpados descolgados, intentó tranquilizar al cabo. Lo único de importancia que había ocurrido, decía, era que habían perdido un dinero, el del rescate de aquella monja o lo que fuera, un dinero que por otra parte nadie parecía dispuesto a dar. Por lo demás, ella estaría ahora lejos o escondida en cualquier parte sin querer acordarse de la casa del Marqués ni de nada de lo que allí pasaba. El que huye no mira atrás, cabo, le dijo Corrons a mi padre antes de comentarle cómo había encontrado Valencia y la moral de victoria que allí había, por más que algunos renegados lo llenaran todo de malos augurios. Cobardes, mi cabo, a esa gente había que darle paredón, se sonrió mirando con sus ojos de pantano los ojos de mi padre.

Y aunque todos tenían la certeza de que Corrons ocultaba algo, el paso de los días, sin que hubiera ninguna novedad y en casa del Marqués todo continuara sin alteración visible, hizo que la tensión se fuese atenuando. Poco a poco, Ansaura, el Gitano, volvió a susurrar el nombre de su mujer, acelerado, queriendo recuperar las horas perdidas. A Doblas le había procurado Sebastián Hidalgo oro suficiente para que le instalaran una nueva muela. Acabarás con más dientes que un tiburón, le dijo Montoya, con más hierro que todos tus camiones, sosio. El Textil también volvió a sus bromas y, por última vez, entre los soldados se llegó a pensar que la guerra podía ganarse.

La cantante Salomé Quesada, satisfecha por el trabajo de Serena, insistió para que la modista fuese con ella a las actuaciones para ajustarle el vestuario en el momento de salir a escena, tal como correspondía a su auténtica categoría. Y así fue cómo en algunas ocasiones Serena Vergara y Sintora salieron juntos de Madrid en los vehículos del destacamento, *y no importaba que no pudiese acercarme a ella, yo la veía sentada frente a mí, hablando con el músico Martínez o con el cantante Arturo Reyes mientras los campos pasaban por nuestro lado, y aquel vestido suyo de flores amarillas que en una ocasión se me confundió con un campo de girasoles volvía a estremecerse con el aire del camión, y era como si ella se llevase consigo parte del campo cuando ya habíamos dejado atrás el campo, y los girasoles parecía que se le hubiesen prendido a la piel y volaran a su alrededor.*

Había momentos en los que Gustavo Sintora pensaba que todo el mundo sabía lo que estaba ocurriendo, y que los demás disimulaban como ellos trataban de disimular, apenas hablándose, no tocándose, no quedándose solos más que cuando tenían la certeza de que todos dormían, *cuando no había ojos, cuando las lenguas eran un animal dormido en la cueva oscura de las bocas y las bocas túneles tapados por el sueño.*

En Madrid seguían viéndose a la espalda de la Casona y, a veces, en el coche del Textil salían de la ciudad, o se perdían en ella. Sintora, desde su ventana, ya a la luz del día, observaba a Serena a la salida del taller, perdiéndose con sus compañeras en dirección a su casa los días en los que, para romper cualquier sospecha, habían decidido no verse. Y también hubo alguna tarde en la que se vieron en el Retiro, acompañados por la hija de Serena. Llegaba ella desde la casa de una hermana suya en la que su hija pasaba la mayor parte del día, caminando bajo la arboleda, ya verde, llevando de la mano aquella niña de mirada limpia para quien Sintora era alguien que su madre y ella encontraban de modo casual, un soldado quizá parecido al que una noche enturbiada por el sueño había aparecido en su casa.

Yo miraba a la niña y buscaba en ella no sé qué rastro de Corrons, una huella insana que por un instante, alguna vez, entreví asomada a aquellos ojos cargados de inocencia. En lo hondo de ellos vivía su sombra, como en el fondo del agua más clara están el limo, el cieno.

—Podría ser tu hermana, la niña. Tú mi hijo —comentó Serena—. Mi hermana tuvo su primer hijo con die-

ciséis años. Podría ser tu madre, si me hubiera casado antes, con otra persona.

—A veces pienso que lo sabe. Que él sabe lo nuestro.

—No lo conoces, no sabes quién es. No sabes lo que
haría si se enterase, si sospechara. No sabes quién es ese
hombre.

*Un estremecimiento recorrió la brisa de los árboles, la bola
de nácar con la que jugaba la niña cayó rodando entre la hierba.
Había llegado el verano a Madrid, a la oscuridad de mi pecho.*

Sintora supo quién era Corrons un día de aquéllos,
cuando Serena y él, echados sobre una manta miraban
cómo el día empezaba a apagarse sobre un campo amarillo de rastrojos. Tumbada boca arriba, Serena miraba la
quietud del cielo, y como si allí, en el azul, leyese lo que
decía, con la mirada fija en unas letras invisibles le dijo a
Sintora que no quería volver a Madrid, que si no fuese por
su hija no volvería nunca a su casa, a aquella vida que no
era vida. Y con la mirada más profunda, como si le hubieran alejado las palabras del cielo, le habló por primera vez
de Corrons, de cómo apareció en el barrio donde ella vivía, reivindicando la lucha de los obreros.

«Se hizo amigo de mi padre —dijo Serena con la voz
neutra de quien habla de algo que no pertenece a su
vida—. Se hizo amigo de mi padre, que era de su mismo
partido y que en el barrio llevaba años haciéndole frente a
los patronos, enseñando a leer a los analfabetos. Se dio
cuenta de la influencia de mi padre, empezó a ir por mi
casa, a introducirse en el barrio. Venía de Valencia y trabajaba llevando las cuentas en un almacén de telas. Nadie
sabía nada de él, sólo que trabajaba allí, en el almacén. A
mí me miraba como nunca me había mirado otro hombre,
y me daba miedo cómo me miraba, pero me atraía, yo sentía que me estaba mirando un animal, era como si dentro
de él hubiese una fiera metida en una jaula, ¿no has visto
los animales de un circo cómo dan vueltas en la jaula sin

parar de moverse? Así sentía yo que me miraba. Me perdió, no sé qué me hizo.»

Gustavo Sintora miraba el verano en los ojos de Serena.

«Un día me encontró sola en la casa y nada más que mirándome, sin ni siquiera tocarme, hizo que me desnudara. Nada más que con la vista. Ponía los ojos en mí, en mi ropa, en los botones, y yo los abría, me trastornó, le iba entregando mi cuerpo. Se fue de la casa sin tocarme y yo me sentí sucia, aunque quería que volviese, que aquello volviera a pasar. Luego me ha dicho que le di asco, que se fue al ver de qué ralea era yo. Engañó a mi padre, lo metieron en la cárcel, por él, por utilizarlo. A él lo dejaron en libertad. Entonces se hizo mi amo. Y me casé con él, mi padre en la cárcel y yo sabiendo ya que me casaba con un mal hombre. Pero me casé, porque pensaba que iba a cambiar, que no podía vivir sin él, no lo sé, ahora no sé qué era lo que yo pensaba ni lo que sentía y me parece que me lo estoy inventando al contártelo.»

Se calló Serena Vergara. Cerró los ojos, viendo dentro de ellos lo que contaba.

«Me ha atado a la cama para pegarme con su correa y luego, luego hacerme lo que quisiera. Una vez que fui a ver a mi padre a la cárcel sin su consentimiento me tuvo cuatro días encerrada con llave en una habitación, sin darme de comer. Por la noche le daba golpes a la puerta con un palo, para asustarme. Y luego tuvimos la niña, yo quise morirme al saber que la iba a tener, pero luego ha sido mi salvación, Luz. Él fue metiéndose cada vez más en la cosa de la política y olvidándose de mí.»

Abrió los ojos. Miró a Sintora, le acarició la mejilla, el borde de los labios.

«Y ahora estás tú, mi soldado.» Se incorporó Serena. Sentada, resbalando el falso raso de su enagua por el pecho, vio cómo la tarde, en su caída, suavizaba el amarillo de los campos. El olor llegaba intenso, templado, con la brisa. «Nunca consentiría que lo abandonase. De ningún modo. Me mataría. Acabaría con mi hija.» El pelo de Serena, enrojecido por el atardecer, se estremecía, cayendo de las sienes y ondulándose sobre la mejilla y el cuello. Sintora dice que sintió cómo la guerra le atravesaba con todos sus ejércitos el vientre, con todas sus bombas, con toda su devastación, el pecho.

A la par que releo los cuadernos de Sintora y pienso en aquel hombre delgado que en mi infancia aparecía por mi casa con sus ojos aumentados tras el vidrio de las gafas, miro algunas cartas de mi padre, el cabo Solé Vera. Unas pocas hojas amarillentas que durante la guerra hizo llegar a mi madre y que también hablan de aquel tiempo en Madrid, de los sucesos que iban ocurriendo en el destacamento y de lo que él pensaba. Pregunta mi padre por la hija que han tenido y no conoce. No hay tristeza en sus palabras. Habla del futuro, da ánimos. Sólo se nota cierta preocupación cuando se refiere a la posibilidad de que su destacamento abandonara Madrid para entrar en combate y participar en la gran batalla que había empezado a librarse en el Ebro, una batalla, decía él, que puede devorar muchos hombres: «los que allí van a morir y los que el resto de su vida pagarán la derrota que allí podemos tener».

Tenía miedo mi padre, pero lo aliviaba dando cuenta a su mujer de la comodidad con la que entonces vivía en Madrid, apartado del frente, rodeado de toreros y artistas. También habla en las cartas de Doblas y su avaricia de dientes metálicos, del teniente Villegas, del soldado Mon-

119

toya y de un muchacho de Málaga que se llama Sintora. «Habla en voz baja y lo toca todo con miedo de que se vaya a romper. Tiene unas gafas muy raras, escribe cosas en una libreta y la otra noche lo vi llorando, mirando el cielo.»

En uno de sus cuadernos también habla Sintora de aquel llanto y del cielo de aquella noche, de *las nubes que crujían al pasar sobre la luna, rechinando como barcos cargados de herrumbre*. Cuenta que un atardecer caminaban él y Serena Vergara por Madrid y que el verano soplaba caliente y por las calles corría un aire seco, un viento que purificaba el aire y hacía que la gente caminara despierta, casi alegre por la ciudad gris y en agonía. Jugaban los dos a caminar separados, a mirarse a través de las vidrieras, a encontrarse y reconocerse frente a un escaparate desolado, ante la puerta de una tienda:

—Buenos días, ¿es usted la mujer de mi vida?

—Y usted, joven, ¿es la persona que me va a traer cada día cien toneladas de amor?

—Sí, si usted se lo merece.

—Lo veo muy enclenque para tanto esfuerzo.

—Llevo toda la fuerza del mundo latiendo en este pecho, si mira bajo la camisa podrá ver mi corazón, es de vidrio, transparente mi pecho.

Hablaban y alrededor de ellos pasaba la gente. Corrían algunas personas y parecía que se riesen de lo que ellos se reían. Un niño señalaba una esquina y corría hacia ella. El verano era un latido fuerte, caía azul la luz del cielo, empezó a arremolinarse la gente en la dirección que el niño había corrido y Sintora y Serena, todavía con las risas y las palabras de amor, avanzaron hacia donde se dirigía apresurada la gente. Entraron en una calle más estrecha, con menos luz que aquella de la que venían. A lo lejos, ante un portal, había grupos de personas que miraban hacia arriba, señalaban hacia alguna ventana. Las risas dejaron de oírse, se escuchaba algún grito y Serena y Sintora empezaron a andar con más lentitud, sin dejar de mirar al frente, a aquellas personas, las ventanas del edificio donde no distinguían nada.

Lo van a tirar, gritó al pasar corriendo por su lado una mujer, y no se sabía si su grito era de alegría o de miedo. Llegaron hasta la espalda de los primeros corros de gente Sintora y Serena. De Falange, decía el niño que habían visto correr. De Falange, le repetía el niño a unos amigos, y señalaba arriba. Y fue entonces cuando Sintora, en un balcón del tercer piso, vio asomar a un hombre bajo y robusto que tiraba con fuerza de una cuerda. Al otro extremo de la cuerda, con las manos atadas en la espalda, apareció un hombre joven, rubio, que fue recibido con un griterío. Hubo aplausos, risas y amenazas, también algún lamento. Al lado del joven rubio entró en el balcón un individuo que en la mano llevaba una pistola. La levantaba en alto mientras hablaba a la gente de la calle algo que apenas podía oírse. Sólo palabras sueltas, Falange, madre, Dios, volar, conseguían atravesar el rumor de abajo. Al joven rubio se le habían derretido los huesos, se doblaba sobre sí mismo, la carne, los músculos, todo él convertido en una gelatina blanda. Parecía que lloraba. Se desmoronaba. Serena agarró la mano, el brazo de Sintora. Vámonos, le dijo en un susurro. Pero él se quedó inmóvil. El niño que habían visto correr abría los ojos, una sonrisa le abría la cara. Voy a mearme en tu cara cuando te estés muriendo, fascista, gritó una mujer al lado de Sintora. Vámonos, repitió Serena, la cara escondida en el pecho de él. La mujer volvía a gritar, la mirada iluminada de alegría, la lengua un látigo de sangre. Arriba, el hombre bajo y el de la pistola intentaban levantar al joven del suelo, el rumor de la calle se hacía quebradizo. Lo pusieron de pie, con las rodillas reblandecidas por el miedo. La mujer de los gritos se subió la falda, doblando la cintura se sacó con esfuerzo una braga vieja, gritó de nuevo con la prenda en la mano. Sintora notaba en su pecho el estertor de Serena, que levantó la vista y vio los ojos de Sintora justo cuando en el balcón el joven rubio, con las manos en la espalda, era colocado con el vientre sobre la baranda y el tipo bajo y robusto le levantaba las piernas, que volaron por encima del balcón, la cabeza, el cuerpo, cortando el griterío. Hubo un disparo, silencio, y ya vino el retumbar no se sabía si de las carreras o del interior de la tierra, un movimiento de hormiguero, empujones y de nuevo gritos, el llanto de Serena y su voz diciendo, No, dos, tres veces, no.

Intentó andar Sintora y se notó el cuerpo rígido, *las piernas sin piernas.* Abrazó a Serena, le besó la frente y mientras se la besaba, en el portal del edificio por el que el joven había sido arrojado al vacío, vio la melena pelirroja, la cara de la Ferrallista. Se dio la vuelta rápido, agarró por los hombros a Serena Vergara y la llevó hacia el extremo de la calle por el que habían venido. Todavía se cruzaron con algunos curiosos que corrían en dirección contraria a ellos. La Ferrallista ha estado a punto de vernos, dijo Sintora. La Ferrallista, repitió, sin decírselo a Serena, murmurando las sílabas con la vista perdida, viendo en las paredes, en los carteles y en las vidrieras al joven rubio desplomándose, encogiéndose contra el suelo del balcón. La Ferrallista, no nos ha visto, decía. Serena Vergara, al oír aquel nombre, se separó de él, andaba deprisa, miraba hacia atrás y lloraba. El cielo se había oscurecido, la tarde de verano se había borrado de repente. Unas nubes negras habían asomado por encima de los edificios y el día se acababa como si hubieran transcurrido horas desde el instante en que habían entrado en esa calle y aquel joven rubio hubiese estado cayendo en el vacío no se sabe cuánto tiempo. La vidriera frente a la que habían estado hablando, jugando a no conocerse, estaba en sombra y parecía vieja, ensuciada por años de abandono.

Anduvieron hasta los alrededores de la Puerta de Toledo. Caminaron callados, encerrado cada cual en sí mismo, y allí se despidieron con el solo roce de una mano sobre otra, los dedos de Sintora en los dedos, en el dorso de la mano de ella, una brisa tibia que pasara por la piel. Las sombras entraban y salían del pecho de Sintora. *Respiraba sombras, el corazón me latía con un pitido y en el interior de mi pecho anidaban pájaros silenciosos que mordizqueaban, sin dolor, la esponja rosa de mis pulmones.* Llegó a los alrededores de la Casona y en mitad de los jardines se detuvo y miró despacio el tronco cansado de los árboles, la frondosidad negra de sus hojas. Por encima de ellos vio el cielo, revuelto de luz blanca, luna, y nubes que se amontonaban en un fárrago desordenado, en un caos de sombras y resplandores. Oía las nubes, *que crujían al pasar sobre la luna, rechinando como barcos cargados de herrumbre.*

Fue entonces cuando el cabo Solé Vera, al entrar en la Casona, se detuvo en la escalinata del edificio y se quedó mirándolo. «No sé qué vería ese muchacho en el cielo, qué pensamientos estaban trabajando dentro de su cabeza, pero me dieron ganas de acercarme a él, porque me pareció que estaba viendo el futuro, los días que a él y a todos nos están esperando. Y sentí que su miedo o su pena también eran míos», le escribió mi padre, el cabo Solé Vera, a mi madre.

Pero ni en el destacamento ni en la Casona nadie parecía entonces temer por el futuro. O quizá ocurriese que nadie se atrevía a hablar de sus temores y cada cual los padecía para sí y en silencio. Sólo a veces veían murmurar con las caras ensombrecidas al teniente Villegas y al cabo Solé Vera. Pero como en el plazo de una semana ambos fueron ascendidos y el teniente pasó a ser el capitán Villegas y el cabo el sargento Solé Vera, todos diluyeron aquellos gestos preocupados en la celebración de los ascensos, y ni siquiera importaba ya que las actuaciones artísticas y las corridas de toros se fueran espaciando y cada vez los hombres del destacamento pasaran más tiempo inactivos, Doblas reparando motores, el capitán Villegas y el sargento Solé Vera perdidos por las oficinas, Ansaura, el Gitano, tumbado en la caja de algún camión murmurando el nombre de su mujer, y Montoya y Sintora vagando por las explanadas y la cantina del Centro Mecanizado.

También iban con más frecuencia a la casa del Marqués, a ver al Textil y a Sebastián Hidalgo. Sintora casi aprendió a distinguir a los primos de Corrons, al Sordomudo, a Asdrúbal, que era el que tenía una cicatriz debajo de la boca y la cara más cuadrada que los demás, las cejas igual de pobladas pero más cortas. A Armando, que tenía un dedo menos en la mano derecha y a cada momento andaba arrugando la nariz para sorber una mucosidad que no tenía. A Amadeo, que tenía todos los dedos, sin cicatriz y con la cara un poco más estrecha.

Y también conoció a las personas que estaban retenidas en la casa. Marcelo Cantos, abogado falangista, con la piel de color amarillo y los ojos hundidos, siempre observándolo todo sin hablar, con un aire de provocación que era de la misma intensidad con los hombres de Corrons, con los del destacamento, con el Marqués, al que había jurado denunciar por colaborador de los rojos, y hasta con sus propios compañeros de cautiverio, Ortiz Pavero, un viejo industrial sin dientes al que habían apresado en un sótano acondicionado como refugio antiaéreo que él visitaba en horas de calma para contactar con jóvenes homosexuales, y Anselmo Luque Quintana, el cura tembloroso que los hombres del destacamento habían llevado a aquella casa la primera vez que Sintora la había visitado.

El viejo Pavero quiere haserle un niño al niño Sintora, se burlaba Montoya de los ratos que Gustavo Sintora pasaba escuchando a aquel hombre que siempre empezaba sus conversaciones con Sintora hablando del miedo que sentía. Le hablaba del miedo a las noches y a aquellos hombres, la gente de Corrons, y a sus armas. El miedo a los fusiles y el miedo a las navajas que llevaban en los bolsillos, que eran dos miedos distintos. Y a través de sus miedos le iba contando su vida a Sintora. Le hablaba de los primeros miedos que había sentido en su infancia, el miedo a perderse cuando iba por la calle de la mano de su madre, del miedo a las pesadillas que le producía aquel miedo, cuando se soñaba solo en medio de calles extrañas y de gente a la que le mudaba la cara y no conocía. Miedo de despertarse llorando y oír la voz de su padre, amenazándolo por el llanto, por el miedo que le traía el miedo.

—Yo soy un coleccionista de miedos. Todos lo somos, Gustavo. La historia de un hombre es la suma de sus miedos —decía con la mirada extraviada, sopesando miedos—. Y ahora está el miedo de la guerra, que es un miedo nuevo, un miedo que dentro lleva casi todos los miedos.

¿Y nunca te ha dicho el miedo que le entró en el culo cuando se lo follaron la primera vez?, le preguntaba Ansaura, el Gitano. Yo a los maricones los mataba dos veces, añadía Ansaura, al que aquellas visitas a casa del Marqués acababan por ponerlo nervioso. Y es que a él, aparte de murmurar el nombre de su mujer, nada más que le gustaba hablar con Paco Textil o quedarse mirando en el taller de costura las máquinas de coser.

Si mi mujer, Amalia, Amalia Monedero, Amalia, tuviera una, una de esas máquinas me iba a hacer unos trajes como los que llevan los ricos, y además iba a ganar mucho dinero, cosiendo, vendiendo la ropa, le dijo una vez Ansaura, el Gitano, al Textil mirando aquellas máquinas, a las costureras y al enano Visente volcados sobre ellas. Pero eso es cosa de gente pudiente, nada más que ellos pueden tener estos aparatos, éstos sí que son mágicos y no las palomas que el mago Pérez se saca de la chaqueta, que parecen de cartón de lo canijas que están. Y tú, Solé, qué te traes con ese cura, le decía al sargento Solé Vera, que siempre que iba por la casa del Marqués se detenía a hablar con el cura Quintana.

El cura Anselmo le decía a mi padre que él también había sido soldado, había estado en la guerra de Cuba y allí se había casado con una mulata que se llamaba Jacinta María. En su parroquia el cura tenía tres fotos, una de un periódico en la que él salía retratado con otros soldados debajo de un titular en el que se decía que el ejército español iba a pasearse por las calles de Washington, otra de la mulata Jacinta María y la tercera de la basílica de San Antonio de Padua, que era el lugar al que la mulata había soñado ir durante toda su vida, para hacer una ofrenda, para rezarle al santo que se llamaba como su padre. Ella se había muerto en Cuba, se tiró a un tren al recibir la noticia de que él había muerto en una emboscada que había preparado un hermano de Jacinta María, libertador y guerrillero.

—Ya ve usted, sargento Vera —le decía el cura a mi padre—, Romeo y Julieta en mitad del Caribe. Se echó al tren al pensar que me habían matado, un tren carguero, lleno de plátanos y que apenas andaba. Me dijeron que estuvo pasando por encima de ella casi media hora. No se sabe quién se quejó más, el tren o mi mulata. Ya sabe usted sargento cómo son por allí, exagerados, me dijeron que no se murió de repente y que algunos de los trozos en los que quedó partido su cuerpo todavía hablaban cuando el tren acabó de pasar. Dicen que la carne decía mi nombre.

Se encogía de hombros el cura Quintana, temblando de enfermedad, no de miedo, insistía él.

—La cobardía no tiene nada que ver conmigo, sargento Vera —decía temblando, con los ojos pequeños y acuosos pero llenos de una firmeza que confirmaba todo aquello que decía—. Maté a mucha gente en la guerra de Cuba. Me salió una vena asesina con la muerte de mi mulata. Por no matarme yo, maté a media Cuba. Y pasé muchas penalidades. Después he pensado que me gané el cielo allí, no en las misiones ni en los hospicios, sino matando gente, mujeres, ancianos y algún niño también. Conocí de cerca lo que es el pecado, supe lo que era el mal y luego sufrí mucho por haberlo hecho de verdad, a fondo. Si tengo un lugar al lado del Padre es por haber matado.

Los hombres del destacamento observaban cómo el sargento y el cura andaban por la casa, paseando por los salones medio desvalijados, bajo la mirada sospechosa de los hombres de Corrons y la extrañeza de Ansaura, el Gitano.

—Éramos animales en medio de la selva. Me hicieron cabo, como era usted hasta hace poco, por matar a tanta gente. Con cuchillo, con piedras, con bala. La ropa se me caía a pedazos del cuerpo, podrida por la humedad. Una vez me comí dos orejas humanas, de un compañero muerto. Estaban tiernas, se las corté y les maté la sangre en una candela. Sabían como las de cochino, pero con menos carne. Me las comí con estos dientes —se sonreía el cura señalándose con un temblor de labio y dedos unos dientes disparejos y amarillos, encogiéndose de hombros con un gesto que no se sabía si era de orgullo o de ternura—. Y luego, cuando volví con la guerra perdida y sin mi Jacinta María, al pasárseme la borrachera de la sangre me hice cura, aunque nunca me he olvidado de ella, de Jacinta María, a la que quise, se lo digo a usted, sargento, más, mucho más, que a Dios. Para mí están Jacinta María, Dios y la Virgen. Luego todos los santos, empezando por San Antonio —y con la mirada medio borrosa se quedó con la vista fija en la pistola que mi padre llevaba en la cintura, debajo del chaquetón de cuero que ni siquiera en los días más duros del verano se quitaba—. Y le digo, sargento Vera, le digo que antes de morirme voy a ir a la Basílica de Padua, y que no voy a consentir que esta gente que nos custodia me mate sin cumplir la ilusión de mi mulata. A mí no me dan miedo Corrons, Asdrúbal y el otro, ni ellos ni ese que le dicen el Textil.

EL TEXTIL VOLÓ AL CIELO

Lo tiene titulado así en su cuaderno Sintora, con letra grande y todo en mayúsculas: EL TEXTIL VOLÓ AL CIELO. Es la única vez que pone un título entre todas las páginas que dejó escritas, y bajo el título cuenta Gustavo Sintora que al fin llegó un día en el que Paco Textil pudo acompañar al destacamento en una de sus salidas con los artistas, por más que ya en esa época aquel tipo de viajes escaseara. Ya desde la noche anterior estuvo celebrándolo en la cantina de la Casona, con tanto entusiasmo, que la gente del destacamento y los artistas que esos dos días iban a viajar con ellos parecieron recuperar el optimismo de otro tiempo hasta el punto de que Ansaura, el Gitano, llegó a reírse y el faquir Ramírez quiso tragarse, por voluntad propia y sin que nadie le pagara, la hojalata con la que estaban hechas las estrellas que el capitán Villegas llevaba en su gorra de plato.

Por la mañana llegó el Textil muy temprano a la Casona, sin darle tiempo al sol para que acabase de salir y gruñendo con su coche en la grava que rodeaba el edificio. Cuando los soldados del destacamento salieron al jardín ya estaba él cansado de fumar y de darse paseos bajo los árboles, con los ojos brillantes y diciendo, ¿Dónde andas?

La leche que mamaste, venga, vamos a cargar los camiones. Y silbando y entre coplas que parecía llevar enredadas entre los labios, se dedicó a la carga de instrumentos y vestuario con tanta energía que cuando Salomé Quesada, Arturo Reyes, el faquir Ramírez y los músicos llegaron a los camiones, el Textil estaba en la cantina apurando su cuarta o quinta copa de anís y ya cantando abiertamente, ante la presencia imperturbable del novillero Ballesteros, todavía la cabeza con la venda, unos quejidos que parecían flamenco.

Acompañando a Enrique Montoya y a Sintora, que eran quienes habían ido a buscarlo a la cantina, el Textil, con su gorra de vaina echada para atrás, casi derramándosele por la coronilla, dejó de cantar para entregarse a un tumulto de recuerdos, como dicen que sucede cuando uno está a punto de morirse:

—Estoy destartalado, tanto rato esperando, ahí con el torero ese que nada más que estaba mirándome, Montoya, tú, Sintora, como me miraba mi padre en Ronda cuando yo salía del colegio y él estaba con los pies metidos en la nieve. Mi padre, que era militar y nunca tenía frío. Yo tenía el frío de mi padre y el mío cuando lo veía. Nada más que mi novia Olguita, en Barcelona, me pudo quitar ese frío. Estoy viendo sus ojos ahora, Montoya, los de mi padre digo, y los de mi madre, y sintiendo cómo los dedos de Olga me tocaban la nuca, y es como si la oliera.

—Pues desengáñate, Textil. Nada más que hueles a aguardiente.

—Huelo a Olguita, y el olor que traen las mañanas de verano cuando uno es un niño, y el humo que tenían los cabarets de Barcelona, el maquillaje aquel que se ponían las bailarinas y el sudor que le salía a cada una. Un día te voy a contar, Sintora, mi vida en Barcelona, os voy a enseñar Barcelona a los dos, vais a saber quién es el Textil.

—Barcelona y lo que a tu antojo le cuadre, Paquito, pero antes vamos a ver si acabamos la mierda bélica —decía Montoya, ya en el jardín de la Casona.

Y era verdad que el verano olía al verano de la infancia, al primer verano que uno reconoce, cuando ha descubierto que el tiempo y la vida existen y que uno es carne de tiempo, vida, verano que pasa, siega, campo de trigo el cuerpo y la piel, cielo en las pupilas y el verde de los árboles como una frontera que nos protege de la intemperie en la que vamos a vivir.

Al ver el estado en el que se encontraba Paco Textil y la alegría con que se manejaba, no quisieron la cantante Salomé Quesada y su acompañante Arturo Reyes viajar en su coche y prefirieron la incomodidad de los camiones al riesgo de una conducción poco fiable. La tropa es una borracha, dicen que murmuró la cantante frunciendo la negrura de sus cejas. Salieron de la Casona y de Madrid los tres vehículos en convoy, primero el coche de morro largo, negro y con las letras UHP pintadas a brochazos blancos, y luego los camiones del sargento Solé Vera y de Ansaura, el Gitano.

Atravesaron prados yermos y después la ribera de un río que tenía una escolta de árboles muy pálidos. Gustavo Sintora iba en la cabina del primer camión, al lado del sargento Solé Vera y de su ayudante Doblas, que, como la primera vez que viajó con ellos, lo apretaba con su respiración contra la puerta, sólo que ahora el soldado de las gafas tenía la distracción de Paco Textil, que iba delante de ellos con su coche negro, tocando el claxon y agitando en un saludo alegre su mano por la ventanilla. Sonaba cascada la bocina del Textil, y con aquel juego suyo de escalas musicales arrancaba una sonrisa de la boca del sargento y de la caja del camión, donde viajaban un par de músicos y los cantantes Salomé Quesada y Arturo Reyes, un canto que llegaba atenuado a la cabina y cuya melodía, más que lejana, sonaba como si la estuvieran cantando en otro tiempo.

Era una melodía más recordada que oída. Y así, del mismo modo, tenue y lejano, cuando remontaban la suave pendiente que llevaba la carretera hacia una pequeña loma, apareció en los oídos de los viajeros un silbido y un eco ronco. El eco parecía crecer de entre aquellos prados y cerros, al lado de la hierba amarilla o entre la verdura aterciopelada de los arbustos que se perdían por la ribera de un nuevo arroyo. Y de pronto se separaron el eco y el silbido, cada uno viajó en una dirección distinta, el eco empezó a alejarse y el silbido se hizo intenso, se confundió con el claxon del Textil que sacaba otra vez la mano por la ventanilla, saludando, silenció la melodía de los cantantes, hirió los oídos y se hizo un cuchillo, rápido, feroz en los tímpanos. Un alarido. Frenó el camión, gritó el sargento Solé Vera y ya la mano del Textil no estaba, no estaba su coche, ya no estaba la carretera ni el claxon ni los campos de trigo, sólo una cegadora y violenta nube de humo. Un resplandor, una luminaria y mucho después un estruendo que estalló cuando el coche de Paco Textil ya volaba desintegrado, faros, ruedas, hierros y polvo de cristales, por encima de los árboles, y empezaba a bajar de nuevo al suelo, convertido en una lluvia de chatarra, tuercas y muelles que caían sobre el trigal amarillo como un chaparrón disperso y ruidoso.

La leche que mamó, dijo Doblas, que se quedó sin respirar, más morado que de costumbre y con los ojos muy abiertos, viendo cómo todavía caían sobre los cristales y el morro del camión trozos del coche de Paco Textil y, probablemente, del propio Paco Textil. La leche que mamó, repitió cuando ya del chubasco de hierro sólo quedaba una niebla negra y el eco ronco que antes habían escuchado renacía de nuevo, ya claro y rotundo, pasando por encima de sus cabezas convertido en la mancha alargada y gris de un aeroplano que se perdía hacia las montañas con un petardeo tartamudo y metálico.

Se quedaron los hombres inmóviles en sus asientos, mirando al frente, con la nube de polvo ya disuelta y el coche del Textil repartido en calderilla por el campo, la carretera humeante y con una tronera negra y profunda en el medio. Sólo cuando ya habían pasado uno, quizá dos minutos, vieron Sintora, Doblas y el sargento Solé Vera a Ansaura, el Gitano, avanzar a pie, muy despacio, hacia el lugar por el que se habían esparcido los restos del automóvil. La leche que mamó, volvió a decir Doblas. Lo miró el sargento con la vista perdida y, sacando, no se sabía para qué, su pistola de la cintura, se bajó muy lento del camión. Le siguieron Sintora y Doblas, a los que, ya delante de los camiones, se les unieron Enrique Montoya, el faquir Ramírez y un par de músicos. El cantante Arturo Reyes tenía la cabeza asomada por el toldo del camión y dentro se escuchaba, como antes la melodía, el llanto lejano, remoto, de Salomé Quesada.

Había mucho silencio, mucha paz. Se oía cómo la brisa soplaba en nuestras orejas, y también el ruido de los pies aplastando la hierba seca. Algunos trozos de coche crujían por su cuenta y desprendían un vapor que parecía vaho humano. Había un olor a grasa quemada, a guiso de carne adobado con romero. Andábamos como sonámbulos y el sargento llevaba su pistola apuntando al frente, temiendo que de entre aquel desguace se levantara no se sabía qué fantasma.

Enrique Montoya avanzaba tocando la chatarra con la punta de su fusil. Doblas miraba muy despacio los restos y con el pie levantaba algún trozo de chapa, una puerta, que era la pieza más grande que había quedado del coche, un pedazo de rueda. Gustavo Sintora se ajustaba las gafas, y por ninguna parte veía nada que no fuera hierro y metales retorcidos. Anduvieron unos minutos rastreando el campo, levantando matojos y pedazos de coche, siempre en silencio, hasta que Montoya logró hablar.

El Textil no está, dijo Montoya, y de pronto todos tuvimos conciencia, verdadera conciencia, de que nuestro amigo Paco

Textil viajaba en aquel coche. Porque hasta ese momento todo nos había parecido un truco, un juego de magia como los que hacía el mago Pérez Estrada, algo que nada tenía que ver ni con la realidad ni con la muerte.

—Pobresito, Textil, no está. No ha quedado nada, ni un sapato, ni una tripa.

—Es como si se lo hubiera llevado el aparato —dijo Sintora—. Ha volado tan alto que a lo mejor se ha ido enganchado entre las hélices o las alas del aeroplano.

—¡Hija de puta de la aviación! —gritó el sargento, mirando al cielo, como si se acabara de enterar de lo que había sucedido hacía ya casi veinte minutos. Agitaba la pistola al aire, apuntaba al cielo y volvía a gritar—: ¡Me cago en ella, me cago en la aviación entera y en la madre que parió a los aviadores! ¡Hija de puta!

Y se puso a disparar contra el cielo el sargento, mientras Montoya arrojaba el fusil al suelo y se tapaba con las dos manos los oídos, murmurando cada vez en voz más alta, Ya está bien, ya está bien de bala y de bomba por hoy, ya está bien, coño, no me subleven, ya está bien, y Doblas, más por calmar al sargento que por interés en el propio muerto, gritaba, morado:

—¡Textiiil! ¡Paco Textiiiil! ¡Cooooño, Textiiil!

Pero una vez vaciado el cargador, al sargento Solé Vera le vino la calma. Se quedó con la pistola colgando de la mano, exhausto, como si el arma pesara una tonelada y él apenas pudiera sostenerla. Sólo movía los labios y no decía nada. A Doblas se le pasó la congestión y también dejó de gritar.

—Yo me creo que el Textil se ha convertido en chatarra. Quería tanto a su coche que se ha fundido con él —dijo con voz suave Ansaura, el Gitano—. Mi amigo, Textil —y tenía los ojos brillantes, más negros que nunca, Ansaura, que, declinando todavía más la voz, empezó a murmurar—: Textil, Textil, Paco, Paco Textil.

Y como Ansaura, repitiendo aquel nombre del mismo modo que llevaba repitiendo no se sabía cuántos meses el de su mujer, siguió avanzando por el campo, los hombres del destacamento, los dos músicos y el faquir Ramírez, empezaron a andar tras él, rebuscando entre los rastrojos, hasta que pasado un rato, señalando con su fusil un arbusto grande, casi un árbol con frutos pequeños y rojos, gritó Enrique Montoya:

—Aquí está. Aquí hay un troso de Textil.

Se acercaron los demás hombres y, colgada de una de las ramas del arbusto, por encima de sus cabezas, vieron un trozo de materia extraña y tiznada de negro que a la mayor parte del grupo le pareció el caucho deformado de una rueda pero que al caer al suelo empujada por el fusil de Montoya y ser mostrada una zona de color entre rojizo y morado, hizo pensar, sobre todo cuando Montoya hurgó con el fusil y aparecieron unas gotas de líquido, que se trataba de un trozo de pierna de Paco Textil.

—Es el muslo derecho —dijo Montoya, y todos hicieron gestos con la cabeza, unos tragando saliva, otros afirmando muy despacio y el sargento diciendo que no a la vez que volvía a cagarse en la aviación.

Siguieron buscando todavía, aunque al rato, hartos de lo infructuoso de la búsqueda, Doblas ya estaba entretenido examinando el bloque del motor del coche, que se había partido en dos y que él miraba ideando la forma en que podía ser recompuesto, desmontando piezas con el destornillador que siempre llevaba encima y ordenándolas sobre la hierba seca a la vez que el faquir Ramírez se entretenía removiendo metales y sopesando su calidad.

—Míralo, al faquir. Está en su mundo, seguro que le dan ganas de comérselos, los hierros esos —le comentó Sintora a Montoya.

—Sería antropofagia —contestó Montoya con mucha seriedad—. Es un faquir, no un caníbal. Me parese a mí.

Y fue en ese momento cuando Sintora, ajustándose las gafas, al lado de una piedra, vio algo semejante a unos dedos, unos cartílagos de goma blanca pegados a lo que parecía un trozo de mano.

—Aquí hay más Textil —murmuró Sintora, dando un paso atrás y mirando a su espalda, al suelo, por temor a pisar algún resto más que ya, después de casi un par de horas de búsqueda, los hombres no llegaron a encontrar.

Y así, sin estar muy seguros de que los mínimos despojos hallados pertenecieran a la anatomía de Paco Textil, dieron por cerrada la búsqueda. Sacaron una guitarra y un trombón de sus respectivas fundas, pero, cuando ya los estaban bajando del camión de la Doce, al sargento no le pareció serio meter los restos de un soldado en unos estuches musicales, así que ordenó guardarlos y traer una lona. La extendieron en el suelo, al lado del supuesto muslo del Textil, y sobre ella colocaron el trozo de caucho chamuscado o de carne humana. También pusieron allí, llevada con dos palos por Sintora, la goma blanca de los dedos. Se quedaron los soldados mirando aquella insignificancia en medio de la lona.

—¿Ya está? —preguntó Enrique Montoya.

El sargento se encogió de hombros, miró a sus soldados, la lona y los restos de automóvil que por allí había esparcidos y dijo, No sé, a lo mejor podríamos poner un trozo de coche, por hacerle compañía.

—A él le habría gustado, sargento —dijo con su mirada negra Ansaura, el Gitano—. Le habría dado sentimiento.

El sargento se quedó mirando muy serio a Ansaura, el Gitano, luego volvió a poner la vista en la pierna de Paco Textil, como si la interrogara en silencio, y, muy despacio, se dio la vuelta y avanzó unos pasos mirando al suelo. Se quedó parado ante una pieza del coche, un trozo del morro, con la letra H casi entera. Giró la cabeza para volver a mirar a sus hombres, reunidos alrededor de la lona, y se agachó a recoger el trozo de metal, que todavía estaba caliente. Lo acostó con mucho cuidado al lado de la pierna y los dedos. Montoya recogió el medio huevo negro, sin cristales, de un faro que tenía junto a uno de sus pies y lo colocó también dentro de la lona.

—Métele un pistón, y un trozo de biela. Es lo que tiene más empaque en un coche —le dijo casi al oído Doblas al sargento.

Hizo un gesto afirmativo el sargento y Doblas corrió hasta donde estaba el motor desmembrado y regresó, rápido y congestionado, con una biela partida y un pistón con los segmentos desflecados que echó sobre la lona. Sintora, otra vez Doblas, Ansaura, el Gitano, Montoya, el faquir Ramírez y hasta un músico echaron sobre la lona unos muelles partidos, restos de la estopa del asiento, tuercas y un trozo de volante medio forrado de cuero. Esto es muy humano, casi parese piel de hombre, dijo Montoya acariciando el trozo de volante del que colgaba parte del claxon, derretido y negro.

Mandó el sargento liar la lona y con mucha solemnidad y un ligero tintineo de metales, Enrique Montoya y Gustavo Sintora la llevaron a uno de los camiones. La cantante Salomé Quesada al ver pasar el toldo reanudó su llanto histérico a la par que decía, Aquí no, aquí que no lo metan, por Dios.

—Dios no existe, señora. A ver si se va enterando de una puta vez. Lo que existe es la aviación —le dijo el sargento a la par que con la barbilla les señalaba a Sintora y a Montoya el camión de Ansaura, el Gitano.

Regresaron los dos camiones a Madrid. Con poca velocidad y mucho silencio. Una neblina casi invisible iba convirtiendo en gris el día, ese día que el Textil se había imaginado glorioso, su día con los artistas, lejos de la Casona y de Madrid, lejos de la guerra. Y cuando ya la ciudad se hizo visible, con su mancha ocre, rojiza y más gris a lo lejos, el sargento Solé Vera, expulsando una bocanada de humo, sin dejar de mirar al frente y con la cara muy pálida, dijo:

—Se acabó la fiesta. Es el final.

Y sólo un rato después de decir aquellas palabras nos miró a Doblas y a mí y repitió, todavía más pálido, Se acabó. Y yo supe que tenía razón, que todo había acabado y que lo que el sargento Solé Vera veía al fondo de la carretera no era una ciudad sino nuestro destino, que se nos mostraba en ese momento, cuando el día empezaba a hacerse oscuro. Y tuve miedo, miedo al entrar en Madrid, un miedo distinto al que había sentido entre las bombas en el camino de Almería, un miedo que me llegaba de los árboles, de los edificios entre los que iban pasando los camiones, del aire que nos rodeaba y entraba invisible en mis pulmones, miedo al pensar en el ruido que en el camión de Ansaura irían produciendo las tuercas y los hierros con la carne, los huesos o el caucho de Paco Textil. Y sentí como un alivio la respiración de Doblas, el contacto de su hombro con el mío cuando los grupos de gente, mujeres, sonrisas, soldados, niños que pasaban por al lado de nuestro camión se me convertían en calaveras, muertos que andaban por las calles de Madrid.

Con un bufido siniestro llegaron los camiones a la Casona, renqueantes y doloridos. Y ya desde lejos, como si llevaran la muerte escrita en la carrocería al lado de las letras UHP, se produjo un revuelo entre la gente que había alrededor de la Casona, sorprendida del extraño regreso de los camiones o quizá verdaderamente alarmada de la marcha fúnebre que parecían llevar los vehículos en su velocidad y en el ruido sordo que sus motores producían.

Y cuando los hombres bajaron de los camiones ya había algún soldado, alguna costurera al lado de ellos negando con la cabeza y con ojos de espanto, entristecidos por la muerte del Textil. La voz se corrió de inmediato, y al pronto todo fueron preguntas, y lamentos. Del interior de la Casona también llegaron voces, algún grito, y luego un ruido de carreras. Salió la Ferrallista, con su melena pelirroja despeinada, el azul de los ojos enturbiado de lágrimas y rojos, como si en vez de unos segundos llevase horas llorando. Montoya, mi Montoya, gritaba. Se volvió hacia la escalinata la gente que había alrededor de los camiones. También Enrique Montoya, y al verlo, la Ferrallista dio un grito, una carcajada o un alarido, y bajó los peldaños a la carrera y fue a abrazarse a Montoya a la vez que decía, Sabía que no eras tú, sabía que no eras tú, Montoya, han dicho que había muerto un soldado del destacamento, que eras tú, lo estaban diciendo en la cantina y yo sabía que no eras tú. Y la Ferrallista le besaba a Montoya la cara y los labios y sus propias lágrimas, que quedaban derramadas por la barbilla del soldado, que también la había abrazado y, besándole la frente, intentaba calmarla mientras que desde lo alto de la escalinata el enano Torpedo Miera los miraba con su cara de niño agriada y, de uno de los camiones, Doblas y el novillero Ballesteros, arrimado al tumulto, bajaban el cadáver, o lo que fuera, de Paco Textil envuelto en la lona.

El sargento Solé Vera, Ansaura, el Gitano, y Sintora abrieron paso entre la gente, que cada vez iba siendo más numerosa, y se dirigieron, seguidos por Doblas, Ballesteros y la lona hacia el interior del edificio. Y ya desde lo alto de la escalinata, cuando estaba a punto de entrar, Sintora se giró para mirar atrás, y entre el tumulto distinguió a Serena Vergara, que al verlo dejaba de andar y, con las manos metidas en los bolsillos de un vestido amarillento, casi ocre, se quedaba mirándolo, los ojos con lágrimas y el temblor del llanto sacudiéndole los hombros en un espasmo dulce que también le estremecía los pechos y el vientre.

Y yo tuve que vencer todas las resistencias para no bajar la escalinata, acercarme a ella y abrazarla, viéndola allí, con el calor de las lágrimas empapándole, enrojeciéndole los labios. Llorando por mí. Llorando al verme vivo y acariciándome como nunca me habían acariciado, con la mirada, tierna, dulce. Pero giré muy despacio la cabeza, me sentí crecer y di un paso al frente. Entré en la Casona, al lado del sargento Solé Vera y de Ansaura, el Gitano, y me sentí fuerte, sentí que en ese momento de verdad acababa mi juventud, mi infancia, mi debilidad, y me convertía en hombre. Entré en el edificio con el miedo vencido, sabiéndome capaz de soportar todo aquello que el destino y los días fuesen a traernos. Yo estaría allí, fuerte, decidido, dispuesto al combate. Esperándolo.

La noche fue larga, y los hombres del destacamento la pasaron en la cantina, rodeando la caja de madera en la que a media noche habían vertido los restos del Textil y del coche del Textil en presencia del enano Visente, que, con cara de preocupación, bendijo el aliño de carne y chatarra y le dio la extremaunción a aquello que todos habían convenido en tratar como al cadáver de Paco Textil. Cubrieron la pobreza de la caja con una bandera, y, a la salud del muerto, sus compañeros no dejaron en toda la noche de beber el vino negro de la cantina y unas botellas que decían eran de coñac aunque en realidad tuvieran sabor a desinfectante.

Antes de colocar la bandera y hacer el trasvase de restos llegó el capitán Villegas, ataviado ya con una impecable corbata negra y su uniforme recién planchado. Miró a sus hombres, uno por uno a los ojos, sondeándoles el ánimo, y luego se sentó con ellos, dispuesto a beber todo lo que hiciera falta. Han empezado a matarnos, dicen que le dijo al sargento Solé Vera en mitad de la madrugada, y luego se sonrió, el bigote haciendo una especie de flexión dulce, delicada. Ya casi al amanecer llegaron al velatorio Corrons y uno de sus compañeros, quizá el Sordomudo, quizá Asdrúbal, tapada la cicatriz por un pasamontañas enrollado al cuello, cubriéndole media cara. Corrons traía el pelo húmedo, los ojos reblandecidos por la falta de sueño y la sangre de los párpados inferiores de color rosa aguado. El Sordomudo, o Asdrúbal, no habló, sólo miraba la caja del Textil y se limpiaba la boca con el dorso de la mano a cada instante.

Y ya al borde de la mañana, cuando los hombres del destacamento, el faquir Ramírez y el novillero Ballesteros, que tenía la venda de la cabeza torcida, eran puras tinajas de alcohol, empezó a llenarse la cantina de gente. Llegaron el brigada Garriga y unos cuantos soldados de la compañía del Textil, Rosita la Dinamitera con sus bombas y la Ferrallista, ya más calmada, mirando sólo de reojo a Montoya y acompañada de su marido, el enano Torpedo Miera, que a esa hora del día tenía un color verde claro en la cara. También aparecieron unos cuantos músicos, Martínez y el Lobo Feroz con ellos, y cuando ya estaban a punto de sacar el ataúd al jardín, llegaron el mago Pérez Estrada, el ventrílocuo Domiciano del Postigo y el enano Visente, que, vestido completamente de negro y con las manos unidas en actitud de rezo, se puso al frente del cortejo, el andar zambo, la imagen del Sagrado Corazón en medio del pecho y la prominencia de la frente más abultada que nunca.

Montoya, el capitán Villegas, Doblas, Ansaura, el sargento Solé Vera y Sintora cargaron sobre sus hombros el cajón con la bandera, que con los pasos y la bebida iba sonando con un ir y venir de metales arrastrándose por la madera. Al bajar la escalinata hubo un momento en que el ataúd estuvo a punto de caer al suelo, pero al final de los escalones la procesión recobró su normalidad, festejada de modo solemne por el mago Pérez Estrada que echó a volar una paloma a la par que los hombres del destacamento depositaban la caja entre dos mulos que tenían las cabezas adornadas con unos penachos negros y estaban unidos entre sí por un correaje sobre el que desde la Casona hasta el cercano cementerio viajaron los restos del Textil.

Ante un boquete excavado en la tierra, bajo el primer sol de la mañana, se reunió el cortejo. Hubo unas palabras, rematadas en latín, del enano Visente, y luego una especie de alegoría que el ventrílocuo Domiciano del Postigo recitó mientras Ansaura, el Gitano, vomitaba arrodillado bajo la sombra de un árbol que, anticipado al ya inminente otoño, empezaba a amarillear sus hojas.

Un hombre que ha sido ejemplo del sacrificio, muerto por la aviación enemiga, enemiga del pueblo, enemiga de la humanidad, iba diciendo Domiciano mientras los hombres del destacamento intentaban mantenerse firmes al lado del brigada Garriga y los compañeros del Textil, sucios por el combate y con el hollín de la pólvora incrustado en la piel y la mirada. No hay libertad sin sacrificio ni sacrificio baldío, siempre el sacrificio germina. Hoy, ayer, ha muerto un hombre y el brazo de la libertad se ha robustecido con esa muerte. La historia es nuestra, iba diciendo el ventrílocuo con la voz hueca.

La leche que mamó el Domisiano, decía Montoya, los pies separados para mantener un equilibrio que la brisa de la mañana hacía inestable y lo obligaba de vez en cuando a mover rápidamente uno de sus apoyos. La leche que mamó, no va a parar nunca de hablar, murmuraba Montoya. Y mirando a Ansaura, el Gitano, todavía arrodillado ante el árbol, decía:

—Ése está pudriendo el árbol con su vómito. Mira las hojas cómo se le caen y se le ponen amarillas al árbol, parese que lo está regando de veneno. A saber lo que tienen los gitanos en las tripas.

Doblas contraía la cara de un modo que no se sabía si estaba al borde de la carcajada o del llanto, casi lo mismo que el faquir Ramírez, que llevaba el bigote puesto y tenía la cara todavía más triste de lo ordinario, la nariz más larga en la cara afilada, y que finalmente se decidió por la risa, una risa que más que risa era un hipo, una convulsión que le sacudía el cuerpo y que levantaba un rumor de metales, ocasionado por los botones metálicos de la guerrera que se había puesto para pasar el frescor de la noche por más que Montoya afirmase que era el ruido de los hierros y tornillos que el faquir llevaba tragados a lo largo de toda su vida.

—Seguro que los tiene ahí, atorados en la barriga. Sin cagarlos —decía Montoya mientras el ventrílocuo Domiciano acababa su discurso y los compañeros de unidad del Textil levantaban sin esfuerzo el ataúd medio vacío y lo colocaban sobre unas cuerdas.

—Adiós, Textil, Textil, Paco Textil —decía por lo bajo Ansaura, el Gitano, que ya llegaba del árbol, con los ojos enrojecidos, no se sabía si por el llanto o el esfuerzo del vómito.

Textil, Paco Textil, Textil fue murmurando, cada vez en voz más baja, el tren de la voz alejándose boca adentro, mientras los hombres bajaban la caja con aquel ruido, ya familiar, de metales chocando entre sí, deslizándose por la madera. De entre las ramas de los árboles pareció venir el rumor de una brisa, la melodía del viento. Era la trompeta del músico Martínez, colocado detrás de todos los asistentes e iniciando un toque triste que suspendía el tiempo y pasaba entre los soldados en un zigzag suave, casi tangible y luego ascendía, se elevaba por encima de las cabezas de quienes allí estaban y por encima de las ramas y las copas de los árboles camino de unas nubes ligeras, blancas, como un día antes había ascendido aquel avión diminuto y tembloroso camino de la nada después de soltar una bomba única y solitaria que se llevó al Textil por los cielos.

Y así, paralizados en el tiempo, los recuerdo a todos como si estuvieran en una fotografía, tatuada en la retina de mi memo-

ria, una fotografía sin colores, con los colores desvaídos. El amarillo del primer árbol saliendo del árbol y extendiéndose por encima de las figuras, palideciendo el verdor de los otros árboles, el
rojo de las estrellas que algunos hombres llevaban en el uniforme. El capitán Villegas de perfil y delgado, envejecido por la
noche y el alcohol, pálido y en la actitud de una estatua que de-
safiara la eternidad. Siempre vivirá el capitán Villegas, desmenuzado en mi desmenuzado cerebro cuando mi carne y mis célu-
las sean polvo, limo. En la médula de ese polvo de estrellas,
navegando por el tiempo hacia el infinito, irá grabada la imagen
del capitán, su mirada verde empañada por un velo acuoso, la
nariz recta y la luz de la mañana bajando por su mejilla y dorán-
dole la cordillera leve del bigote. Viajarán en el tiempo, más allá
de estas palabras que ahora escribo a la luz pobre de un quinqué,
Doblas, su guerrera abierta, la cara contraída por el alcohol, los
ojos hinchados y la boca grande de batracio o dragón sonriente,
Enrique Montoya, los ojos oscuros, bajando los párpados muy
lentamente, la foto moviéndose con otra foto que se le superpone,
la boca con un gesto de ternura. Ansaura, el Gitano, negra la
piel, negra la mirada y negro el pelo en tajo afilado sobre la
frente, negras las uñas que se arañan suave la mejilla renegrida
de barba, Ansaura, la trompeta del músico Martínez entrando
en la imagen como la brisa que estremece la figura congelada del
novillero Ballesteros, envuelto por el viento en la bandera de tres
colores que no son colores en el casi blanco y negro, en el color
sin color de la fotografía, envuelto en la bandera que acaba de
quitar de encima del cajón del Textil, el viento abrazándola sobre
su cuerpo y la mirada clara sobre el trapo tricolor, hierba en sus
pies, tierra de la tumba en las botas gastadas del sargento Solé
Vera, el humo de su cigarro congelado entre los labios, la gorra
de plato torcida en la frente y su guerrera de cuero abierta sobre
la pistola, bóveda de árboles y sombras de hojas que le tiemblan
en la cara. Los hombres que lucharon rodeando un boquete en la
tierra, una hondonada oscura por la que se perdía el Textil, miradas gastadas por la furia y la sangre, los soldados, en sus hue-

sos el estruendo de mil bombas, y la mirada corriendo por los rostros, por las figuras, el mago Pérez Estrada, su traje blanco, la estampa de galán de Domiciano, los ojos tristes de un faquir que se siente carne de desgracia, y los héroes heridos, ¿y yo?, ¿cuál es mi laberinto?, ¿dónde estaba yo, dónde estoy, Sintora, en medio de esa fotografía que me arde perennemente en la memoria? ¿Quién es ese soldado con mirada de gafas, con ojos aumentados por el vidrio de las gafas, que mira al frente y que parece altivo a pesar de su cuerpo frágil y su cara de niño abandonado? ¿Quién es ese soldado, Sintora, que entre los soldados mira la cara del fotógrafo y sonríe, escuchando ya el fragor de la batalla?

Sobre la cabeza de los hombres había un terremoto. Crujía el cielo entero, a punto de desmoronarse, metálico y con estruendo de explosiones, sobre la tierra. Pasaban aviones en vuelo raso hacia el combate. Gustavo Sintora miraba a los hombres en el camión, que remontaba desniveles del terreno y se contorsionaba por el barro entre gemidos del motor. Se agarraban los hombres a las correas, a la madera de la caja y al toldo para no rodar como rodaba el casco de Jeremías Ponce, el soldado que habían recogido al lado de una acequia con metralla en los pulmones y que se les había muerto poco después en el camión. Cuando habían empezado los baches y desniveles, Montoya había amarrado el cadáver contra la puerta trasera. Pero al poco tiempo el casco se le había ido de la cabeza y ahora rodaba sobre la madera como dos meses atrás habían rodado los hierros y la carne dentro del ataúd de Paco Textil.

La cabeza del muerto Jeremías golpeaba la madera del portón y uno de sus hombros, rotos los huesos del cuello. La mirada entre los párpados entornados era como la mirada de los hombres que viajaban en el camión, como la de todos los soldados que viajaban en aquella hilera de camiones que bordeaban el río, sólo que su rostro, el del muerto, tenía una apariencia más saludable que la de la mayoría de ellos. Lo pensaba Gustavo Sintora viendo las ojeras de color azul de Montoya, dos días sin dormir, el cuerpo hecho a vivir entre el fango y la nieve de las trincheras y la cara lívida, apenas reconocible entre los rostros de los demás soldados, casi idénticos todos, igualados por la ausencia de expresión. Cadáveres o muñecos de cera, los hombres.

Se resquebrajaba el cielo y en medio del estruendo se oía el mugido de los camiones y el golpear del casco y un zumbido de artillería al fondo. Y entre el estrépito, Gustavo Sintora escuchaba el rumor de la tierra cayendo sobre la caja del Textil cuando todavía estaban en Madrid y el Ebro sólo era un nombre, un río sobre el que su ejército había lanzado una ofensiva que podía traerles la victoria. Ahora era el nombre de la destrucción, el infierno cotidiano que ya se había insinuado en el entierro del Textil, cuando la comitiva se disolvió y allí, bajo los árboles, los hombres del destacamento se quedaron de pie, oyendo cómo el capitán Villegas hablaba con el brigada Garriga, sospechando ambos que sus respectivos destacamentos serían reintegrados a sus unidades y pronto irían al frente.

La muerte del Textil marcó el final de un tiempo. Con aquel soldado de cicatriz larga y bigote de púa, con su gorra de vaina y su coche negro, se esfumaron muchas esperanzas. Y cuando, unos días después del funeral, la cantante Salomé Quesada y el solista Arturo Reyes se fugaron de la Casona y huyeron de Madrid camino del otro bando, de otra vida, aquello no fue sino un detalle más que confirmaba la caída, el final de una época. Había rumores sobre la fuga, pero la noticia se la dio a los hombres el propio capitán Villegas. Estaban reunidos en la cantina de la Casona, bebiendo despacio aquel vino negro que cada vez tenía más grumo, cuando, pálido y con paso firme, el nudo de la corbata ligeramente torcido y unas ojeras abultadas y marrones, entró el capitán Villegas y, sin sentarse, dirigiéndose al sargento Solé Vera, pero también hablando para Doblas, Montoya, Ansaura, y Sintora, les dijo, sin temblor en la voz:

—Se me acaba de confirmar que los cantantes Arturo Reyes y Salomé Quesada han abandonado su lugar de residencia con la intención de pasarse al enemigo llevándose con ellos material de vestuario y atrezzo. Hay orden de captura y posterior fusilamiento por parte del coronel Bayón —se dio un golpe ligero con la fusta en el muslo el capitán, pasó una mirada esquiva por los hombres y diciendo, señores, se dio la vuelta y se marchó con el mismo paso firme con que había llegado, por más que Sintora advirtiese en su pierna derecha un asomo de cojera que nunca antes se le había visto.

En los cuadernos de Sintora no vuelve a hablarse hasta muchos años después de la cantante Quesada. De esa época, de la guerra, sólo dejó escrito que del despacho del capitán Villegas desapareció su fotografía con casquete y vestido de pedrería. Y sólo en un párrafo posterior, alejado de aquellas páginas, se dice que a partir de aquel día el capitán ya siempre anduvo taciturno, que se quedaba parado en medio de una frase, y que cuando los demás hablaban a él se le iban los ojos por detrás de las cosas, siempre mirando más allá de lo que tenía delante, buscando en el horizonte el rastro perdido de aquella mujer que con sus trajes de lentejuelas y sus plumas tintadas de colores se había llevado la vida del capitán, cada día más parecido a uno de aquellos motores averiados que Doblas arreglaba y que sólo funcionaban después de que el soldado anduviera no se sabe cuántos días metido en sus tripas. Sólo que las tripas del capitán nunca tuvieron mecánico que las recompusiera. Dicen que un día incluso lo vieron sin afeitar.

Tampoco se comenta nada de ese tiempo inquietante y difícil en el que los hombres del destacamento permanecieron en Madrid antes de abandonarlo camino del frente. Así que todo me hace pensar que algún cuaderno de Sintora quedó perdido y nunca llegó a manos de mi padre. Sólo en referencias a la memoria, como en el pasaje en el que el ruido del casco rodando por el camión recuerda el de los hierros deslizándose dentro del ataúd de Paco Textil, se habla de aquellos días:

Con los pies hundidos en la nieve yo recordaba la Casona. En la nieve veía los rostros del pasado. Veía la cara de mi madre, la de mi hermana huyendo por la carretera de Almería, los soldados rusos, sus ojos de nieve, y también veía las caras del faquir Ramírez, el mago Pérez Estrada, los enanos y los músicos, cuando salíamos de la Casona en los camiones y desde el jardín nos miraban como nos miraban algunas mujeres del taller de costura, que salieron para ver cómo los soldados del destacamento nos íbamos al frente. Alguna nos despedía con lágrimas en los ojos. No vi a Serena. La imaginé. La imaginé dentro del taller, pedaleando en la máquina, la mirada fija en la aguja que bajaba y subía rápida al compás de su pedaleo, oyendo cómo afuera se estremecían los motores de los camiones. Cómo se alejaban. La imaginé entonces y traté de imaginarla en aquellos días de noviembre, cuando la nieve caía sobre mi cuerpo, apostado en una trinchera de barro helado. Sólo que entonces su imagen se me derretía. Miraba la nieve y la nieve se derretía y se derretía la mirada caliente, el pelo, la llama que Serena llevaba ardiendo en su interior, en su nombre de verano y atardeceres. Y sólo acertaba a ver su figura cuando fui al taller de costura la noche antes de partir hacia el frente y, allí, en la soledad de aquellas máquinas, bajo la huella de una cruz profanada, se abrazó a mí muy despacio y me pasó los dedos por los labios y yo le dije que estaba sintiendo cómo dentro de mí nacía un cuchillo y me cortaba, me abría la carne por dentro, callado, y que me estaba vaciando de sangre. Y ella no dijo nada, sólo me miró y pasó su mano por mi cara, muy despacio, para llevársela marcada en la piel, no en la memoria ni en los ojos. En la piel.

Antes de llegar al Ebro, un general con gafas les estuvo hablando en medio de una explanada de héroes y soldados, les dijo que cumplieran con su deber. El deber de los hombres era la muerte, pensaba Gustavo Sintora en aquel camión, mirando al muerto Jeremías sacudir su cabeza inerte. Mira para qué le ha servido tener un casco, al final va a cortarse la lengua con los dientes, el muerto este, pero, te digo, Sintorita, que yo preferiría mil veses cortarme la lengua en rodajas antes de que me liaran a la cabesa un trapo de esos que no te dejan abrir la boca y que paresen una mordasa, decía muy serio Enrique Montoya mirando al muerto. No te dejan desir la última palabra, la palabra que los muertos siempre parese que van a desir y que a lo mejor disen cuando se quedan a solas, en su ataúd o en su tumba, y uno se va con ella dentro, amordasado y penando siempre por no haberla dicho, la palabra.

El deber de los hombres era la muerte, la suya o la de quien tuvieran delante, lo pensaba entonces Sintora y lo había pensado el día en que él y los hombres del destacamento llegaron al frente. Les cayó la tarde yendo de un puesto de mando a otro, preguntando el capitán Villegas por la unidad a la que debían integrarse y arrastrando sus dos camiones por toda la orilla del río hasta que se les hizo de noche y, ya a pie y por indicación de una patrulla que parecía saber quién era el comandante Cabezas ante el que tenían que presentarse, cruzaron uno de aquellos puentes que a Sintora, en la oscuridad, le pareció construido con bidones sobre los que los zapadores habían puesto unas tablas que se bamboleaban a cada paso.

El agua —decía Sintora— *tenía un rumor de sangre y yo, al andar por encima de ella, casi mojándome los pies con su estertor, imaginaba que aquél era el mismo ruido, aumentado, que la sangre lleva por el interior de las venas. Ruido de sumidero y torrente. A lo lejos se veían resplandores, y cuando el resplandor cesaba, venía un ruido sordo, un temblor que sacudía la tierra y se nos metía en el cuerpo por las plantas de los pies.* Se oían gritos en la noche, y lamentos, disparos a lo lejos y de nuevo detonaciones siguiendo aquella luminaria que más que resplandor de bombas tenía algo de festivo, de feria de pueblo o de fuegos de artificio. Y los hombres del destacamento avanzaban en la noche, las armas montadas y los ojos escrutando aquella oscuridad intermitente en medio de la cual veían rostros de soldados tiznados de barro y pólvora a veces sonrientes, a veces con la cara del terror y a veces sólo muertos.

Se acercó el capitán Villegas a un soldado que en medio de una zanja manejaba un mortero. El soldado se asomaba por encima de la zanja, corregía la posición del arma y disparaba, murmurando, hablándole a otro soldado que había junto a él tumbado en el suelo. Al acercarse, bajo la luz de una de aquellas detonaciones, vieron que el hombre caído en la tierra no tenía cabeza.

—Estoy echando abajo un puente, mi capitán —dijo el soldado, sin dejar de manipular su mortero, metiéndole por la boca un nuevo proyectil. Y al ver cómo el capitán Villegas miraba el cadáver, añadió—: Cuando tenía cabeza se llamaba Fonseca, y también disparaba, ahora yo le cuento cómo disparo yo. No importa que no tenga orejas ni cabeza donde ponerse las orejas para oír lo que le digo, mi capitán. Él me entiende, yo me entiendo.

Le preguntaron al soldado por el comandante Cabezas y el soldado se quedó unos momentos pensativo, miró a su compañero muerto y después de murmurar algo le señaló al capitán una pequeña colina, una sombra en la noche:

—Allí, en lo alto de ese montículo hay un comandante que no sé cómo se llama. Dicen que además de comandante es poeta, lee versos a los heridos.

Se quedó mirando el capitán al soldado, que ya se había dado la vuelta y estaba manipulando de nuevo su arma. Le hizo una señal al sargento Solé Vera y emprendieron la marcha en la dirección que el soldado les acababa de señalar. Cuando ya apenas lo veían, de la oscuridad salió su voz:

—Capitán. Mi capitán, dígale al comandante que venga a leerle versos a mi compañero Fonseca, también él está herido y seguro que sabe apreciarlos, los versos.

Una detonación del mortero acalló la voz y la risa del soldado, después se oyó algo que parecía un golpe de tambor y un nuevo destello, esta vez de un color verdoso.

—El hijo puta ese me parese que está tirando bombas contra los nuestros —dijo Montoya, la luz verde iluminándole el rostro—. Ha reventado un depósito de gasolina.

—Qué coño te importa a ti dónde esté tirando las bombas —dijo Ansaura, el Gitano, ya cuando el resplandor había cesado y había que imaginarse su rostro, contraído y negro en la oscuridad—. Que las tire donde le salga de los huevos. Nosotros lo que tenemos que hacer es salir de esta mierda de barro.

Y por encima de las bombas y del eco de los disparos, Ansaura, el Gitano, murmuraba el nombre de su mujer y un rumor de cifras que apenas podían oírse, mientras caminaban en fila por la noche, Amalia, Amalia Monedero, un millón seiscientas treinta y seis mil cuatrocientas veintidós, Amalia, Amalia, un millón seiscientas treinta y seis mil cuatrocientas veinticuatro, Amalia. Y así lo estuvo haciendo hasta que llegaron a la colina que el soldado les había indicado y, después de ser alumbrados con una linterna y encañonados por una patrulla, fueron conducidos a una especie de campamento formado por camiones, unas cuantas tiendas de campaña a medio desmantelar, una hilera de mulos y algunas baterías rodeadas por sacos de tierra. González Cabezas, el artillero poeta, recibió al capitán Villegas en su puesto de mando, que consistía en una mesa y un quinqué con una luz mínima bajo unos eucaliptos que también protegían una cama con cabecero de barras metálicas, como las de los hospitales. Yo aunque sea en campaña, capitán, tengo que dormir en una cama, nada más que voy a acostarme en el suelo cuando una bala o una peladilla de los fascistas me tumbe, le dijo el comandante a Villegas antes de invitarlo a sentarse frente a él y explicarle en un mapa muy gastado la situación del combate y la misión de su unidad, que sólo era una, resistir. Y cuando no podamos resistir, cuando de verdad no podamos resistir, cogemos la cama y nos vamos al otro lado del río, al final, ya se lo he dicho a mi ayudante Porto Lima, lo vamos a tener que hacer, la única interrogación es ver a cuántos nos matan en medio de esa charca helada, dijo con mucha tranquilidad el comandante, la luz del quinqué alumbrándole la cara como la de un fantasma.

Pasamos la noche sentados alrededor de los sacos. Yo dormía con la cabeza apoyada en el hombro de Montoya y a veces me despertaba y veía tan claro como si ya hubiera amanecido. Era el cielo que se llenaba de fuego. Pero no sentía miedo. Los cañones de aquella batería contra la que estábamos parapetados no disparaban y la guerra todavía parecía lejana. Las explosiones y los disparos llegaban atenuados y yo en medio del sueño escuchaba su eco, un tambor suave en el cielo, un redoble que antes del amanecer empezó a subir de intensidad y que ya al despuntar el día atronaba. El aire se estremecía con los estampidos. Y yo notaba cómo me temblaban los dientes y los huesos, no de miedo ni de frío, sino sacudidos por las detonaciones que el día trajo sobre nuestras cabezas. Era la guerra que había roto el laberinto del tiempo y en la luz del amanecer acababa de encontrar el camino hasta nosotros.

El destacamento del capitán Villegas supo por primera vez qué significaba la guerra. Sólo el propio capitán y Ansaura, el Gitano, habían entrado en combate antes de llegar a Madrid, aunque lo que vivieron en los días inmediatos a su llegada al Ebro no puede decirse, por lo que Sintora cuenta en sus escritos, que fuese un combate directo. Nunca tuvieron esa sensación los hombres del destacamento. *Era como si lloviese. Como si lloviese fuego y hubiera que guarecerse de la lluvia que podía incendiarnos, hacer ceniza de nosotros. Transportábamos cajas de municiones a lo largo de la trinchera, corríamos encorvados y oíamos silbidos de metal ardiendo. Y todo sucedía muy rápido. Llevábamos bombas para la batería, cargábamos camiones. Sacábamos mulos de la línea de fuego. Nos comíamos su carne si estaban heridos, y a veces, entre el barro medio helado mirábamos cómo a lo lejos otros hombres se movían como nosotros. Y hubo un día en que una patrulla avanzó en nuestra dirección y les disparamos con los fusiles a aquellas figuras que también disparaban, desde tan lejos que sus balas se hincaban en el barro como piedras o nueces que cayeran de un árbol, sin fuerza. Nos miraban con prismáticos, parecía que se burlaban. Volvían a caer fuego y bombas. El comandante gritaba a los hombres de la bate-*

ría y en medio del estruendo les recitaba unos versos que nadie podía oír. Cuando el cañón ya olía a azufre quemado y todos temían que reventara, era él quien le metía las bombas en las tripas.

Así estuvieron los hombres del destacamento, al lado de la gente de aquella compañía, metidos en las trincheras, guareciéndose de las bombas que durante varios días no pararon de caer, hasta que una mañana el estruendo se hizo mayor y sobre ellos empezaron a pasar aviones y a dejar caer sobre sus cabezas y sobre la batería una nube de metralla y ráfagas de bala. Ansaura, el Gitano, tartamudeaba números y el nombre de su mujer a la vez que disparaba su fusil al cielo. Tienen caras de chinos los pilotos de los aparatos, decía Montoya, mirando los aviones y las figuras que verdaderamente podían verse tras los cristales de la cabina en el vuelo rasante. En medio de una nube de polvo, el capitán Villegas y el sargento Solé Vera estudiaban mapas con el comandante Cabezas y el teniente Porto Lima en su puesto de mando. Doblas los miraba, morado, desde la trinchera y observaba las manos temblorosas con las que Sintora se ataba las gafas a la nuca con una cinta estampada de flores amarillas.

La cinta la cogí de encima de la máquina de Serena, la última noche que la vi en el taller de costura, cuando nos despedimos y ella me pasó los dedos por la boca y la cara y yo reconocí su vestido allí arrugado y le dije es tu vestido, y ella sin mirarlo, mirándome a mí, me contestó que le había hecho un arreglo. Y yo, sin que ella me viera, robando sueños, cogí aquella tira estampada de girasoles y me la metí en el bolsillo de la guerrera. Y luego, aquel día, cuando ya el mundo entero parecía a punto de desplomarse y el aire era un estampido, la saqué con mucho cuidado y con ella me até las gafas, los ojos, a la nuca, y sentía sus dedos en mi cuello, aquel trozo de tela que habría ido en el vientre o en la espalda de Serena, rozando su cuerpo, su costado, su olor, y ahora me rodeaba el cuello en medio del combate.

El campo yermo y embarrizado que había delante del puesto del comandante Cabezas se llenó de soldados. Tanques y fuego avanzaban contra ellos en dirección a la colina cuando una luz blanca se levantó en medio de la batería y de pronto Sintora notó que el mundo estaba al revés, que los eucaliptos apuntaban al suelo con sus copas y el cielo se hacía móvil y caía sobre la tierra. El cuerpo lo sintió ajeno, elevándose del suelo, y luego el vértigo, levantó la cara de la tierra y vio cómo otra detonación hacía salir disparados hierros y un mulo, una rueda, una guerrera que dentro llevaba un trozo de hombre y volaba por encima de los árboles. Y sobre el estruendo que vino después oyó los gritos del comandante y del capitán Villegas, llamando a sus hombres y, con las pistolas desenfundadas, señalando los camiones.

Su puta madre, su puta madre, hijos de puta, le temblaba la mandíbula a Montoya, que tenía la cara y el uniforme entero cubierto de barro rojo. Se oían gritos y nuevas explosiones y un terremoto que se acercaba, la tierra vibrando y el aire de nuevo a punto de explotar. La batería, el cañón y los sacos estaban reventados, humeaban, y de la punta del cañón goteaba sangre de un pingajo que se había quedado allí colgado a modo de bandera. Montoya miró a Sintora, sin verlo, le tocó la cara, *como un ciego que me reconociera por el tacto*, y lo empujó hacia los camiones, al pie de los árboles, donde el comandante Cabezas y el capitán Villegas llamaban a su gente. Doblas, alzado sobre el montículo de tierra humeante que había dejado la explosión al lado del cañón reventado, disparaba al ejército que se acercaba, de pie, ofreciendo su cuerpo al enemigo. Se oyó un grito. La voz del sargento Solé Vera, su figura saliendo de una nube de humo llamando a su ayudante. La guerrera de cuero con una raja en el pecho, media solapa colgando, un hilo de sangre en la nariz. Gritaba el nombre de Doblas, que seguía disparando, impasible, despacio. Montoya caminaba como un sonámbulo, ponía su mano en la espalda, en el pecho de Sintora y lo empujaba hacia adelante. Se amontonaban los hombres al pie de los camiones, saltaban dentro. El teniente Porto Lima los iba distribuyendo. A Sintora y Montoya los mandó a uno de los que el destacamento había traído de Madrid, el del sargento Solé Vera, con las letras UHP cubiertas de polvo y barro y la puerta del conductor abierta, la cabina vacía.

Ya desde arriba del camión, sentado en la caja frente a Montoya, que seguía traqueteando las mandíbulas, Gustavo Sintora vio la cara renegrida de Ansaura, el Gitano, al volante de otro camión, con el motor arrancado y esperando la orden del comandante Cabezas para escapar de allí. Más lejos, borroso, vio gesticular, sin más sonido que el de los alaridos metálicos que pasaban por encima de ellos, al sargento Solé Vera, que agarraba a Doblas por la espalda, por el correaje que llevaba alredor del pecho, y lo sacudía para bajarlo del montículo desde el que el otro seguía disparando. Volvió la cara Doblas, la frente manchada de sangre o tierra roja, parpadeó, le dijo una palabra al sargento y señaló el trapo goteante de sangre que había sobre el cañón. Miró de nuevo al frente, el campo sobre el que se acercaban los soldados enemigos, y ya se giró y emprendió una carrera lenta, pesada, al lado del sargento hasta el camión en el que estaban Sintora y Montoya. Sintora oyó su respiración, cuando Doblas pasó por al lado del vehículo, corriendo hacia la cabina. Era el bufido de un animal, cálido, vivo, que Sintora creyó seguir oyendo en las vibraciones del camión cuando el motor arrancó y el pequeño convoy se puso en marcha.

Fue después de cruzar el río, cuando las explosiones empezaron a alejarse y la realidad fue recobrando sus dimensiones, cuando Gustavo Sintora se dio cuenta de los arañazos que llevaba en las manos, un corte profundo en un dedo, y del desgarro que tenía en el pantalón, en la pierna derecha. Y sólo entonces, al mirarlo y ver la tela del pantalón manchada, notó la humedad que le bajaba por el tobillo y le encharcaba el pie. Se levantó el pantalón y vio una herida limpia, dos labios de sangre en la pantorrilla. Ningún dolor. También se dio cuenta de que veía borroso, de un modo distinto a como veía antes de usar las gafas. Se desató con cuidado la cinta con la que llevaba amarradas las gafas y comprobó que tenía un cristal partido, manchado de barro.

Mientras limpiaba con saliva el barro e intentaba unir lo más posible las dos partes del cristal, fue cuando el camión se detuvo y el teniente Porto Lima y un soldado saltaron a tierra para recoger al soldado herido de metralla en el pecho, el que murió al poco rato y sólo decía, entre górgoros de sangre y tos, me llamo Jeremías Ponce, allí tumbado mientras los demás lo miraban en silencio, unos tapándose los oídos para no escuchar el estruendo de los aviones, otros nada más que temblando y Gustavo Sintora limpiándose las gafas y volviéndoselas a colocar con mucho cuidado, atándose en la nuca la cinta, ya sucia, de Serena Vergara, un campo de girasoles arrasado de barro y sangre.

Sólo el teniente Porto Lima permaneció junto al soldado herido, hasta que murió, agarrándole las manos, diciendo su nombre, Porto Lima, cada vez que el otro decía el suyo, Jeremías Ponce, sin que ninguno de los dos pudiera oírse. En el instante en que el soldado cerró los ojos, el teniente se levantó y se fue al otro lado del camión, a encender un cigarro y sentarse en un saco que había al fondo, sin importarle ya los vuelcos y golpes que diera el cadáver de Jeremías Ponce. Miraba al suelo de madera, Porto Lima llevaba una estrella roja en el pecho.

Con cuatro, quisá con seis comunistas como el teniente tendríamos la guerra ganada y no estaríamos ahora metidos en esta mierda ni le habrían reventado el pecho a este hombre, decía Montoya, ya con el temblor de la mandíbula atenuado, mientras ataba a la puerta trasera del camión al muerto Jeremías Ponce, que estuvo casi tres horas botando por los carriles que había parejos al río, el casco del soldado muerto rodando como los huesos metálicos del Textil en su ataúd, hasta que la hilera de camiones, ocho o nueve, llegó a una explanada donde varios oficiales gritaban a una nube de soldados, alineándolos.

A Sintora lo llevaron al lado de unas tiendas de campaña donde estaban los heridos. Un cabo apuntaba el nombre y miraba el tipo de herida de cada soldado. A Sintora le cosieron la pierna por la tarde. La noche transcurrió en calma, apenas interrumpida por algunos disparos, por alguna explosión que retumbaba a lo lejos, quizá al otro lado del río. Montoya y el capitán Villegas fueron a verlo a la mañana siguiente. Elegante, casi limpio, el capitán le sonrió a Sintora y le preguntó si lo habían tratado bien.

—Procura que no te metan más hierro en el cuerpo. El cuerpo nada más que tolera el hierro de la vida —le dijo al irse el capitán, erguido, pasando entre la tropa herida, mirando al frente.

—Podías haberlo visto anoche, Sintorita, una gallina con sus polluelos. Nada más que le faltó poner un huevo. Él, el comandante Cabesas y el teniente Porto Lima casi fusilan a un brigada nada más que porque no quería darnos el rancho —decía Montoya viendo alejarse al oficial—. Porto Lima le metió el cañón de la pistola por la boca, le echó un diente abajo al fulano aquel, y el capitán, con la vista, nada más que moviendo un poco los ojos, le dio la orden de disparar. Fue el comandante Cabesas, que estaba allí arreglando su cama, el que en el último momento le dijo a Porto Lima que no apretara el gatillo, si es que el capitán Villegas no se ofendía, si se iba a ofender, que disparase, una, dos o las veses que quisiera. Villegas hiso un gesto de cortesía, indicándole al comandante que hisiera lo que creyera oportuno. No sé si lo tenían preparado, pero a mí me paresió que de verdad le iban a meter una bala en la asotea. A él, al brigada ese, también le paresió. Tenía los pantalones cagados cuando Porto Lima le sacó la pistola de la boca, toda echando sangre. Disen que además del diente le rompió la tela del paladar, al defensor del ayuno.

Yo miraba a Montoya y lo veía lejos. No importaba que apenas estuviera a medio metro de mí en aquella mañana helada. Yo sentía el pulso de la sangre en la herida de la pierna y en el dedo medio seccionado y notaba que aquél era el latido del tiempo, que me alejaba de todo. Sentía mi vida anterior en otro continente. Los años en Málaga trabajando en el tranvía quedaban en un túnel que había detrás de otros muchos túneles, más allá de los días de fuego y nieve que acabábamos de vivir y que parecían años, más allá de los meses pasados en Madrid, y los túneles que me alejaban de la carretera de Almería, de los amigos que tenía en Málaga, Palomo, Utrilla, de Mari Carmen Molina, la joven morena con la que alguna noche me perdí por las tapias de la Pelusa, donde ahora no paraban de fusilar prisioneros. Y sólo veía cerca la cara, la mirada, de Serena Vergara. Sabía que tenía que salir vivo de allí, que la guerra, la vida, me la iba a devolver, no importaba de qué modo.

Cuando Gustavo Sintora se reintegró a su grupo unos días después, la calma ya era absoluta. El invierno y la intemperie eran los únicos enemigos de los soldados. El destacamento, con la unidad entera del comandante Cabezas, fue trasladado a un pueblo de piedra y adobe por el que ya había pasado la guerra. Casas derruidas, restos de animales muertos y el viento levantando una música extraña entre las paredes caídas. El destacamento y algunos hombres del comandante Cabezas se instalaron en una cuadra apenas tocada por las bombas.

El año iba llegando a su final y los soldados pasaban los días jugando a las cartas sobre los pesebres abandonados. Algún atardecer aparecían en la plaza del pueblo dos gitanas salidas nadie sabía de dónde, una joven, con el pelo negro virando a azul, siempre callada, y otra mayor que, según decían, era la madre de la otra. La vieja, encorvada y arrastrando una pierna, daba varias vueltas a la plaza repitiendo el supuesto nombre de la joven, Zoraida, Zoraida, la niña mora, decía mientras Zoraida, o como se llamase, permanecía en el centro de la plaza, mirando desafiante.

Cuando ya había un buen número de soldados en la plaza, se iban las dos mujeres hacia las afueras del pueblo seguidas por un grupo de soldados que se quedaban fumando y en silencio delante de una tapia detrás de la que la mujer joven se dedicaba a masturbar a quienes previamente le entregasen a la vieja un par de monedas o veinte cigarros. La vieja estaba presente en todo momento, y al contrario que la llamada Zoraida, que siempre, incluso cuando hacía su trabajo, estaba mirando al frente, a los campos que había más allá de la tapia, se dedicaba a escudriñar con sus ojos gastados y pequeños las caras de los clientes, que tenían prohibido tocar a la joven, siempre con los brazos descubiertos, arremangado un jersey de lana oscura con un par de botones que no paraban de tintinear.

A los alrededores de la tapia, también acudían soldados que iban allí para encontrarse con amigos de otras compañías, para enterarse de noticias, escuchar historias de combates o participar en algunos de los juegos que se establecían. Cartas, bolos y una especie de lotería que manipulaba un cabo que sólo tenía una oreja y que, cada tarde, una vez embolsado el dinero de los soldados, era el último en utilizar los servicios de Zoraida, siempre por partida doble y a veces hasta triple.

—Se ve que la ausencia de orejas da energías a la polla. Menos mal que no ha perdido los dos apéndises —decía Montoya, que un par de veces había pagado los servicios de la gitana.

Yo, si fuera por la Soraida, estaba todo el día detrás de la tapia, escuchando cómo le hase clic clic el sonajero, pero es la vieja inquisitiva, con esos ojos, la que hase que te pares, que parese que es ella la que se ejersita contigo, y no la Soraida, le comentaba Enrique Montoya a Sintora y a Doblas mientras paseaban entre los soldados de otras compañías, Sintora todavía cojeando un poco, con las gafas atadas a la nuca, y Doblas mirándolo todo con mucha distancia, respirando. Y fue allí, al lado de la tapia, donde los tres hombres del destacamento conocieron a los soldados Cañeque y Castro, que eran quienes le llevaban al cabo de la oreja solitaria la mesa, las bolas y los aparejos de la lotería, y además aprovechaban la concentración de soldados para afeitar y pelar a quienes estuvieran dispuestos a pagar por ello.

Ninguno de los dos era barbero profesional, pero al llegar a su destino una granada acababa de matar a los dos barberos de la compañía y ellos se convirtieron por orden de un sargento borracho en los inmediatos herederos de cuatro navajas de afeitar, un juego de brochas, dos baberos y tres peines desdentados con los que iniciaron una labor de poda y trasquilones, además de cortes en la cara y unas sangrías que el tiempo ya se había encargado de moderar. Fue Doblas el que se acercó a preguntarles lo que le iban a cobrar por afeitarlo. Se quedó mirándolo el más bajo, con la brocha untada de jabón parada en el aire y un cliente sentado en un sillón destripado que, según explicó más tarde el barbero, pertenecía a un Mosca derribado y cuyo fuselaje estaba pudriéndose, con los restos del piloto, en las afueras del pueblo.

—¿Habéis venido con Líster vosotros? —preguntó el barbero más pequeño, moreno y con los ojos claros, el otro alto, corpulento, y con barba entreverada de canas.

—Yo lo que quiero es que me afeites la barba, no contarte los episodios de mi vida —le contestó Doblas.

—Es que mi compañero y yo no le quitamos la barba a cualquiera —sentado en otro sillón de cuero roto, el más alto, con el babero a medio abotonar y las hojas de un periódico revueltas entre los pies. Abría y cerraba la navaja de afeitar con una sola mano.

—¿Y qué le pasa a Líster? —fue Montoya el que preguntó, con más curiosidad que desafío.

—A Líster, nada. A alguna de su gente, sí. Y si se quieren sentar aquí les voy a afeitar todas las venas del pescuezo —el alto se quedó con la navaja quieta, abierta.

Doblas avanzó hacia él despacio, mirándole la cara, no la navaja. El de los ojos claros se limpiaba el jabón de la suya en el babero mientras su cliente se incorporaba en el sillón medio reventado del aeroplano. Cuando Doblas ya se había detenido delante del tipo corpulento y éste se levantaba muy despacio mirando la cara amoratada del mecánico, se oyó la voz de Montoya:

—Hemos venido con el comandante Cabesas, que está a las órdenes del coronel Capulino.

—¿Juan Perea Capulino? —el barbero más bajo, que luego resultó llamarse Cañeque, dejó de limpiarse la navaja en el pecho.

—Sí.

—¿El héroe? —Cañeque arrugaba el ceño—. Hostia, tú.

—Sí —Montoya repitió el monosílabo, con un aire de duda.

—Pepe, son soldados de Capulino —gritó Cañeque. Y con un tono más suave, dirigiéndose a Sintora, cojo, joven, las gafas rotas—: ¿Tú también?

Afirmó con un gesto Sintora, viendo cómo Cañeque avanzaba hacia donde estaban Montoya y él a la par que el otro barbero le sonreía a Doblas y le palmeaba la mejilla con una afectuosidad en absoluto correspondida por el mecánico de cara morada, que seguía inmóvil, con los puños cerrados y mirando sin parpadear. Cañeque se les acercó dándoles la mano, palmadas en el hombro, y en dos pasadas de navaja acabó de afeitar a su cliente e invitó a Doblas a sentarse en el sillón del aeroplano:

—Ven aquí compañero, que te voy a dar un afeitado mejor que los que hace el barbero Manolito Corpas en mi pueblo, que ya es decir. Capulino. Hostia. Capulino es un héroe, ¿verdad, tú, Pepe? —preguntaba Cañeque a su compañero, que, asintiendo y ya con la navaja guardada, andaba recogiendo las hojas de periódico y acondicionando su butacón para que se sentara en él Enrique Montoya—. Un héroe, nos sacó a nosotros, a media compañía de un boquete en el que nos estaban rematando los hijoputas esos de ahí enfrente. Aquí mi amigo y yo fuimos los últimos en salir de la hondonada. Nos habíamos tapado con los cadáveres de otros compañeros. Un muerto es una manta muy pesada, ¿verdad, tú, Pepe?

Le daba jabón Cañeque a la cara interminable de Doblas, que seguía con el ceño fruncido y las mandíbulas apretadas, mientras el llamado Castro desplegaba con mucha parsimonia un paño amarillento sobre el pecho de Montoya.

—Los de Líster, algunos de sus soldados, se la jugaron a uno de los nuestros. Es lo que ha pasado. A un hermano del cabo Morales. Era nuestro amigo, y al cabo Morales le cortaron la oreja y la echaron a un puchero en el que estaban cociendo habas —Cañeque, ante la mirada de desconfianza de Doblas, empezó a pasar la cuchilla por su cara, suavemente.

—¿Qué les habíais hecho vosotros? —le preguntó Montoya a Castro.

—Venir a la guerra. Luchar. Pegar tiros y exponerte a que te maten. Lo que hace todo el mundo.

—Nos confundieron con unos fascistas que había por ahí emboscados. Creyeron que éramos nosotros porque Castro llevaba un periódico nacional metido en el pecho, por el frío.

—Por el frío y por leerlo. Yo tengo que leer. Tú tienes que comer, ¿no? —le preguntó a Montoya—. Pues yo además de comer y hacer las cosas del cuerpo tengo que leer, porque si no me da la debilidad.

—Le dan mareos —explicó Cañeque, manejando con mucha soltura la navaja por el cuello de Doblas—. Si no lee, le dan mareos, tú. Pero cualquiera convencía a aquella gente, hostia. A Morales, el hermano de Morales el de la oreja, lo tiraron por un puente, le partieron la espina dorsal. Y a nosotros ya nos estaban meciendo para echarnos abajo cuando llegó un teniente y los paró. Cuando se metieron a preguntar y a hacer averiguaciones nos dijeron que lo sentían mucho, que se habían equivocado. Vieron que Morales estaba muerto y al otro Morales le pusieron un trapo en la cabeza para que dejara de echar sangre y le sacaron la oreja, ya cocida, del puchero y se la dieron.

—¿Y qué hiso?

—Le dio un bocado, tú, por probarla, y dijo que le faltaba sal. Tiene muchos cojones, Morales —se encogió de hombros Cañeque—, pero estaba nervioso por lo del hermano y se puso a llorar mientras masticaba. Luego le metió la cara en la olla hirviendo al que había empujado al hermano por el puente y a otro le dio con la bayoneta un tajo en la pierna. El teniente y los otros hicieron por calmarlo, pero no se ha calmado. Desde entonces es un desertor. Aunque lo veais por aquí es un incontrolado y vive aparte, lleva la guerra como quiere. Lo único que le importa es la lotería esa.

—Y que le haga pajas la Soraida —se secaba la cara Montoya, ya afeitado.

—Dice que es por coger el sueño y aplacar los nervios. Y tú, niño, ¿no te vas a afeitar? —le preguntó a Sintora, Cañeque, que también había acabado su trabajo en la cara del impasible Doblas—. ¿O es que prefieres quedarte con esa barba de chivo que tienes?

Le dije que yo iba a quedarme como estaba, y el que se llamaba Cañeque se me quedó mirando, con una sonrisa, no sé si de burla, y dijo que no nos iban a cobrar nada, que a los hombres de Capulino ellos le debían la vida, cuanto más un afeitado. Y el que se llamaba Castro y nada más que hacía leer periódicos y papeles sacó de detrás del sillón del Mosca una cantimplora que él dijo que era alemana, que se la había quitado a un piloto alemán, y nos ofreció un vino que era dulce, con sabor a miel, empalagoso. Y Doblas lo bebió como si fuera hiel, con la cara amarga y todavía mirando de reojo al barbero Castro.

Estuvieron los cinco hombres bebiendo hasta acabar la cantimplora, poco antes de que el cabo Morales, el que no tenía oreja, llegara y les dijese que ya había acabado la jornada. Le comentó Castro que los tres compañeros eran hombres del coronel Capulino y que si podían ir con ellos a la cueva. El otro, mirándolos de reojo, no dijo nada y chupó el gollete de la cantimplora vacía.

—La Zoraida tenía hoy malamente el pulso. No he consentido que pase de una gayola. Estaba en otra parte, la puta de la Zoraida —dijo el cabo Morales, no se sabía a quién, porque ya iba andando por los montículos que lindaban con un campo de olivos desnutridos, solo y con las manos metidas en los bolsillos.

Lo siguieron los cinco hombres. Cañeque y Castro cargando con la mesa y el canasto de bolas de la lotería, y Montoya y Sintora hablando con ellos. Doblas detrás y callado. Y así, pasado el campo de olivos y descendiendo por una pendiente muy empinada, llegaron a un arroyo cubierto de juncos y de unas zarzas detrás de las cuales apenas se entreveía la boca oscura de una gruta. Entraron en ella, un poco encorvados, los pies resbalando en un limo que parecía rezumar de las paredes y el suelo, malamente alumbrados por una vela que el cabo Morales había sacado de su guerrera. Al fondo veían el temblor de otra luz.

—Es la casa de Morales. Vive aquí con otra gente libre. Dos además de él. Son desertores a su modo. A veces se meten de noche en las líneas de los fascistas, le cortan el pescuezo a alguno y luego se vuelven. Pero sólo cuando quieren, hasta que los de un lado o los de otro los cojan y los fusilen —murmuraba Cañeque, ya llegando a un ensanchamiento de la gruta.

Había dos velas derritiéndose en las piedras y una luz que parpadeaba. Un soldado sacándole punta a un palo con un machete. Entre las piernas tenía un libro con el canto de las hojas dorado, como los libros de los curas, y la viruta del palo caía en-

*cima del libro y de las piernas, y el soldado no nos miró al llegar,
siguió haciendo viruta. Contra la pared había otro hombre al que
casi no le llegaba la luz, y luego vimos que estaba amarrado por
el cuello a una argolla que había metida en la piedra. Era un
moro y miraba con los ojos con que miran los animales. Por el
suelo había latas vacías, botellas y trapos, algunas mantas, y
mucho olor. Y luego nos dijo Cañeque, mientras Castro ponía
sus papeles de periódico al lado de otros que tenía allí apilados y
húmedos, que había otro soldado, un tal Palomares, que a veces
dormía allí pero que de vez en cuando se perdía por los pueblos
en busca de mujeres. También nos dijo que el del libro era un brigadista, Albrigh o algo así, que no quería volverse a su país, y
que el otro era un moro que el cabo Morales había cogido preso,
se llamaba Ben Ameh, pero le decían Benito y él siempre contestaba que le habían dicho que venía a España para desfilar en Se-
villa, que le iban a dar tres pesetas al día y que luego lo pusieron
a disparar, que él no sabía qué guerra era aquélla ni quiénes lu-
chaban en ella. Yo morito, yo Ben Ameh, Benito, señor, tres pesetas, decía moviéndose como yo había visto moverse un mono en
la plaza de la Merced, atado a una verja y yendo de un lado a
otro, con los ojos ardiendo y la mano extendida, pidiendo no se
sabía qué, a lo mejor la vida, el moro.*

Estuvieron los hombres del destacamento, los dos barberos y el cabo Morales bebiendo más vino empalagoso
que el cabo desorejado sacaba de una garrafa y repartía en
unos cuencos de metal. Montoya, Sintora y los barberos
eran los únicos que hablaban, de Madrid, de sus destinos,
del pasado y de la guerra. El brigadista dejó de afilar el
palo, y en la misma posición, sentado contra la pared, se
quedó dormido, el moro mirando, moviéndose y farfu-
llando, Morito, Casablanca, tres pesetas, y el cabo echándole cerca de la cuerda unos trozos de pan que el otro limpiaba de barro y se metía en la boca. Doblas bebiendo en
silencio y mirando al cabo.

Cuando los hombres del destacamento y los dos barberos salieron de la gruta ya empezaba a caer la noche. Se dirigieron juntos hasta la entrada del pueblo y allí, antes de separarse, fue la primera vez que habló Doblas, mirando al barbero Castro:

—A mí no me enseña nadie una navaja. La próxima vez que te la vea en la mano y no sea para afeitarme, te la meto en la barriga. Como me llamo José Doblas.

No volvió Doblas a ver a los barberos. Fueron Montoya y Sintora quienes siguieron merodeando por los alrededores de la tapia en los días siguientes. Volvieron a la gruta, a beber aquel vino dulzón con los dos barberos y el cabo desorejado, que nunca hablaba con ellos. Ni con ellos ni con nadie. Hablaba en voz alta, decía cosas, pero nunca se dirigía ni miraba a nadie. Un día vieron a Palomares. Delgado, ojos muy juntos y cara de pájaro, muy moreno. Palomares sí hablaba, con la voz muy fina, de niña, comentaba cómo estaba la retaguardia, y decía que aquella calma en el frente era mala señal. El brigadista afilaba palos en silencio y el moro se movía amarrado a la pared, Morito, Ben Ameh, Benito, tres pesetas, y tragaba pan sucio.

Venía el final del año. Era la víspera de la Navidad y el frente estaba muerto. El río bajaba a lo lejos y su rumor por la noche se nos metía en el sueño, nos llevaba el agua por la noche como si fuéramos muertos o pétalos flotando en su lecho, nos arrastraba los sueños y nos llevaba lejos el río, y al despertar y oír el canto de los pájaros y voces de hombres, por un momento nos parecía que la guerra había terminado, pero luego venía la realidad y en un instante remontábamos el río, todo lo andado en el sueño. Yo

miraba los árboles al amanecer, los veía desnudos como postes.
Era el invierno de la muerte.

Era la víspera de la Nochebuena y en la cuadra los hombres del destacamento y los soldados del comandante Cabezas bromeaban diciendo que iban a formar un belén en el que Doblas iba a hacer de Niño Jesús y Ansaura, el Gitano, de San José. Hablaban los hombres de sus familias y de otros años en los que no había guerra. Mi padre, el sargento Solé Vera, imaginaba la casa por la que estaría moviéndose mi madre, cómo sería la vida en esos días a casi mil kilómetros de distancia, Málaga en guerra. Se lo estaba diciendo a Doblas: «Doblas, ¿sabes quién estará pasando ahora por calle Ancha, te puedes imaginar la calle, el Pasillo de Santo Domingo? Yo no acabo de creerme que aquello, Málaga, siga existiendo», cuando oyeron el retumbar lento de una explosión a la que pronto sucedieron otras, muy a lo lejos. Se quedaron los hombres mirándose, en silencio, y cada cual observó dónde estaba su fusil. Se levantaron a recogerlos, despacio.

Por el pueblo oyeron carreras, voces, y al poco el capitán Villegas entró en la cuadra. Mandó a los hombres salir al exterior y formar delante de los camiones. A lo lejos se veían resplandores a los que seguía un tambor sordo, cada vez más cercano. El río se llenaba de fuego. Un teniente al que ni Sintora ni los demás hombres del destacamento habían visto nunca les gritaba que quien no avanzara en el combate sería fusilado sobre el terreno, que los sargentos tenían autoridad para disparar sobre los oficiales que retrocedieran y que las familias de los desertores serían represaliadas.

El comandante Cabezas apareció ante los focos de los camiones. Andaba despacio. Dio órdenes al teniente desconocido y al capitán Villegas. Dos soldados iban a subir su cama de hierro en uno de los camiones, pero el comandante los detuvo con un gesto. Les mandó que la depositaran en el suelo, se quedó mirándola y de una patada la

volcó sobre el barro antes de dirigirse al primero de los camiones y subir a él. Los vehículos pusieron en marcha sus
motores. Apagaron las luces y empezaron a avanzar en un
convoy lento. Adónde nos llevan, le preguntó un soldado
con mellas a Sintora, y, sin esperar la respuesta de su compañero, el hombre arrugó la cara y empezó a gemir.

Las manos se le traqueteaban con un temblor acelerado. Los
demás lo miraban con la cara blanca, los labios delgados y los
ojos aumentados por el miedo. El soldado que estaba junto a él,
muy joven, miraba al exterior, a los otros camiones, al campo,
que se llenaba de resplandores suaves, color de fuego. Entre las
piernas del hombre mellado se empezó a formar un charco, los
pantalones se le mojaban con un líquido que se extendía rápido
por la tela. Entonces me acerqué a él, mi cara a su cara. Adónde
nos llevan, le pregunté yo, mirando con mi cristal partido sus
ojos llenos de miedo. Adónde nos llevan, mamá, le volví a pre-
guntar, y él se quedó con los párpados abiertos, ya sin llorar,
viendo mi sonrisa y cómo retiraba mi cara de su lado y recostaba
mi cabeza contra la lona del camión y cerraba los ojos detrás de
las gafas. Vi a Montoya mirándome, abrazado a su fusil. La gue-
rra venía conmigo, me llevaba en su lomo amargo, yo había en-
trado en su laberinto y estaba dispuesto a vivir en él.

Los camiones se detuvieron en una explanada grande
en la que ya había reunidas varias decenas de vehículos.
Se apagaron los motores y vino un silencio sólo enturbiado por el eco de las bombas y por el ruido ronco que en
la lejanía del cielo levantaban los aviones. Se oyó una voz,
gritos, órdenes, golpes en el exterior del camión y de
nuevo el teniente aquel que se asomaba a la caja y les ordenaba saltar. Bajaron apresurados, resbaló sobre su
charco el mellado, cayó, chocaron con él algunos soldados
y, orientándose por los gritos y la confusión de los demás,
corrieron a agruparse en medio de la explanada.

En la cabeza del pelotón en el que se encontraban los soldados del destacamento estaba el sargento Solé Vera, que se

abrochaba el chaquetón de cuero y se ajustaba el correaje que llevaba sobre él. Por delante andaban de un lado a otro el teniente Porto Lima y el capitán Villegas, a su espalda, sin moverse y mirando a los hombres, fumaba el comandante Cabezas. Sintora, según cuenta en la confusión de su cuaderno, en busca de alguna orientación, miraba la cara del capitán Villegas, que estaba rígida y de continuo, sin inmutar el gesto, daba órdenes. *Recordé la cara de la cantante Salomé Quesada, sus cejas, el carmín de sus labios, y recordé su fotografía la primera vez que entré en el despacho del capitán Villegas, cuando yo estaba recién llegado a Madrid y estuve dos días durmiendo en la puerta de su oficina. Recordé la voz del capitán, su gesto y cómo entonces, al salir de aquellla oficina forrada de fotografías, andaba entre soldados que lo saludaban sin que él pareciera verlos, viéndolos a todos, como entonces nos veía, sin mirarnos.*

Hablaron el capitán Villegas y el comandante Cabezas, se saludaron de forma militar y cada uno se dirigió a uno de los dos grupos en los que habían dividido a los hombres. El comandante Cabezas dio una orden al teniente Porto Lima y éste les gritó a los soldados, que se pusieron en marcha, a paso rápido, siguiendo al comandante, que ya se había perdido en dirección a una loma pedregosa y llena de arbustos. Corriendo en la cola del grupo, Sintora vio pasar a los soldados Cañeque y Castro. La luz de la noche les había puesto lívida la piel. Castro se había afeitado la barba y Cañeque llevaba mirada de loco.

Esperó Villegas a que los hombres del comandante Cabezas se perdieran en la oscuridad, y luego hizo un gesto al teniente que les había hablado. El teniente, corriendo hacia la parte trasera del grupo y montando su pistola, les gritó que abrieran las filas y siguieran al capitán, que ya había empezado a correr despacio en sentido contrario al que lo habían hecho el comandante Cabezas y sus hombres. Subían una pendiente donde el barro se hacía cada vez más blando.

Resbalábamos. Hacíamos el ruido que los desdentados hacen al masticar. Montoya venía a mi lado y al mirarme me decía, Sintorita, qué lejos, Sintorita, qué lejos está Fransia, y yo sentía el trapo de las gafas, los girasoles sucios acariciándome la nuca, Serena, y corría sin mirar el suelo, viendo cómo delante de mí corrían hombres, espaldas, codos, manos y fusiles, cada uno con su respiración, cada uno con su barro y el peso de su cuerpo, y a mi espalda sentía a Doblas, veía a Ansaura a mi lado, delante, moviendo los labios con la cara desfigurada, otro hombre saliéndole desde lo hondo de la cara, afilándole las facciones. Nos masticaba con su ruido el barro, y por encima de él se nos acercaba, nos acercábamos al ruido de las bombas. Detrás, daba gritos el teniente sin nombre.

Pasamos bajo unos árboles, uno de ellos ardiendo, el resplandor de la llama nos ponía cara de muertos. Pasamos el pequeño bosque, escuálido, sin más vegetación que la de los raquíticos árboles, llegamos a un llano en el que nos esperaba el capitán Villegas. Empujaba con energía a los hombres y los hacía entrar en la boca de una trinchera por la que avanzábamos golpeándonos los brazos y los hombros contra el barro de las paredes. Sentí su mano en mi espalda, delicada, empujándome hacia la muerte. Olía a tierra y a basura y en los bordes de la zanja se percibía el temblor de las explosiones. Oí gritos, Que viene, que viene, y luego los silbidos.

Hubo un destello. Se sacudió el mundo, hierro, carne, fuego, la cabeza del revés, caí al suelo, el miedo corriendo veloz, un circuito eléctrico por todo mi cuerpo, alguien me pisaba el brazo, las piernas, corrían sobre mí, y llegó otra explosión, quise levantarme, tenía barro en la boca, dentro de la garganta y me vino una arcada, vomitaba mientras me ponía de pie y de mí apartaba un peso, un cuerpo que se resbalaba por el barro. Montoya me dio la mano, me miró con los ojos abiertos y tiró de mi guerrera. A mi espalda oía cómo resoplaba Doblas, le hablaba entre gritos y con la respiración cortada el sargento Solé Vera. El capitán corría por encima de nosotros, fuera de la trinchera, adelantándo-

*nos, gritando, el barro de sus pies nos salpicó la cara, por encima
de su cabeza, por al lado de su cuerpo, había silbidos de fuego. Lo
vi saltar dentro de la zanja, la pistola en la mano y un resplandor de bombas iluminando su silueta.*

Llegaron a un cruce de trincheras, un ensanche donde
el capitán Villegas supervisaba el estado de sus hombres.
A su lado vieron a Ansaura, el Gitano, cojeando levemente, atándose un trapo por encima del barro que le rodeaba el tobillo. Las bombas pasaban por el cielo, altas, e
iban a estrellarse a lo lejos. Sintora se limpiaba de barro las
gafas con el cristal rajado.

—Nesesita más gafas que tú, Sintorita, la artillería fa-
sista —dijo Montoya mirando a las alturas, el lugar invisible por el que cruzaban los proyectiles.

—Están castigando la segunda línea. Quieren aislarnos
—el capitán Villegas hablaba mirando al frente—. Luego
vendrán a por nosotros.

Por el cielo pasaban aviones invisibles con ruido de
trueno. Estuvieron allí, alumbrados por un relampagueo
intermitente hasta que el capitán, después de volver de un
promontorio en el que estuvo escrutando lentamente la
noche, gritó el nombre de Millán, que era el nombre del teniente que había ido detrás de ellos gritando amenazas.
Le ordenó el capitán que lo siguieran por el borde de la ladera. *Salté al aire, libre de aquella tumba de barro, y ayudé a subir a Ansaura, el Gitano, que me miró sacando la blancura de los
dientes. Entre las piedras se oía el chocar de alguna bala, un
martillazo en el barro, el silbido caliente, perdido, que cruzaba
la madrugada. Apretaba mi fusil entre los dedos y sentía miedo,
miedo de que una bala me dejara dormido en el frío del barro,
miedo de morirme despacio en uno de aquellos charcos.*

El cielo se iba haciendo pálido, como la piel de uno de
aquellos muertos que dejaban atrás los soldados y que empezaron a ser abundantes cuando llegaron a una hondonada del terreno, en el borde de una zona medio panta-

nosa en la que el capitán Villegas les ordenó detenerse. Frente a ellos, al otro lado de las aguas, se oía el retumbar de los cañones. Carros de combate enemigos recorrían la zona y a la primera luz del día, todavía débil y empañada en sombras por una niebla que se iba haciendo espesa, los tanques parecían animales prehistóricos, con su coraza gris, rugiendo con lentitud. A su espalda escucharon un retumbar más débil, y entre la bruma vieron aparecer hombres a caballo, soldados a pie llegando tras la caballería, envueltos en barro.

Uno de los jinetes, un coronel delgado, viejo y con los pómulos picudos, llamó al capitán Villegas y le dijo que enviara seis hombres al lugar en el que estaban los camiones para recoger a un grupo de heridos que había al pie del Cerro de los Muertos. Quería el coronel que condujeran a sus heridos a un puesto de socorro, de inmediato. Son héroes, gritó desencajando sus pómulos, ordenando a los jinetes, a Villegas y a los hombres que le seguían a pie, continuar la marcha, el ataque hacia la zona devastada por el fuego y la artillería, allí donde los carros de combate y la metralla lo llenaban todo de peligro y muerte.

Miró sin parpadeo ni duda el capitán al sargento Solé Vera y aquella mirada fue la orden. Se miraron los dos hombres un instante más, despidiéndose, ordenando uno y acatando el otro. Se volvió el sargento y señaló a Doblas, dijo su nombre apenas con un susurro, Doblas, a Ansaura, el Gitano, Ansaura, a Montoya, Enrique, a mí, Sintora, a uno de los hombres que había dormido en la cuadra con nosotros, Vallejo. Nos señaló con la sien el camino hacia el punto en el que estaban nuestros camiones, tras los montes, y empezamos a correr, a cruzarnos con los hombres que iban al corazón de la batalla. Vi sus caras. Corrían entre los caballos, el cuerpo pesado, hundiéndose en los charcos y en el barro, y al alejarnos de allí, nosotros seis tragábamos el oxígeno, el miedo que los hombres iban dejando en el aire. Vi los ojos, la sien sin oreja del cabo Morales, mezclado entre los hombres que iban al combate, al brigadista americano, Albrigh o Aldrich, corriendo a su lado, pequeño y con la cara de niño, los ojos azules, por primera vez vivos. Pensé en el moro, muriéndose atado en la cueva si el cabo moría, quizá ya muerto de un tiro, degollado por el propio cabo después de arrojarle una ración doble de pan a la tierra, al barro.

Y cuando ya estábamos en el recodo del camino, me detuve y volví la vista para mirar a aquellos hombres. Y los vi. Vi sus espaldas, sus cuerpos adentrándose en la niebla, perdiéndose entre los charcos. Vi la silueta del capitán Villegas, la pistola en su mano, corriendo hacia el lugar del fuego, gritándole a los hombres, y delante de él vi la figura del viejo coronel, un instante detenido sobre su caballo, mirando a los soldados que le seguían y luego lanzándose al galope, seguido por unos jinetes sin rostro a los que un golpe de niebla borró para siempre de mi retina. Hombres que se perdieron en el fragor de la guerra, soldados sin nombre que desaparecieron en aquella bruma como si nunca hubieran existido.

Sólo quedó de ellos un eco lejano, el ruido de sus pies en el agua. Y cuando un nuevo golpe de viento despejó de niebla el terreno por el que acababan de cruzar, ya sólo había piedras, agua, arbustos sin hojas. Y yo, con mi fusil entre las manos, siguiendo la marcha del sargento Solé Vera, sentía que mi cuerpo era un ejército entero en retirada, barcazas flotando en la niebla, tanques, una brigada de hombres recorriéndome la piel y la sangre, atravesando manantiales, montes, dejando surcos en la corteza de la tierra, cadáveres, heridos que eran yo mismo, el hombre que corría al lado de otros cinco hombres, de otros cinco ejércitos perdidos en el laberinto de la guerra.

Dejaron a los hombres heridos en el hospital de campaña. El sargento Solé Vera miró con los ojos cansados a sus hombres. Encendió con mucha lentitud un cigarro y, pasándose una mano por el barro seco de su guerrera de cuero, les dijo que podían ir a donde quisieran. La batalla estaba perdida, y la guerra también, murmuró en voz muy baja, los ojos mirando la tierra.

—¿Y el capitán? —preguntó Montoya, inocente, la expresión de un niño iluminándole la cara.

Se encogió de hombros el sargento, despacio, a la vez que alzaba la mirada del suelo y decía que él iba a quedarse esperándolo en el lugar donde habían dejado los camiones y que después, cuando el capitán volviera o pasara el tiempo suficiente como para pensar que nunca volvería, iba a tomar el camino de Madrid, y después, con un salvoconducto de Sebastián Hidalgo, se iría a Málaga, si es que Sebastián Hidalgo, y Madrid, y Málaga, seguían en pie.

Doblas se quedó a su lado y ni siquiera tuvo que variar el ritmo de su respiración para que todos supieran que él iba a hacer lo mismo que mi padre, el sargento Solé Vera.

—Yo me vuelvo a Madrid con vosotros —dijo Sintora, uno de los cristales de las gafas rajado, la cara embarrada y la cinta con los girasoles caída sobre la nuca.

—Madrid, cojones, con lo serca que está Fransia. A Madrid y de desertores, interesante proposisión para que nos fusilen contra una asquerosa tapia, o sin tapia, en medio de una carretera —protestó resignado Montoya—. El capitán, si es que lo volvemos a ver, no va a desertar. Debería fusilarnos él mismo, antes de que se ensañe con nosotros gente desconosida. Mejor morir a buenas manos, aunque sea pronto, que no por la bala de un serdo. ¿Y tú, Gitano?

Miraron los hombres a Ansaura, el Gitano, la cara renegrida y los ojos turbios, esquivos. Movió la cabeza de un lado a otro, la barba negra oscureciéndole el mentón, los ojos de alquitrán, antes de decir que él esperaría al capitán y luego vería. El otro soldado, Vallejo, antes de que Ansaura, el Gitano, acabase de hablar, dijo que él no iba a esperar a ningún capitán, que a él ya lo habían hecho esperar los capitanes, los tenientes y los coroneles muchos meses y que la guerra había acabado para él. Se colgó el fusil al hombro y comenzó a alejarse del río mientras los hombres del destacamento subían al camión en el que acababan de transportar a los heridos y se dirigían al lugar en el que estaba el resto de los vehículos.

Recogieron el otro camión del destacamento y subieron a un cerro desde el que veían la llanura de la que continuamente partían camiones y coches. Miraban con unos prismáticos, turnándose, hasta que a la caída de la tarde, el sargento Solé Vera, sin los prismáticos, vio atravesar el llano una figura que caminaba recta y despacio. En una mano llevaba una pistola.

Bajó del camión el sargento Solé Vera y empezó a descender el cerro, andando entre las piedras, sin apartar nunca la vista de aquel hombre que caminaba entre los vehículos que todavía quedaban en la llanura. Se detuvo el sargento a una decena de metros del capitán Villegas, que tenía el uniforme sucio, con manchas de barro y sangre. A la altura del pómulo derecho, una herida limpia, un corte ancho, le dividía la cara, subrayándole de rojo la mirada. El capitán parecía más delgado que unas horas antes, y los dientes le asomaban bajo el bigote impecable aunque pastoso de sangre. Parecía que los dientes le hubieran crecido. Tenía una manga de la guerrera rajada, con restos de una sangre oscura que le asomaba por la mano que sostenía la pistola.

—Capitán, nos vamos. Los hombres del destacamento, yo con ellos, volvemos a Madrid, después cada uno a su casa.

Se quedó en silencio el capitán, la mirada perdida como cuando pensaba en la cantante Salomé Quesada. Luego, habló:

—No había tierra para que cayeran tantos muertos.

Los soldados del destacamento, Doblas, Ansaura, el Gitano, Montoya y Sintora, iban llegando a la altura del sargento y todos, en silencio, se fueron deteniendo a su espalda.

—Nos vamos, capitán. Volvemos a Madrid —repitió el sargento.

—No sé si pensar, Solé, que también me han matado a mí. Que soy un muerto, que estoy muerto como los hombres que venían conmigo —los soldados miraban a su capitán en silencio. Sobre el río, a lo lejos, flotaba una nube de humo lento que se iba confundiendo con la niebla, y por encima de las palabras del capitán había un tambor disparejo de detonaciones aisladas. El capitán los fue mirando con calma, los ojos muy serenos—. Y aunque vengan los años y viva, una parte de mí estará ya muerta para siempre, Solé, Doblas, Ansaura, Montoya, Sintora, a vosotros también os han matado en ese fanguizal, no importa dónde vayáis.

Su voz se había afilado. Aquello era la guerra, aquel hombre que venía de entre los muertos y en la mano ensangrentada sostenía una pistola, y nosotros, nosotros, soldados perdidos en una niebla distinta a la que se había tragado a aquellos hombres, también éramos la guerra. Doblas, Solé, Ansaura, Sintora, Montoya, dijo el hombre, solo, frente a quienes lo abandonaban, vosotros sois la guerra. Y yo, mirándolo, supe que años después aquellas palabras que oía en el helor de la tarde seguirían llegando, limpias, nítidas, al corazón de mi cabeza, pero entonces sólo sentía cansancio y frío, y la imagen del capitán, herido, vencido, apenas me producía emoción, sólo una pregunta acudía a mi mente, saber si aquel hombre era el mismo que el que tantos meses atrás había visto con su uniforme impecable sentado en su oficina llena de fotografías de artistas, enamorado de una cantante de cejas alargadas y negras, una pregunta que me inquietaba al interrogarme a mí mismo, al preguntarme si yo era yo, al preguntarme quién era aquel soldado que en medio de la mañana, con las gafas atadas a la nuca por un trapo de flores sucias, miraba desde una distancia muy lejana al capitán Villegas.

—Nos vamos —dijo el sargento, y su mano se puso despacio en la mano, en la sangre, en el hombro herido del capitán, y sus cuerpos se juntaron en un abrazo frío.

Los hombres del destacamento no se acercaron al capitán Villegas. Lo miraron desde la distancia y uno a uno fueron dándose la vuelta, volviendo a subir, en silencio, con el crujido de las piedras, hacia el lugar en el que estaban los camiones de aquel destacamento que ya no existía, que en realidad había dejado de existir un día lejano, quizá la mañana aquella en la que una bomba había caído sobre el coche negro y de morro alargado de Paco Textil, o tal vez el mismo día que habían abandonado Madrid camino de aquella ciénaga humeante y lejana que ahora se extendía a los pies de aquellos hombres que, reunidos delante de los camiones, se habían detenido a escuchar a Ansaura, el Gitano.

Los miraba con la cara esquinada Ansaura, y decía las palabras muy despacio, separándolas entre sí por un silencio largo, por una duda que se iba disipando a medida que hablaba. Decía que a él le gustaría volver a Madrid para buscar a Corrons, por si había algo nuevo que cobrar, pero que Corrons se habría ido a Valencia o a donde fuese y que él ya había dicho casi dos millones de veces el nombre de su mujer:

—Mi mujer se llama Amalia Monedero —dijo, como si nadie le hubiera oído nunca en los dos últimos años, cada noche, a cada momento, decir el nombre de su mujer—. Mi mujer se llama Amalia Monedero —repitió con lentitud, los ojos demasiado negros para ser ojos, el flequillo cortado en diagonal sobre la frente sucia de barro, el pie vendado—, y por muchas veces que diga su nombre esta guerra no se acaba nunca, no importa lo que digan los oficiales de ahí abajo, que todo está perdido —señaló con la barbilla la llanura por la que se movían hombres y vehículos—, no sé a qué se refieren cuando dicen que todo está perdido ni quién es quien lo pierde. Ya no puedo decir más el nombre de Amalia sin verla a ella, a Amalia, mi mujer. Por eso no voy a Madrid y por eso también dejo al capitán, por irme a Barcelona, a no decir más el nombre de mi mujer, a verla. Así es como se acabará la guerra de verdad. Cuando la tenga delante y ya no diga más su nombre.

Lo miraban en silencio los hombres. Montoya con el ceño fruncido, como si viera por primera vez al Gitano, Sintora apoyando el cuerpo en su fusil, cansado y sin escuchar, Doblas con la respiración ahogada y lenta, y el sargento Solé Vera observándolo de reojo, la vista repartida a medias entre el campo por el que todavía andaba el capitán y la figura de Ansaura, el Gitano, que seguía hablando, despacio, renegrido:

—Me voy a llevar un camión a Barcelona, sargento, el de la Doce, o si tú quieres el Chato. Más que nada porque

en las casas esas donde hemos estado durmiendo, en una
de ellas, la de piedra grande, he visto una máquina de coser y me la voy a llevar, para Amalia, para mi mujer —había un aire de desafío en sus palabras—. Es una Singer.
Y me la voy a llevar para que me haga trajes y para que se
los haga ella, para ponérselos y para venderlos. Va a ser
costurera, Amalia Monedero, la mejor de Barcelona,
cuando acabe la guerra.

Nadie escuchaba ya a Ansaura, el Gitano. Los hombres
del destacamento se habían girado y, como el sargento, miraban el humo del horizonte, la llanura en medio de la que
el capitán Villegas hablaba con otro hombre, quizá un oficial, que avanzaba delante de un pequeño pelotón del que
separaron a un individuo que, antes de que a los oídos de
los soldados del viejo destacamento llegase el desordenado redoble de los disparos, ya había caído fusilado, encogido, pequeño, y que se estiró, se abrió como una flor
nocturna y rara al recibir el tiro de gracia, un débil crujido
en la distancia, que el oficial con el que había estado hablando el capitán Villegas le soltó en la cabeza. Y cuando
el sargento Solé Vera empezó a caminar hacia el camión
que tenían más cerca, ya nadie le dijo nada a Ansaura, sólo
Montoya, que le susurró, Adiós, Gitano, me alegro de no
volver a verte, de no oír más tus ronquidos ni la mierda de
tus resos. Y lo último lo dijo Montoya ya sin mirar a Ansaura, andando hacia la parte trasera del camión, aupán-
dose para subir a la caja.

Dejó escrito Sintora que Montoya llevaba los ojos brillantes, y que cuando el traqueteo del camión se puso en
marcha y empezaron a alejarse de la colina, de la llanura,
la silueta de Ansaura, el Gitano, se quedó sola delante del
camión de la Doce, con la pierna vendada por encima del
pantalón, el flequillo de alquitrán pegado a la frente y la
piel y los ojos llenos de tizne, y le pareció a Sintora que
Ansaura todavía seguía hablando, despacio, al camión

que pasaba delante de él, a los hombres con los que había compartido dos años, más de veinte meses que ahora se desintegraban en la nada, y que ya, silenciosos y derrotados, se alejaban para siempre de su vida, o a las piedras que lo rodeaban. O tal vez a su mujer, Amalia Monedero, diciéndole al oído que pronto estaría en Barcelona, anunciándole su llegada con una máquina de coser Singer y que ella, Amalia, Amalia, Amalia Monedero, iba a convertirse en costurera, en la mejor costurera de Barcelona.

Los cuatro hombres del antiguo destacamento recorrieron con el camión carriles, caminos de tierra y barro, esquivando siempre las carreteras rectas que conducían a Madrid. Apuraron el bidón de combustible que llevaban en la caja, Doblas reparó el motor, que humeaba y tenía espasmos incontrolados. Hasta que finalmente, cortada cualquier posibilidad de avanzar por ningún camino secundario y ante la presencia de soldados, no sabían de qué ejército, decidieron abandonar el vehículo. Lo enterraron entre una maraña de zarzas y continuaron su viaje a pie, guiados por un mapa escolar que el sargento Solé Vera, mi padre, había encontrado en una escuela abandonada, en un pueblo medio desierto en el que los cuatro hombres estuvieron refugiados de la nieve que estuvo cayendo durante casi diez días seguidos.

Y en todo ese tiempo, viajando en la caja del camión con Montoya, caminando por el campo o refugiado en la casa abandonada del pueblo, Gustavo Sintora no dejó de pensar en algunas de las palabras que Ansaura había dicho antes de que lo dejaran hablando solo en lo alto de aquel cerro. *No dejaba de pensar en Corrons. Pensaba más en Corrons que en Serena. Oía las palabras del Gitano, la certeza*

*con la que había asegurado que Corrons habría dejado Madrid.
Intentaba pensar en los pensamientos de Corrons, y en la posibilidad de encontrarlo. Me veía a mí mismo recorriendo Madrid,
rastreando por las esquinas de la guerra como un perro abandonado que huele el suelo, las piedras, el aire en busca de su dueño.
Y el miedo de no ver a Serena me borraba el miedo de la guerra,
de ser encontrado en cualquier instante por una patrulla de
cualquier bando y ser fusilado contra una tapia, en un camino,
como temía Montoya. Y por las noches miraba los mapas en el
libro de niños del sargento. Entre el marrón de las montañas y
los nervios azules de los ríos, veía las letras de Madrid, aquellas
letras y aquel redondel negro de tinta humilde que me decían el
nombre de Serena, el rumbo de mis pasos.*

Guiados por el mapa escolar del sargento Solé Vera,
oyendo en la distancia estallidos de bombas que no venían
de ninguna parte, sólo del silencio que a veces los envolvía, alimentándose de un conejo que Doblas cazó, de unos
huevos y una gallina robada, de la leche que unos niños
ordeñaban de una vaca recién muerta, de la carne de esa
misma vaca, los hombres llegaron a las cercanías de Madrid y en medio de la noche, sin encontrar patrulla ni vigilancia, sólo algún disparo perdido, entraron en sus calles
de fantasmas, sin más luz que el resplandor que a veces
venía de la Ciudad Universitaria, quizá hogueras o tal vez
algún vehículo incendiado que explotaba con un estruendo sordo y hueco, la noche entera una caverna en la
que todo resonaba con ruido de bóveda.

Se cruzaron con un soldado borracho, con un hombre
que arrastraba un mueble, un aparador, y que se quedó
mirándolos con cara de espanto, en silencio hasta que pasaron frente a él, observándolo y sin decirle nada los soldados, que más adelante también se encontraron con una
prostituta que sangraba por la nariz, un zapato con el tacón alto y fino, el otro arrancado, y mientras les pedía tabaco ofreció acostarse con los cuatro por ocho, por cinco,

por tres pesetas, mirando asustada, de reojo, la boca oscura de las calles, rogando porque no apareciese su Esteban, que la iba a matar al amanecer, a golpes, si no reunía las ocho pesetas que le faltaban. Y siguieron avanzando pegados a las paredes de las casas hasta que poco antes del amanecer llegaron a la Casona y entraron sigilosos en su jardín, los árboles desnudos, garras, dedos y uñas en la noche, en el edificio, que tenía todas las entradas cerradas salvo la puerta renqueante y combada de la cantina.

Y allí estuvieron sentados en medio de aquella sala, sin que a la vista hubiera botella ni alimento alguno con el que pasar el último tramo de la madrugada, delante de las estanterías completamente asoladas, hasta que en la parte superior del edificio empezaron a oír algún ruido, gente que andaba despacio, recién levantada. Los cuatro hombres recogieron sus armas, se distribuyeron por la cantina y estuvieron alerta hasta que oyeron pasos en la escalera. Se detuvieron los pasos en la puerta y la dejaron a un lado, siguieron hacia el jardín y luego retrocedieron.

La figura luminosa del mago Pérez Estrada apareció en el umbral de la cantina, sus brazos alzados, su voz exclamando, alegre, al ver al sargento Solé Vera que todavía le apuntaba con su pistola, Mi sargento, dijo teatral, a la vez que se cuadraba sin querer cuadrarse, burlándose del saludo militar el mago Pérez Estrada. Doblas, Montoya, Sintorita, qué buen niño, Sintorita, que no te has dejado matar. Mi sargento, volvió a decir abrazando a mi padre, al sargento Solé Vera, sin hacer caso de la pistola que él todavía tenía levantada.

—Qué alegría —dijo el mago—. Qué alegría, los soldados del destacamento —repitió mientras sacaba del cuello del sargento una baraja de cartas, mirándolos uno a uno, sonriendo, alegre.

Y entonces, mientras los miraba en medio de la cantina, fue cuando los soldados advirtieron de pronto la ima-

gen real del mago, no la que conservaban en la memoria y
había revestido de luz su aparición, sino aquel traje blanco
ajado, los zapatos siempre relucientes manchados ahora
de barro y un aire que no llegaba al desaliño pero que
daba cuenta del cambio, del deterioro al que los habitantes de la Casona debían de haberse sometido en los últimos meses y que ya en las paredes, en las estanterías de la
propia cantina, habían percibido los soldados.

—No será que alguno, que el capitán Villegas, que Ansaura, vuestro amigo gitano, que les ha pasado algo en
esas guerras que estáis echando todo el rato —dijo el mago
advirtiendo la tristeza de los hombres, aunque en el fondo
seguro de que era él, su estampa, lo que acababa de provocar aquella súbita melancolía. Sobreponiéndose, sin
ofrecer un resquicio al desánimo, fue acercándose a ellos,
dándoles la mano—. Qué alegría, Doblas —sonrió con su
boca de batracio y el hierro de sus dientes Doblas—, Montoya, Enrique —el mago más sinvergüensa de todas las
guerras, dijo Montoya, abrazándose al mago, alegre por
primera vez desde que habían dejado al capitán en el
Ebro—, Sintora, oh, Sintorita, qué alegría, las gafas rotas,
qué pena —titubeó, se emocionó Sintora, y al darle la
mano, como si fuera un juego fantástico que el mago Rafael Pérez Estrada acabara de provocar, vio Sintora ante sí
el fragor y el humo del campo de batalla, las noches en las
trincheras, los muertos, la sangre y el barro, la cara del capitán Villegas al despedirse de ellos, su voz diciendo vosotros, vosotros sois la guerra, la figura de Ansaura, el Gitano, su pierna vendada, hablándole al humo de los
camiones, el soldado fusilado en la llanura y los hombres
corriendo hacia la niebla, los días andando por el campo,
bebiendo leche de una vaca muerta a la que los niños después de ordeñar le habían rajado las ubres con una navaja
por ver si encontraban más leche, con una mirada negra
de hambre y odio los niños. Todo se le reveló a Gustavo

Sintora de un modo más verdadero que como en realidad había vivido aquellos acontecimientos cuando el mago Pérez Estrada se detuvo ante él para darle la mano, los ojos claros del mago, la camisa blanca oscurecida por el cuello, las solapas de la chaqueta con una pátina de derrota.

El mago continuó imparable con su magia, no se sabía si ignorando el desaliento de los soldados o precisamente combatiéndolo con toda su energía. Les dijo que se sentaran y, tocando con la boca una música de tambores, un redoble que también llevaba incorporado platillos y algún eco de trompeta, les anunció que entonces sí que iba a hacer un verdadero número de magia. Retiró un tonel que había cerca del mostrador, levantó dos tablas del suelo y de allí, de una cavidad que al parecer había en la tierra, extrajo, con parafernalia de número circense una botella y una cacerola de aluminio, pequeña y abollada. Sacó de un cajón unos vasos, sirvió un vino que en su aspecto recordaba al líquido negro y áspero que siempre habían tenido en la cantina y, de nuevo con redoble, destapó la cacerola para mostrar unos garbanzos tostados, con sal y mucha tizne.

No hizo ninguna pregunta el mago. Suponía o sabía que los hombres habían abandonado su unidad. Seguir el destino sin que el destino quiera que lo sigamos es una torpeza, habéis hecho bien haciendo lo que habéis hecho, que no sé ni me importa lo que es, dijo después de asegurarse de que el capitán y Ansaura estaban vivos y de decirles que quizá quisieran saber algo de lo que había ocurrido por allí, por la Casona, y también por Madrid en los últimos tiempos.

Se acomodaron los hombres alrededor de una de aquellas mesas alargadas y el mago empezó a contarles, mientras masticaban con crujido de piedra los garbanzos, que en la Casona todo se había venido abajo y que ya nadie se ocupaba de mantener aquello:

—Los que pudieron se fueron. La gente empieza a irse a Valencia, otros se van a Cartagena. Otros desaparecen como si nunca hubieran existido. Seguro que están haciéndose camisas de color azul y bordándose unos yugos y unas flechas de fantasía. Eso sí que es magia y no lo que hacía yo con mi pobre caballo Ulises, que no sé si estará vagando por las caras ocultas del universo o, una vez pasado por las tripas de algún caníbal de pueblo, se encontrará convertido en abono de algún huerto de papas. Al final viene a ser lo mismo una cosa que otra. De la gente conocida os diré que el novillero Ballesteros, que ya me parece que se quedará para siempre con el pañuelo vendándole la cabeza y con la frente herida, dejó unos trastos de matar por otros y está ahí, en el frente, pegando tiros, como Rosita Pedrero, la Dinamitera, a la que ya no le quedan bombas que tirar. A ver si le mandan un paquete sus amigos de Asturias, con chorizos y bombas.

—Así es como se ganan las guerras, con chorizos y bombas, y no con los perdigones estos ¿no, mago? —dijo Montoya apurando los últimos garbanzos de la cacerola.

—Sí, pero nosotros, como no sea otra, me parece que ésta no la vamos a ganar —contestó el mago, supervisando con la mirada el vacío absoluto de la cacerola, de la que Doblas, mojándose de saliva las yemas de los dedos, chupaba los restos de sal y tizne.

—La guerra, desía Ansaura, el Gitano, es una puta de mucho postín, y nesesita que se esté muy ensima de ella, dándole lo que pide.

—Será así, como tú lo dices o dises, Montoya. Madrid está inundado de octavillas, todas las mañanas nos bautizan los aviones con papeles que nos dicen lo bien que vamos a estar cuando entren nuestros amigos de enfrente. Primero nos tiraban bombas, luego panes y ahora bombas, muchas bombas, y lectura. Son muy amables. Con el faquir Ramírez no lo fueron demasiado, la verdad. Se perdió por ahí, en una borrachera que cogió, tomando con el ventrílocuo Domiciano una bebida mejicana que no sé de dónde sacaron. El ventrílocuo se fue a dormir y el otro, muy curtido con la herrumbre pero muy poco con el alcohol, se dedicó a vagar por ahí, se metió en campo enemigo y le echaron mano. Dijo que era faquir y que si lo dejaban era capaz de comerse un fusil por piezas. Le cosieron la boca con alambre, para que no comiera más chatarra, le dijeron. Le ataron las manos atrás, también con alambre. Iban a coserle el culo, pero lo encontraron muy sucio, ya sabéis, y acabaron por dejarlo tirado en una zanja después de jugar a descargarle en la cabeza pistolas sin munición. Llegó aquí casi desangrado, con las manos medio cortadas por el alambre y la boca cosida. Se la tuvieron que abrir entre un médico y un mecánico. Aquí te habríamos necesitado entonces, Doblas.

—Eso con un cortafríos, o con una sierrecita del doce, depende —se encogió de hombros, humilde, Doblas, los labios con un arrebol de tizne.

—Extravió el bigote ese que siempre llevaba por los bolsillos, el bigote y algo más. A Domiciano se lo llevaron para la radio de Valencia, para hacer voces. Los músicos Martínez y Lobo Feroz desaparecieron una noche, ya saben ustedes cómo son los músicos, se van siempre sin decir adiós. Una mañana vimos que no estaban, nada, ni una nota, ni una señal. La Ferrallista y su marido, el enano Torpedo Miera, sí están. El enanito cada día está más envalentonado y dice que va a hacer valer sus años en Italia y que cuando lleguen los nacionales eso va a contar mucho. Habla del Duce y casi todo lo dice en italiano, o por lo menos como él piensa que es el italiano. Y el otro enano, Visente, también está, ahí en el taller de costura, que ya casi apenas funciona, sólo queda una cuarta parte de las trabajadoras, y la mitad del tiempo están sin hacer nada, no hay ninguna tela que zurcir.

—¿Y Corrons? —preguntó escueto, mirando al mago a los ojos, el sargento Solé Vera.

Mis ojos viajaron lentos a la mirada, a los labios, al rostro del mago Pérez Estrada, que alzó la barbilla y dijo, Está.

—Está, pero se le ve poco. No aparece por aquí porque por aquí no tiene nada que hacer. Es decir, aquí ya apenas viene nadie, la cantina ya la estáis viendo, vacía, ya no hay bodas, como antes, y sólo de tarde en tarde viene Corrons, a mirar. Su mujer, sí —miró el mago directamente a Sintora al decir sí, y luego siguió hablando a los demás—, es de las pocas que quedan, ya sabéis, era la jefa o una de las jefas, nunca he estado yo muy al tanto de las jerarquías, salvo de la mía propia que está muy por encima de cualquier otra.

En el jardín oí pasos y pensé, liberado por las palabras del mago, pensé que podían ser los pasos de Serena, los pasos en la hierba, los pasos en las hojas, Serena de nuevo, su voz como lluvia en la costra reseca de mi pecho, de nuevo Serena, otra vez, para siempre. No importaba ya lo que el mago siguiera diciendo, que intuía, que sospechaba por los movimientos de Corrons, por lo que decía y también por lo que no decía, que quizá pronto fuese a salir de Madrid. En el jardín había pasos y los pasos iban hacia el taller de costura, acallando la voz del sargento Solé Vera que le decía al mago, a todos, que no iban a ocultarse, que iban a actuar con naturalidad el tiempo que les quedara de estar en Madrid, que para todo el mundo habían vuelto al Centro Mecanizado. Un fogonazo apareció por la ventana, iluminó de blanco la cantina, sus paredes vacías, la cara de Doblas, y luego vino un estruendo, rodar de piedras en el cielo. Tormenta, dijo el mago. Y una lluvia de gotas gruesas empezó a estrellarse alocada contra los vidrios de la ventana, a agitar las ramas de los árboles, y yo quise ver que en sus puntas aquellas ramas no estaban desnudas y que había unas yemas que quizá muy pronto se abrirían en hojas, en verde, en otro mundo.

*F*uimos caminando por las calles, a la luz del día, a paso rápido, a casa del Marqués. El sargento abría la marcha y
nosotros le seguíamos, los fusiles al hombro, los pies asomándole a Doblas por delante de las botas abiertas, dejando gotas de sangre que yo iba pisando. Había adoquines levantados,
camiones y hombres armados en las aceras. Barricadas y niños.
Ojos que nos miraban. En el jardín de la Casona había sido yo
quien había mirado a todas partes, al edificio oscuro donde estaba el taller de costura, en medio de los árboles, con las luces
encendidas, tristes. Una bombilla estaría alumbrando de amarillo los hombros de Serena como a mí me alumbraba la lluvia. La
piel de su cuello, sus manos alumbradas de amarillo mientras en
el fango del jardín, en el agua de las aceras, antes de que la lluvia
la borrase, yo pisaba la sangre de Doblas y miraba los ojos de los
hombres.

El ascensor estaba desfondado, hundido en su foso.
Subieron la escalera de la casa del Marqués, crujiendo la
madera de los peldaños. El descansillo de la planta principal se encontraba vacío, no estaba ni la mesa ni ninguno
de los primos de Corrons. Se miraron los hombres. El sargento Solé Vera se tocó bajo la chaqueta de cuero la culata
de su pistola, comprobando el lugar exacto en el que la te-

nía antes de señalarle la puerta a Doblas. El mecánico la golpeó. Hubo ruido, voces ahogadas y pasos rápidos. Montaron los hombres sus fusiles, desenfundó la pistola el sargento y todos se alejaron de la puerta, el sargento situándose a un lado, pegado a la pared, Doblas apoyado en el tabique de enfrente y Montoya y Sintora bajando los primeros peldaños de la escalera.

Preguntaron desde dentro quién era. Y el sargento, reconociendo la voz de uno de los primos de Corrons, dijo que él, el sargento Solé y los suyos. Hubo silencio, quizá un rumor detrás de la puerta. El sargento habló de nuevo:

—Hemos vuelto. Abrid ahora mismo o echamos la puerta abajo a tiros. Me cago en la puta que os parió, abrid —el sargento apuntó su pistola contra la cerradura y contrajo la cara.

Todos pensaban que iba a disparar cuando crujió la cerradura, seca, y la puerta se abrió unos centímetros. Le dio una patada el sargento y la abrió de golpe. Dos de los hombres de Corrons, quizá Armando y Amadeo, apuntaban sus armas, una escopeta de caza y un naranjero, con los ojos muy abiertos. Corrons no está, dijo uno de ellos, no está. Sin mirarlos, el sargento entró en la casa, Doblas, Montoya y Sintora detrás de él. No quedaban cuadros, ni apenas muebles, las cortinas habían sido arrancadas. En uno de los salones vieron al Marqués, al cura Anselmo y al falangista Cantos mirándolos, este último con desafío.

—Sargento Vera, sigue usted vivo —dijo el cura de los temblores—. ¿Se ha comido la nariz, algún trozo de algún compañero? Si no, es que no ha estado en la guerra, ya sabe.

—¿Y Corrons? —preguntó el sargento a uno de los dos hombres, el que había hablado. El otro quizá fuese el Sordomudo.

—Va a venir por la tarde. Ustedes se habían ido de Madrid.

—Pues ya hemos vuelto. Y lo que me voy a comer van a ser sus tripas si no se calla y deja de temblar —contestó el sargento, mirando al cura, que seguía sonriente, con el temblor de la mano y la cabeza aumentado, con sacudidas y espasmos de terremoto.

Supieron, en la espera, por boca del cura, que ya no estaba allí el viejo homosexual Ortiz Pavero. Los hombres de Corrons habían hecho una nueva entrega, y en los últimos tiempos no paraban de llevarse cosas. Iba gente extraña por la casa, a veces un enano con aires de superioridad que al parecer se había hecho amigo de Corrons y que se llamaba Torpedo Miera. Sebastián Hidalgo apenas iba por allí. Se habían llevado los libros de los que sacaba láminas, viruta de oro, y aunque tampoco trabajaba ya en el periódico aquel para el que desfiguraba gente, sólo aparecía de tarde en tarde por la casa, para hacer algún trabajo, alguna falsificación, con las herramientas que todavía tenía allí.

El cura hablaba con sus temblores y a cada momento sacaba una sonrisa que era nueva o que yo no le recordaba. Sabía que nos quedaba el tiempo de la huida, que lo teníamos todo perdido, y que él, no importaba cuál fuese su destino, estaba llegando al final del túnel. Hablaba con cálculo y nos medía la desesperación, con sus temblores, mirándonos con la mirada que tenía el cura aquel, con gafas de humo, que en el colegio venía a vernos, a que le besáramos el anillo, los niños del hambre, los que íbamos a ganar el cielo y a hacérselo ganar a él por dejarse besar aquella piedra que entre sus dedos olía a tabaco y a colonia.

Corrons llegó al final de la tarde. No se sorprendió al ver al sargento y a sus hombres. No preguntó por Ansaura. El cura y los demás salieron de la sala y al pasar junto a Sintora, Corrons le pareció más bajo, o quizá, pensó, era que iba encorvado, moviéndose con más lentitud. Los labios le parecieron más gruesos y los ojos le colgaban igual que siempre, los párpados con un charco de sangre rosa en su orilla y la mirada muerta. El pelo ondulado, detenido en un extraño oleaje sobre el cráneo. Comentó que habían entregado al fascista Pavero y que además de aquel tipo se habían deshecho de algunas cosas. Todo estaba en orden, ahora le ayudaba también el enano Miera.

Yo lo veía a él y a la vez que lo veía veía a Serena y veía las manos de él en el cuerpo de ella, no en su cuerpo desnudo, sino tocándola al pasar por su lado, rozándole con los suyos sus dedos. Y mientras lo veía, yo acariciaba en el bolsillo de mi pantalón el trozo de tela estampada con girasoles, lo estrujaba entre mis dedos y pensaba en el cuerpo de aquel hombre durmiendo al lado del cuerpo de Serena, vagando en sus sueños, inertes uno al lado del otro, sus respiraciones cruzadas, respirando el mismo aire.

El sargento le preguntó si había alguna entrega pendiente, y Corrons, mirando a sus hombres, la puerta por donde el Marqués y los demás habían salido, dijo que tal vez, que seguramente el propio Marqués, después de tanto tiempo, aunque tal como estaban las cosas, sin querer ser derrotista pero con todo el mundo esperando que la guerra acabase de un día para otro, quizá hubiera dificultades, había amenazado con matar al viejo, les había dado una fecha última, por ver si reaccionaban. Hizo un gesto afirmativo el sargento y todavía moviendo la cabeza le dijo que en el Centro Mecanizado les iban a dar en un par de días un nuevo vehículo con el que hacer la entrega.

—El enano Miera tiene un amigo con coche, y en el partido me dejan otro. Al Pavero lo llevamos en él. Lo malo es el combustible, coches ahora hay más que antes.

—Nosotros tenemos nuestros medios y nosotros hacemos la entrega. Es por lo que cobramos, y por estar callados. Fue el trato. Vamos a seguir cumpliéndolo, ¿no? —el sargento había dejado de afirmar con la cabeza, miraba fijo a Corrons, que se quedó inmóvil, sin contestar, tranquilo.

Cuando esa noche llegaron a la Casona todavía llevaba Sintora la imagen de Corrons grabada en la retina. Se asomó al edificio de los talleres, que estaba cerrado y a oscuras. En la Casona volvieron a encontrarse al mago Pérez Estrada, que esta vez había empleado su magia en sacar de la nada una fuente de patatas cocidas. Las palomas volaron ya todas hacia nuestros desconsolados estómagos, tristes mensajeras del hambre, mis palomas blancas, decía mientras le quitaba la piel a una de las patatas, sonriendo a los soldados del antiguo destacamento y al faquir Ramírez, que a pesar del encuentro con sus antiguos amigos andaba taciturno, con la boca rodeada de puntos oscuros, cicatrices del alambre, que en la parte superior le dibujaban un extraño y discontinuo bigote y en la inferior le sacaban el labio, tintándole de idiotez la tristeza al faquir, que comía papas con desgana, masticando aquella blandura con mucho trabajo, él que estaba acostumbrado a comerse los hierros y aceros más duros y que ahora había jurado no acercarse a los dientes nada que se pareciera a un metal, siempre masticando cosas blandas que, según el mago, al principio se le escapaban por los boquetes mal cicatrizados de la boca.

A la mañana siguiente, el sargento Solé Vera y Doblas se fueron al Centro Mecanizado. Montoya y Sintora se quedaron en la Casona. Y aunque dispar y extraño, podría decirse que el día fue simétrico para los hombres del antiguo destacamento, sobre todo para Enrique Montoya y Gustavo Sintora. Porque, mientras el sargento y Doblas llegaban a los hangares del Centro Mecanizado y, saludando con buen humor y despreocupación a los conocidos, buscaban algún camión, Sintora salió de la Casona y, merodeando por el jardín, se fue acercando al taller de costura. Por la puerta salía el antiguo rumor de tren, sólo que el tren parecía más débil y que viajaba por detrás de unas montañas demasiado lejanas. Rodeó el edificio, y a través de las viejas vidrieras, que ya tenían más de la mitad de los cristales sustituidos por cartones y trapos, vio primero al enano

Visente volcado en su máquina de coser, pedaleando de
pie, más bajo que la propia máquina, y al fondo, inclinada
sobre la suya, pasando la mano por una tela oscura, vio a
Serena Vergara a la par que Enrique Montoya, asomado a
la ventana de aquella habitación que durante tanto tiempo
había compartido con Ansaura y Sintora, veía a la Ferrallista, alta y pelirroja, cruzar el jardín en dirección a la calle.

Intentó Sintora entrar en el taller, pero la presencia del
enano Visente y las demás costureras, cinco o seis, acabaron
por disuadirlo y volvió andando a la Casona mientras Montoya, que había bajado corriendo las escaleras y había cru-
zado la verja de la calle sin alcanzar a la Ferrallista, desapa-
recida en no se sabía qué dirección, también regresaba al
edificio y se encontraba con su compañero en la escalinata,
sin decirse ninguno de dónde venía, comentando, cada cual
perdido en su laberinto, cómo les iría al sargento y a Doblas.

Y así, mientras el sargento Solé Vera y Doblas, deambu-
lando por los hangares medio vacíos encontraban en el descampado que había detrás de las naves un camión abandonado por avería y el mecánico calibraba el tiempo y las
dificultades de la reparación, Montoya y Sintora pasaron
las horas en la Casona, se encontraron con el enano Visente,
que los envolvió con sus brazos cortos y, santiguándose y
besando el Sagrado Corazón de su detente con los dedos,
les preguntaba por el resto del destacamento. Y mientras
hablaban con él, ambos vieron a través de la ventana de la
cantina pasar, primero, en dirección a la calle, a Serena Vergara, con su abrigo color remolacha, andando al lado de
una compañera entre los árboles, y poco después, entrando
en el edificio, a la Ferrallista, la nariz afilada y la piel lívida.

Por la tarde continuó la simetría, y además los cuatro
hombres tuvieron un mismo testigo de sus actividades.
Y así, mientras el sargento Solé Vera ayudaba a Doblas a des-
montar el motor del camión averiado y un teniente lejana-
mente conocido se les acercó para preguntarles qué estaban

haciendo, el enano Torpedo Miera apareció por el descampado y los saludó, con su sonrisa blanda y su cara pálida. Se quedó con ellos el enano mientras le decían al teniente que cumplían órdenes del capitán Villegas y el teniente les preguntaba si el capitán había vuelto y ellos afirmaban sin hacerle mucho caso, continuando el trabajo a la vez que hablaban y le prometían al teniente llevarle orden firmada por el capitán para seguir reparando aquel camión.

Y todavía estuvo con ellos el enano unos minutos después de que el teniente se hubiera ido, observándolos, preguntándoles, con las manos en los bolsillos, por el Ebro, por Ansaura, mientras en la Casona, después de hablar con el mago Pérez Estrada, del final de la guerra, del futuro incierto que les aguardaba a todos, Sintora salió de nuevo al jardín y de nuevo se acercó a los talleres, acariciando la costra fría de los árboles, arañándose la mano con su piel áspera. Y mientras él, desde el umbral del taller, miraba la sala vacía, las máquinas solitarias, las bombillas que colgaban apagadas del techo, y avanzaba hacia el fondo de la nave, allí donde estaba la huella de una cruz perdida, en la Casona, Enrique Montoya subía hacia las habitaciones y en el rellano de la escalera se encontraba a la Ferrallista, que se detuvo, y con la respiración, sin voz, decía, Montoya, mi Montoya, a la vez que en el taller de costura resonaban unos pasos, Sintora se giraba y en la entrada veía la silueta, la cara de Serena Vergara, iluminada ahora por la luz de la tarde en el ventanal, avanzando despacio primero, con pasos largos luego, para abrazarse a él como la Ferrallista se abrazaba a Montoya y seguía diciéndole, Mi Montoya, Montoya, te llevo esperando mucho tiempo, abrázame, apriétame, Montoya.

Y mientras Doblas seguía desmontando el motor del camión y el sargento iba ordenando en el suelo las piezas como el mecánico le indicaba, el enano Torpedo Miera caminaba hacia la Casona y Gustavo Sintora volvía a reconocer el olor, la cara, los ojos y la sonrisa de Serena Vergara a la par que la Ferrallista, sin dejar de abrazarse a él conducía a Montoya a su habitación y abriendo la puerta con la espalda, dejándola abierta, lo tumbaba sobre la cama, besándose los dos amantes como se besaban Sintora y Serena, diciéndole ella, Serena, que ya no volvería a separarse de él, que su marido estaba preparándolo todo para irse a Valencia y que había tenido miedo de que él, Sintora, no regresara, de que lo hubieran matado o herido o hecho prisionero en esa batalla de la que en Madrid contaban que había sido como el infierno. Mi pobre niño, le acariciaba Serena la mejilla a Sintora, mientras el enano Miera avanzaba hacia la Casona y Montoya desnudaba a la Ferrallista, que torcía los ojos y le decía, Soy tu puta, Montoya, ya nunca voy a ser de nadie más que de ti, y las palabras se le atoraban a la Ferrallista en la garganta y se le mezclaban con suspiros y quejas, y los ojos ya se le volvían del todo y los párpados le temblaban mientras hincaba las uñas en la espalda de Montoya y unas gotas de sangre asomaban por los costados del hombre y el rumor de sus voces y los quejidos salían de la habitación y bajaban por la escalera.

Dime que me llevarás contigo, dímelo, sonreía Serena, a mí y a la niña, que no nos vamos a separar más. La lluvia volvía a caer, despacio, leve entre los árboles del invierno, y el enano Torpedo Miera apretaba el paso, caminaba por la ribera de los charcos en los que su silueta temblaba con un reflejo de aguas sucias. Seguían trabajando a la intemperie Doblas y el sargento y la Ferrallista y Montoya rodaban sobre la cama dejando un rastro leve de sangre mientras Serena le decía a Sintora que debía irse, que había ido a recoger un vestido, un encargo y que Corrons la esperaba. Volverían a verse al día siguiente, en la parte trasera, se besaban, las manos de Sintora pasaban por el cuerpo de la mujer, recordándola más que deseándola. Salían del taller, adelantada y caminando rápida Serena, con su abrigo y su melena destacando entre la grisura de los troncos, bajo la lluvia, y detrás Sintora, envuelto en su viejo gabán militar, las manos en los bolsillos y el frío y el agua rozándole la cara como Serena se la acababa de rozar al despedirse, mirándola a ella y sin ver la figura del enano Torpedo Miera, que en ese momento subía la escalinata de la Casona y que al ver a Serena y a Sintora recordó lo que la Ferrallista le había contado meses atrás, cuando habían arrojado a un falangista por un balcón y entre la multitud había creído ver a la mujer de Corrons con Sintora.

Se detuvo en lo alto de la escalinata el enano hasta que Serena pasó bajo él y se quedó mirándola, sonriendo y sin decirle nada. Estuvo allí el enano hasta que Serena cruzó la verja y desapareció tras la tapia. Fue entonces cuando entró en el edificio, pasó por delante de la cantina, en la que estaban el mago Pérez Estrada y el faquir Ramírez, intentando encender en la chimenea un fuego con leña mojada. No quiso acudir a la llamada del mago, que, mientras el enano empezaba a subir la escalera, salió de la cantina, llamándolo. Pero ya era demasiado tarde, el enano Torpedo Miera, la cara de niño metido en formol arrugada, estaba en la mitad del tramo, detenido y escuchando las voces y los jadeos, casi los gritos, de la Ferrallista. Se miraron el enano altivo y el mago, el faquir Ramírez, que había asomado detrás de Pérez Estrada, la boca rodeada con los lunares del alambre. Los tres en silencio, con la voz, que ya se apagaba, de la Ferrallista cruzando entre sus miradas, acuosa la del enano, celeste la del mago, triste y marrón la del antiguo faquir. Y ya había empezado el enano a descender, despacio, cuando arriba se hizo el silencio y Enrique Montoya, desnudo, salió a cerrar la puerta de la habitación. Vio Montoya al enano de espaldas, su joroba pequeña, bajando la escalera. Los ojos del mago, la boca cerrada del faquir Ramírez.

Madrid era una ciudad colgada del vacío. Cada día alguna de sus casas, alguna de su gente, desaparecía en el abismo. Todos sabíamos que Madrid se iría desmoronando piedra a piedra, hombre a hombre, hasta que muy pronto la ciudad entera no fuese otra cosa que un esqueleto cayendo hacia la nada. Y a pesar de ello se sucedían los días, venían nuevos rumores, nuevos miedos, y la gente se apostaba en las colas, se asomaba al sol, salía a la calle, miraba a los otros, sabiéndose ya todos pasto de la destrucción. Olvidándolo y sabiéndolo todo a cada segundo.

Gustavo Sintora sabía de la destrucción inminente, hablaba con Serena Vergara, planeaban su huida a la vez que Corrons planeaba la suya, la entrega del Marqués, la liquidación de sus asuntos, la desaparición de su rastro, mientras el sargento Solé Vera y Doblas, en la explanada que había detrás del Centro Mecanizado, recomponían a contrarreloj un camión medio destripado y en la Casona, Enrique Montoya y la Ferrallista compartían habitación, sin que ninguno de los dos hubiese llegado a hablar con el enano Torpedo Miera, más enano, más altivo desde el día en que se quedó varado en medio de la escalera, sin volver a subirla ya nunca, sin que nadie, más que Corrons, supiese cuál era su paradero.

Así se iban sucediendo los días. Y como el teniente aquel había vuelto a preguntarle al sargento y a Doblas por el capitán Villegas y por el trabajo que estaban haciendo, el sargento Solé Vera envió a Sintora y a Montoya en busca de Sebastián Hidalgo, para que les falsificara una orden, no ya del capitán Villegas, sino del coronel Bayón, con la que callar al teniente. Fue la única vez que Sintora vio la casa de Hidalgo, aquella buhardilla de los alrededores de la Puerta del Sol, pequeña, limpia y con una mesa donde había tinteros de muchos colores.

—Holandeses —dijo el falsificador con orgullo—, tinta que habría envidiado Rembrandt —pinceles y plumas, ficheros, todo colocado con un orden geométrico.

Con su cara de niño, su sonrisa tierna, Sebastián Hidalgo lamentó el estado de las gafas de Sintora, preguntó por la dentadura metálica de Doblas, se quedó un instante con la vista y la sonrisa perdidas, tocadas de ensueño, cabeceando, y les ofreció unos vasos de vino que era vino verdadero, no el líquido áspero y negro que siempre habían bebido en la cantina y del que todavía, no se sabía de dónde, el mago Pérez Estrada conseguía sacar alguna botella.

Les prometió Sebastián Hidalgo la orden y unas nuevas gafas para Sintora, pero cuando dos días después apareció por la Casona, además de la orden y de las gafas, que eran redondas y con la montura de jaspe marrón, casi amarillento, el falsificador Hidalgo les llevó a los antiguos hombres del destacamento una noticia. Una noticia que hablaba de Ansaura, el Gitano, y que a él se la había dado esa misma tarde Bento Valladares, el Portugués, un joven discípulo que Hidalgo había tenido en sus años de Barcelona y que ese mismo día había llegado a Madrid. A pesar de su edad, veintidós años, Valladares no había sido movilizado porque tenía la facultad de provocarse en el momento que lo quisiera y a voluntad propia unos aparatosos ataques de epilepsia que le habían valido su incapacidad para las armas y la posibilidad de andar a su antojo por la guerra, de un lado para otro, por más que en agosto del treinta y seis lo hubiera fusilado un pelotón de falangistas y en octubre del treinta y siete un piquete comunista, llegando estos últimos a darle sepultura en una fosa común de la que el Portugués salió con la boca llena de tierra y dos heridas en el costado. Era inmortal, Bento Valladares, pero no era de él de quien Sebastián Hidalgo quería hablar, sino, ya lo había dicho, de Ansaura, el Gitano, con quien Valladares se había encontrado en la provincia de Lérida.

Iba con una máquina de coser a cuestas, Ansaura, cargando con ella por en medio del campo. Una Singer, decía a cada momento Ansaura, el Gitano, como si el otro no supiera distinguir las letras que la máquina llevaba escritas en su caperuza de madera o labradas en su armazón de hierro. Le contó Ansaura a Bento Valladares que venía con ella, con la Singer, desde el Ebro, que había entrado en una casa respetable y había encañonado a los dueños de la vivienda y de la máquina, un anciano pequeño y casi redondo y una joven que era su hija y quien usaba la Singer. Entre el viejo y la muchacha cargaron la máquina en el camión que Ansaura, el Gitano, había dejado en la parte trasera de la casa. También se llevó dos candelabros y unas morcillas.

Anduvo con el camión camino de Barcelona, adelantando soldados que iban en retirada hacia esa ciudad y saliéndose de la carretera cuando advertía peligro o necesitaba descansar. Dormía en la caja del camión tapado por una manta y abrazado a la Singer. Pero sólo pasó una noche con la máquina en el camión, porque nada más empezar su segundo día de viaje, el vehículo se quedó sin combustible y el bidón que llevaba en la caja apenas contenía un par de litros con los que, después de mucho sufrir, consiguió arrancar el camión y recorrer ocho o diez kilómetros de carril. Aunque llevaba una pierna herida, el Gitano no tuvo ninguna duda sobre lo que debía hacer. Arrastró la máquina por la caja del camión, bajó la puerta trasera y, con las cuerdas con las que la había llevado atada para que no se moviera con las pendientes y las curvas, se la amarró a la espalda y, titubeando por el peso y el dolor de la pierna, hundiéndose en la tierra húmeda, empezó a andar Ansaura, el Gitano, hacia donde su instinto infalible le decía que estaba Barcelona.

Descansaba poniéndose de rodillas o descargando el peso de la Singer en alguna roca o en algún tronco, en cualquier saliente que lo pudiera aliviar del peso por algunos minutos, por algunos segundos, porque por todas partes veía peligros y de tarde en tarde distinguía a lo lejos movimiento de gente, seguramente soldados, tal vez desertores, tal vez hombres perdidos de su unidad que atravesaban los montes por su cuenta y que le hacían a Ansaura estar alerta en todo momento. Y de ese modo, subiendo cuestas, cruzando cañadas y atravesando torrenteras con la máquina a cuestas, con la tizne de la barba ya cerrada, los ojos perdidos en sus cuencas y la nariz afilada por el esfuerzo, llegó Ansaura, el Gitano, a la vista de una granja que al parecer tenía habitantes. Caía la tarde.

Se desató la máquina de la espalda, le crujieron los huesos y empezó Ansaura, el Gitano, a bajar hacia la granja con mucha cautela y el fusil montado. Cruzó los corrales y allí vio la sombra de un animal. Era un burro de tamaño medio pero desnutrido y con las orejas vencidas. Vio el parpadeo de una luz en la casa, y se acomodó Ansaura entre los arbustos que rodeaban el corral, dormitando y temblando, hasta que la noche estuvo muy entrada y en la casa transcurrió un buen rato después de que la luz se hubiera apagado.

Abrió con cuidado el corral y cogiendo al animal por las crines, venciendo a patadas la resistencia del burro a moverse, lo sacó de la cuadra, maldiciéndolo por lo bajo y tapándole el hocico con su guerrera cada vez que el animal pretendía rebuznar. Lo llevó como pudo hasta el sitio donde había dejado la Singer y allí, en medio de la oscuridad, cargó la máquina y la ató sobre el lomo de la bestia. Le dio el día andando con el burro, que a cada tramo se tambaleaba más. Sólo que con la luz entendió Ansaura, el Gitano, el porqué de tanta resistencia del burro no ya al trabajo sino a cualquier tipo de movimiento.

El animal sólo estaba compuesto de esqueleto y pellejo, y este último lo tenía en la mayor parte del cuerpo trasquilado y con grandes calvas por las que le asomaban costillas y huesos de todo tipo. La mirada la tenía triste la bestia y las patas llenas de mataduras y con temblores. Aun así, pensando en su mujer y en los trajes que aquel prodigio de máquina iba a producir, murmurando el nombre de Amalia, Amalia Monedero, aunque ya sin números detrás, Ansaura espoleaba al burro, y cuando éste se paraba, hocicando y dando rebuznos cada vez más lánguidos, casi aullidos de lobo tierno, le daba bofetadas en la cara medio peluda, guantazos que hacían crujir las quijadas del bicho que, ya mediada la tarde, al final de una cuesta, remontándola después de mucho resbalar entre las piedras, hincó su hocico en el barro, quebrado de patas, y, aplastado por el peso de la Singer y por su propia debilidad, después de intentar levantarse y obedecer las órdenes y las patadas del Gitano, se dio por vencido, lo mismo que Ansaura.

Lloroso, viendo los espasmos de las patas ensangrentadas, la carcasa de la máquina rota precisamente donde la madera se clareaba para dibujar las primeras letras de la palabra Singer, y los ojos grandes y tranquilos, medio dormidos, del burro, Ansaura, el Gitano, desató con mucho cuidado la máquina del lomo del animal y repasó con sus yemas y con la negrura de sus uñas las astillas de la madera rota. Arrastró por el barro la Singer para que la sangre no la manchara, montó el naranjero y le soltó un tiro en la cabeza al burro, que, asustado por el estruendo, casi se incorporó por completo, abrió mucho los ojos, estuvo unos momentos mostrando el verdor de su dentadura y, soltando un caño leve de sangre por al lado de una oreja, cayó con un ruido de calavera.

Fue al día siguiente cuando Bento Valladares, que venía de hacer unas estafas en Lérida, se encontró con Ansaura, el Gitano. Al verlo desde lejos no supo si era un hombre o una máquina de no sabía qué tipo lo que avanzaba por la ladera del monte que tenía frente a él, con aquella forma extraña y aquel extraño movimiento de oruga que apenas avanzaba. Y todavía, cuando lo tuvo nítido en la pupila, no daba crédito Valladares a lo que veía, un hombre cargado por en medio del campo con una máquina de coser, renegrido, resoplando y con una pierna herida. Se quedaron los dos hombres mirándose a los ojos al cruzarse en la estrechez de la vereda, sin decirse nada, el Portugués muy serio y el otro mirando, a modo de amenaza, el fusil que le colgaba de un lateral de la máquina.

Y cuando Ansaura, el Gitano, se detuvo veinte o treinta pasos más adelante aprovechando la rama muerta de un árbol para apoyar la máquina, se dio cuenta de que aquel tipo, Bento Valladares, dijo llamarse, lo había seguido a cierta distancia. Todavía se quedaron mirándose sin decirse nada, hasta que el otro pronunció su nombre y dijo que venía de Lérida. El Gitano no le contestó, dio un resoplido y levantó de nuevo la máquina, titubeó, un paso a la izquierda, dos a la derecha, hasta que pudo establecer de nuevo la línea recta y siguió andando, ya con el joven aquel pegado a sus talones, hablándole del frío que hacía, de lo húmedo que estaba el campo y de lo crecido que iba un río que había pasado hacía un rato, sin que Ansaura, el

Gitano, le contestara nunca y ya ni siquiera, como había hecho al principio, lo mirase de reojo.

Y así fueron hasta que ya al final de la tarde, Bento Valladares le dijo que detrás de unos árboles que veían al fondo había un caserío abandonado en el que podían pasar la noche. Sin contestarle, Ansaura, el Gitano, tomó el camino que el otro le había indicado y sólo entonces se refirió Valladares a la máquina de coser.

—Pesa, ¿no?

—Es una Singer.

—Lo pone ahí.

—Para mi mujer.

—Es un buen regalo.

—Se llama Amalia Monedero.

—Ah, Monedero.

—Pero pesa mucho.

—Es que lleva mucho hierro, mucho adorno.

—Es una Singer.

Se ahogaba Ansaura, el Gitano, y a su lado Bento Valladares, cuando lo veía trastabillear, se quitaba las manos de la espalda y le orientaba la máquina, sosteniendo una esquina con dos dedos hasta que el otro reafirmaba el paso. Y así llegaron hasta el caserío despoblado, cinco o seis casas reunidas que formaban una pequeña plaza, a trozos adoquinada con piedras redondeadas, a trozos pelada y con asfalto de hierba y tierra. Entraron en la casa mayor y ante la negativa de Ansaura, el Gitano, a dejar la Singer en la calle o guarecida en una cuadra trasera, se emplearon los dos hombres un rato en desatrancar la doble hoja de la puerta para que la máquina, arañando las paredes y manchándose de cal, pudiera entrar hasta la sala principal.

Allí, ante el fuego que encendieron en la chimenea, fue donde Bento Valladares, el Portugués, le contó su historia de falsificaciones y estafas a Ansaura, el Gitano, y donde éste le habló de la suya, los años en Madrid, el Ebro y su marcha con la Singer hacia Barcelona. Surgió, hablando de falsificaciones, el nombre de Sebastián Hidalgo y cada uno se refirió a él con admiración, Bento Valladares hablando de su maestro, el Gitano de una especie de sabio que dominaba ciencias extrañas y que era capaz de variar a la gente en los periódicos sin que dejaran de ser quienes eran. Es como si les sacara el demonio que llevan dentro y se lo dejara quieto en la cara, dijo Ansaura, el Gitano, arrastrando la máquina, la pierna herida volviendo a sangrar, hasta el dormitorio con cama de borra que había frente a la chimenea.

Y ya cuando a la mañana siguiente, viendo cómo en la lejanía, sobre las copas negras de los árboles, se levantaba una niebla lenta, alzándose hacia un cielo que tenía tintes y piel de melocotón, estaban en aquella especie de plaza, sólo entonces, mientras volvía a atarse la máquina de coser a la espalda, le preguntó Ansaura, el Gitano, a Bento Valladares si no iba él en otra dirección cuando se encontraron. El otro le dijo que sí, que él iba a Madrid, y que iba a seguir su camino, pero que hacía varios días que no hablaba con nadie y que él era un aprendiz de la vida, que las enseñanzas, el conocimiento de los hombres era muy importante para su profesión, así que al verlo con la máquina, con la Singer, a cuestas pensó que una persona que hacía ese tipo de cosas era alguien que merecía la pena conocerse y con mucho que contar, además de tener la capacidad de escuchar las cosas de los demás.

Escucharlas y darles su valor, estaba diciendo Ansaura, el Gitano, su flequillo cortado al tajo pegado a la frente y la mirada de dolor al pensar en el inminente peso de la máquina, cuando por detrás de la casa oyó unas voces y antes de que ni siquiera pudiese volver la cabeza ya estaba en el suelo, derribado y con la máquina, como el burro, derrumbada encima de él. Vio los pies, botas, alpargatas y zapatos, que corrían por la plaza, la cara alarmada de Bento Valladares, las culatas de los fusiles y la cara de uno de los hombres, negra como la suya, pero con bigote, la nariz de águila y el blanco de los ojos, demasiado juntos, de color marrón. Le gritaba algo que Ansaura, el Gitano, no entendía.

Que te levantes, maricón, fue lo que le gritó otra voz, la de alguien que él no veía y que seguramente fue quien le golpeó el costado, tal vez con la culata de un fusil, tal vez solamente, aunque muy fuerte, con el pie. A Bento Valladares ya lo habían rodeado, y uno de los soldados, entre los gritos, le había dado un puñetazo, dos, que le embadurnaron a Bento la cara de sangre, con tanta rapidez que el propio Valladares pensó que ya tenía la sangre derramada por la cara antes de que le pegaran.

Que te levantes, le gritó la misma voz a Ansaura en la misma boca del oído, O es que estás sordo, me cago en tu madre, hazle caso al sargento. Bento Valladares vio cómo Ansaura, el Gitano, intentaba zafarse de las cuerdas en las que estaba medio atado, salir de debajo de la máquina, mientras Ansaura, al lado de su cabeza, oía cómo el soldado que le había gritado montaba un arma y volvía a decir, en voz más baja, ¿Estás sordo de verdad, cabrón? Levántate, Ansaura, le gritó desde en medio de la plaza Bento Valladares, pero antes de que acabara de decir el nombre del Gitano ya había sonado aquel tiro que no mató a Ansaura, el Gitano, que no le hundió ninguna bala en el cuerpo, pero que, disparado en la cuenca de la oreja, le reventó, o por lo menos le dejó roto, partido de dolor, el tímpano.

¿Has escuchado?, dijo con una carcajada, riéndose de verdad, el soldado que había disparado, el mismo que había golpeado con la culata el costado de Ansaura, y que a pesar de no ser marroquí llevaba un fez colgando de una faja de color rojo y sobre los hombros una capa que parecía aumentar la altura de aquel tipo, fuerte, muy joven aunque con muy poco pelo en el cráneo poderoso, calvo

prematuro el soldado que miraba con desafío a Valladares, midiendo qué hacer con él después de haberle gritado
al Gitano.

—Ansaura se llama éste, mi sargento. Ya lo sabemos
casi todo de él, que es gitano, que se llama Ansaura y que
es transportista de máquinas de coser —dijo el joven antes
de dirigirse de nuevo a Ansaura, el Gitano, que se agarraba la cabeza, ya sordo de verdad y con la oreja o el oído
sangrándole, por alguna rotura interna o quizá simple-
mente por algunos granos de tierra que con el disparo se
le habían incrustado por los alrededores de la oreja—: Levántate, maricón, o es que te vas a quedar ahí acostado,
haciéndole un vestidito a tu amigo.

Todavía con la cuerda rodeándole la cintura, Ansaura,
el Gitano, se fue alzando con mucha torpeza y lentitud, y
a la vez que él se levantaba intentaba levantar la máquina
de coser, mirándole los desperfectos. El sargento, que era
el hombre moreno y de los ojos pegados a la nariz de águila,
detuvo al tipo joven, que ya estaba dispuesto a derribar de
una patada la máquina, y se reunió con los demás hombres,
ocho o diez, en medio de la plaza. Bento Valladares dijo
que sabía lo que iba a ocurrir desde el primer momento,
desde que el tipo aquel, Machuca le había llamado el sargento al soldado joven y medio calvo, desde que Machuca
había tirado a Ansaura al suelo. Le preguntó el sargento si
él también era soldado, y Bento, convencido de que en ese
momento su habilidad para ocasionarse un ataque epiléptico sólo le habría podido acarrear que lo mataran como a
un perro con rabia nada más verlo con las primeras con-
vulsiones dijo que no, que él era un enfermo y que al soldado de la máquina de coser lo había encontrado la noche
anterior. Habían dormido en aquellas casas y ahora cada
uno iba a seguir su camino.

Se quedó el sargento mirándolo pensativo. Por la boca
entreabierta se le veían unas mellas que contrastaban con

los dientes blancos y grandes que el llamado Machuca enseñaba al respirar, echando un torrente de vaho blanco en cada espiración. Se dio la vuelta sobre sí mismo el sargento y mirando a Ansaura, el Gitano, que, además de por el oído, sangraba por la pierna y con una manga limpiaba la carcasa ya doblemente rota de la Singer, le preguntó adónde iba con la máquina. Le tuvo que repetir la pregunta, en voz más alta, acercándose unos pasos y quedándose entre sus hombres y Ansaura.

—Es para mi mujer.

Le preguntó el sargento de dónde venía.

—Es una Singer.

Bento Valladares miraba a Ansaura, su flequillo despeinado y la barba de tizne manchándosele de una sangre que también parecía negra. Los ojos con fiebre y los pómulos demasiado asomados a la cara. Tragó saliva el Gitano, la nuez le viajó lenta por el cuello, primero hacia arriba, luego en un descenso largo, antes de añadir:

—Del Ebro.

A Bento Valladares ya lo habían fusilado dos veces. Tenía conocimiento de cómo funcionaba la ceremonia, y aunque pensaba que podía salir vivo de una tercera descarga, un temblor se le apoderó de la pierna izquierda. Pensó que de verdad iba a ser pasto de la epilepsia, de un ataque que no podía controlar y del que quizá no fuera a despertar nunca. El sargento, con mucha calma y ya con la decisión sobre los dos prisioneros perfectamente tomada, le preguntó, con curiosidad, a Ansaura, el Gitano, si había matado a alguien en el Ebro.

—Voy a Barcelona.

—Te digo si has matado a alguien, en el Ebro o en otra parte.

Se quedó Ansaura, callado, mirando aburrido al sargento. Bento no sabía si el Gitano se estaba dando cuenta de lo que ocurría o si es que ya, como él, entendía lo que iba a suceder y consideraba inútil cualquier esfuerzo. El joven de la capa, Machuca, murmuraba maldiciones ante el desafío silencioso de Ansaura. Bento Valladares, viéndolo de cerca, se dio cuenta de que ni siquiera tendría veinte años. El sargento volvió a preguntar:

—¿Eres gitano?

Pero Ansaura siguió en silencio, miraba al sargento y se miraba la mano, manchada de sangre, la pierna, la Singer. Escupió el soldado joven en el suelo. Bento Valladares sintió que un ojo se le iba, se le torcía, que se tragaba la lengua. Intentó retener el aire en los pulmones y al pronto pareció recuperarse, más o menos cuando Ansaura, el Gitano, había decidido volver a hablar:

—Voy a Barcelona, a llevarle la Singer, la máquina, a mi mujer. Se llama Amalia Monedero —hizo una pausa, Ansaura, volvió a tragar saliva con mucha dificultad—. Amalia —y luego dijo un número muy largo.

Giró la cabeza el sargento y le hizo un gesto leve a sus hombres, indicándoles con la sien un lateral de la plaza. Se dirigieron hacia Ansaura los soldados y dejaron solo a Bento Valladares que, ya medio recuperado de su conato de ataque, oyó cómo al pasar por al lado del sargento, el tipo llamado Machuca le dijo al sargento, Tengo balas dum-dum, mi sargento, al gitano le van a gustar. Agarraron a Ansaura, el Gitano, por los brazos y quisieron llevarlo hacia la esquina de la plaza que el sargento había señalado, pero él ya se había aferrado a la cuerda que todavía lo tenía atado a la máquina y desesperadamente intentaba abrazarse a la Singer. Iban a romperle los dedos con la culata de un fusil cuando el sargento gritó desde el centro de la plaza que lo soltaran, que lo dejasen llevar la máquina con él.

Se separaron los hombres de su lado, y Ansaura, el Gitano, después de mirarlos con mucho detenimiento, se agachó dándole la espalda a la Singer y, agarrándola por los lados, tambaleándose, consiguió levantarse con ella a cuestas. Rodeado por los soldados, seguido por el sargento y de lejos por Bento Valladares, Ansaura, trastabilleando, con la máquina sobre la espalda y la cuerda con la que había estado atado a ella arrastrando, se dirigió hacia un lado de la plaza y desde allí, siguiendo las indicaciones del sargento, empezó a subir una pendiente, deteniéndose a tomar aliento, mirando sólo la tierra del camino, sus pies, el derecho empapándose por la sangre que le bajaba de la pierna y sin ni siquiera alzar la vista cuando uno de los soldados, no sabía cuál, aupándole la máquina, le ayudó a remontar un desnivel del camino, un surco que le había hecho doblar la rodilla y en el que se habría derrumbado del todo sin aquella ayuda.

Y así llegó hasta el final de la cuesta el soldado Ansaura, allí donde ya no había casas, sólo una explanada donde el campo se abría, una tapia con la cal despintada por la lluvia y el moho y por encima de la cual asomaban las ramas desnudas de un árbol, oscilando con la primera brisa de la mañana. Con mucho esfuerzo, doblando las rodillas, bajó la máquina con cuidado hasta dejarla en el suelo. Se estaban separando los soldados de él cuando Bento Valladares, que había seguido todo el recorrido detrás del pelotón, llegó a la explanada y vio la figura de Ansaura, el Gitano, de pie al lado de la Singer, negro el flequillo que ahora le desbarataba un golpe leve de viento, negro el alquitrán húmedo de los ojos y negra su piel, su mano, negro el borde de sus uñas temblando sobre la máquina de coser, abollada y sucia allí donde los barnices de la madera se aclaraban para lucir las seis letras de la palabra Singer.

Le contó a Sebastián Hidalgo el falsificador Bento Valladares que Ansaura, el Gitano, por un instante le pareció más joven, como si al pronto se le hubieran borrado del rostro el cansancio y el tiempo de la guerra, y que a pesar

de que miraba al frente, altivo, el Gitano no miraba a ninguna parte, o miraba más allá de todo, más allá de las copas negras y lejanas de los árboles, de la bruma que por
encima de ellos seguía levantándose, más allá de aquellos
hombres que se alineaban frente a él, que levantaban sus
fusiles y apuntándole entornaban un ojo, un soldado los
dos, y se disponían a apretar con fuerza la palanca de sus
gatillos. Lo vio abrir la boca Valladares, y cuando pensó
que iba a dar vítores a la Singer o a su mujer, Amalia Monedero, oyó que el soldado gritaba, Viva la República,
justo antes de que las balas le traquetearan el cuerpo y le
hicieran perder la forma, la compostura de un hombre. Se
derrumbó despacio Ansaura, el Gitano, herido en no se
sabe cuántas partes, repartida la descarga entre su cuerpo
y la máquina de coser, que cayó arrastrada por el peso de
Ansaura y a la que las balas le habían volado la caperuza
y levantado algunas astillas además de chispas y resplandores en sus partes de hierro.

Se acercó el sargento con su pistola desenfundada a
Ansaura, que, con unas briznas de hierba tierna en la boca,
contorsionado, finalmente se había quedado boca arriba,
mirando al cielo y con los ojos entornados, parpadeando
de tarde en tarde, como un reloj averiado, Ansaura. Dio el
tiro de gracia el sargento, pero no al Gitano, sino a la Singer, en las tuercas y las correas que con el vuelco se le habían quedado al aire, y se volvió con un atisbo de sonrisa
hacia sus hombres, que se rieron con el gesto de su superior. Todavía se mueve, mi sargento, dijo uno de ellos. Y el
sargento, mirando por encima del hombro la máquina,
apuntó la pistola y le descargó a la Singer, dos, tres disparos más.

Después se acercó a Valladares, le señaló el monte que
tenía detrás, y el joven falsificador, dándose la vuelta, empezó a caminar, subiendo, primero despacio, después ace-
lerando el paso, la ladera resbaladiza de hierba y barro,

hasta que ya desde la cima se volvió para mirar hacia abajo y vio al grupo de soldados alejándose de aquel lugar, la capa del joven ondeando al viento, la tapia, el árbol desnudo y bajo él el cuerpo derrumbado de Ansaura, el Gitano, tumbado boca arriba y probablemente todavía vivo, como él lo había visto al caer, parpadeando y diciendo una palabra, quizá un nombre, que no llegaba a salir de su boca y se quedaba allí, atrapado entre las briznas de hierba que se habían enredado a sus labios de moribundo.

—Lo demás —dijo Sebastián Hidalgo—, poco importa.

Sólo que el Portugués al llegar a Madrid en el coche de un oficial al que no se sabe cómo había engañado en algún pueblo del camino, fue a ver a Hidalgo y le contó el destino que había tenido Ansaura, el Gitano. Y se quedó Sebastián Hidalgo mirando a los antiguos hombres del destacamento, con su cara de niño entristecida, tocándose las uñas y desviando la vista al ventanal de la cantina, donde la tarde y la lluvia volvían a caer.

Nos miró Hidalgo con sus ojos de niño, al sargento Solé Vera, a Doblas, a Montoya, al mago Pérez Estrada, con su camisa sucia, a la Ferrallista y al faquir Ramírez, que, con su boca pespunteada de cicatrices, había llegado a la cantina cuando Sebastián Hidalgo llevaba mediado su cuento. Yo lo veía todo con mareo, tal vez por las dioptrías de los nuevos cristales que me hacían verlo todo empañado, como si también la lluvia cayese dentro del edificio y me enturbiara las gafas. Se lamentaba por la pérdida, por el fin que el destacamento estaba teniendo, Sebastián Hidalgo. Pero no hubo mucho lugar para el lamento. Eso vendría en el futuro, cuando ya nada pudiéramos hacer, cuando los supervivientes pudieran mirar atrás como hizo el falsificador Bento Valladares el Portugués desde lo alto de la colina, desde la lejanía del tiempo, para ver el cuerpo, el flequillo revuelto de Ansaura, el Gitano, como quien de nosotros sobreviviese podría volver la cabeza y ver quiénes fuimos, todos nosotros, todo lo que iba cayendo en la bodega de nuestra memoria, sin apenas tiempo para ser visto.

Nos fuimos levantando despacio. El sargento Solé Vera miraba por la ventana. El mago dijo el nombre de Ansaura y Sebastián Hidalgo volvió a mencionar al destacamento, pero nosotros, los soldados, no lamentamos nada, porque desde meses atrás teníamos la certeza de que todo había acabado, de que sólo el dolor y la pérdida serían nuestros aliados. Y ahora ya todo estaba ahí, delante de nosotros. Mirándonos a la cara.

A partir de este punto, la escritura de Gustavo Sintora se hace más enrevesada, se rompe en fragmentos y a veces se hace indescifrable. Sólo están hilvanados aquellos sucesos del final de la guerra en los cuadernos que escribió muchos años después, en los tiempos en que iba a mi casa, con mi padre, con Sebastián Hidalgo, delgado, con cuerpo y ojos de niño, perdido dentro de su eterna chaqueta gris el falsificador, con sus dedos manchados de tinta, reunidos primero en el patio de la casa, luego en Los 21 con el Toto, que había sido demasiado joven, un niño, para participar en la guerra, con el padre de Luisito Sanjuán, que nunca quiso hablar de las bombas que desde el Canarias, con su gorra de plato bailándole en la diminuta cabeza, había tirado sobre Sintora y la gente que iba por el camino de Almería, y con los otros dos supervivientes de aquel antiguo destacamento que durante casi toda la guerra no había hecho más que llevar cupletistas y magos de un lado para otro. Fuimos unos saltimbanquis, decía siempre mi padre, el antiguo sargento Solé Vera, ya sin su chaquetón de cuero, ya sin su pistola en el costado, todavía con la miel de los ojos llena de ensoñaciones, viejo soldado de aquel destacamento que en el final de la guerra veía cómo iba siendo borrado, arrastrado por el vértigo de unos tiempos que no conocieron la paz, la piedad ni el perdón.

Los hechos, por lo que se desprende de las notas de Sintora y por las pocas conversaciones que en su tiempo pude oírle a mi padre, debieron desencadenarse a partir de una conversación intrascendente de Corrons con el enano Torpedo Miera, cuando el primero le preguntó al enano cómo le iba la vida de cornudo, sonriendo Corrons, con el agua aquella de los ojos a punto de rebosar de los párpados. Parece que los dos iban borrachos, y que al principio el enano no quiso contestarle a Corrons, desacostumbrado a la bebida y machacón en su argumento. Iba conduciendo el coche ese que entonces le prestaba algún camarada de su partido, y el enano, con su cara de niño hervido, miraba pasar el paisaje de tapias y descampados.

Le decía Corrons que tampoco había perdido mucho con la Ferrallista, que ya sabía lo que era cuando se casó con ella, que se la veía venir y que las cosas, viéndolas desde lejos, duelen menos, porque ya están doliendo desde antes, restando sufrimiento. Las mujeres no cambian, le dijo. El enano lo miraba desde abajo, con los ojos entornados. Se encaprichó de ti por enano, por las cosas esas que dices en italiano o a lo mejor por darle celos a otro, pero en cuanto Montoya se descuide le hace lo mismo que a ti, Torpedo, por eso no te tienes que preocupar, la venganza te va a llegar sola, antes o después, eso si Montoya consigue salvar el pellejo, salir vivo de aquí, le iba diciendo Corrons, con la lengua suelta, blando en el volante, cuando volvió a preguntarle cómo se sentía con cuernos, si le había dolido mucho.

—Por lo menos ya eres más alto —le dijo Corrons, mirándolo con algo que parecía ternura.

—No tanto como tú —contaba mi padre que le contestó el enano, la cara pasada de cocción.

Pero Corrons no reparó en las palabras del enano Torpedo Miera y siguió a vueltas con la Ferrallista, hablando de los hombres que él le había conocido, aunque, eso sí, a ninguno había estado tan apegada como al tipo ese del destacamento, del puto destacamento, esos parásitos y otros como ellos son los que nos han hecho perder la guerra, colaboradores del fascismo, unos con sus cupletistas y sus mariconerías y otros con los rezos y los miedos. Y poco a poco, a medida que la conversación se le iba por el rumbo de la política y del destacamento, se le fueron secando las palabras a Corrons, se le fue agriando la cara, volviéndole a su ser, hasta que quedó en completo silencio, echando un vaho de coñac pestilente, con el enano al lado, pensativo, mirando pasar por encima de la ventanilla la altura de los edificios, viéndolo todo desde abajo, siempre viéndolo todo desde donde no está hecho para verse, los mostradores, las mesas, la gente y la vida entera. Nunca con la cara en la cara de nadie, siempre debajo, tragándose lo que los demás no querían, como entonces se tragaba las palabras y la peste que Corrons echaba por la boca.

Y fue al llegar a la esquina donde habitualmente se separaban cuando el enano, ya bajado del coche, viendo que Corrons tardaba en arrancar, viéndole la cara y el desprecio que le torcía la boca al mirarlo a él, se dio la vuelta y, después de dar unos golpes en la ventanilla para que el otro bajara el cristal, casi metió la cabeza dentro del coche. Volviéndose a tragar con asco una bocanada del vaho podrido que flotaba allí, le dijo a Corrons que sí, que en algo tenía razón, y que las peores mujeres debían de ser las que no se ven venir. Ésas son las que hacen más daño, como tu mujer y el soldado ese de las gafas, le dijo el enano con mucha calma, mirando cómo a Corrons el charco rosa de los ojos se le tintaba de oscuro, tirándole a morado, y su mano se palpaba las ropas en busca de la pistola.

—Por muchos tiros que me metas, a tu mujer se la va a seguir follando el niño ese, Sintora o como se llame —le dijo el enano con la calma de quien ya no tiene nada que perder—. No es a mí a quien tienes que asustar, con tu pistola.

Se quedó Corrons unos instantes callado, el tiempo suficiente para que se le evaporase la borrachera, o eso pensaba él, porque a partir de entonces empezó a actuar sin cálculo, precipitado, desobedeciendo a una naturaleza fría que, en el fondo, Corrons, el impostor, quizá nunca había tenido. Fingió una sonrisa, la idea de una broma que se le deshizo al ver la cara del enano, que seguía inmutable, asomado a la ventanilla, mirándole la pistola que él no se acababa de sacar de la cintura, a lo mejor suplicándole que la usara, que le diese un tiro allí mismo.

—Quién te ha dicho —acabó por decir Corrons.

—Me lo dijo la Ferrallista, hace mucho. Y después lo he visto yo, pero se lo puedes preguntar a cualquiera, Corrons.

El enano se dio la vuelta y se fue por la misma calle de siempre, con las manos metidas en su abrigo de niño, la mirada transparente y el cuello encogido, quizá esperando el sonido de un disparo, quizá sólo encorvado por el frío, caminando por la calle gris, perdiéndose en ella sin que ya nunca se volviera a saber nada de él hasta muchos años después, cuando de la guerra ya sólo quedaban recuerdos y palabras, la leyenda del miedo.

Puso Corrons el coche en marcha y guiado por él, por el vehículo que parecía decidir su camino, se dirigió hacia la Casona. Los árboles reflejaban sus ramas de esqueleto en el vidrio delantero, dedos de hueso acariciando en silencio el cristal, caricias fugaces que fueron rotas por el ruido de los frenos, por el sonido de los neumáticos royendo la grava. Demasiado brusca, demasiado seca la parada, pero era el coche, no Corrons, quien decidía. Subió la escalinata todavía demasiado rápido, Corrons, que intentaba frenarse, aserenar sus movimientos. Entró en la cantina, que estaba vacía, apenas iluminada y con los postigos del ventanal echados, la pintura gris se descascarillaba en la madera, trabajaba muy lenta la destrucción. Estudió el silencio del edificio, yendo de un lado a otros sus ojos de muerto. Oyó algunos crujidos, nada, y subió a las habitaciones, Corrons. En la escalera empuñó la pistola, sus dedos eran redondos y cortos abrazando el puño del arma. No encontró a nadie. En una de las habitaciones reconoció la ropa de la Ferrallista, en otra, sobre una pequeña mesa, vio las gafas de Sintora, aquellas que tenían el cristal partido y atada a sus patillas la cinta, limpia, de flores amarillentas, los girasoles estremecidos del verano. Corrons aplastó las gafas de una patada. Partió la mesa y, ya en el suelo, trituró las gafas, pisoteó las flores, inmarcesibles en el campo alargado y estrecho de la cinta.

Bajaba las escaleras Corrons, las pupilas a la deriva en el agua de los ojos, cuando vio a la Ferrallista, que desde el pie de los escalones le estaba mirando la mueca desencajada de su rostro, la pistola en su mano. Fue a dar la Ferrallista un paso atrás, a volverse, pero ya Corrons, saltando por los peldaños con la agilidad que le daba la furia, la había alcanzado. Por el jardín arrastraba los pies, despacio, el faquir Ramírez. Miraba los árboles y tenía el resplandor suave del cielo reflejado en la tristeza de los ojos. *Yo estaba en el Centro Mecanizado, el sargento Solé Vera, dentro de la cabina, intentaba arrancar el camión mientras Doblas, con el hierro de sus dientes al aire, echando un vaho denso y con las manos en las caderas, miraba morado el motor, estremecido y ronco.* Lo primero que hizo Corrons fue darle la vuelta, poner a la Ferrallista cara a cara con él, y luego, alumbrado por la claridad de aquellos ojos que lo miraron con miedo, golpearla, darle un puñetazo con la mano en la que tenía la pistola, rompiéndole los labios a la mujer, la sangre deslizándose como un reptil por los dientes, bajándole en un hilo por la barbilla, y partiéndose él mismo, con el arco del gatillo, el dedo anular.

Se estaba levantando la Ferrallista, tosiendo, manchándose los dedos de sangre, cuando Corrons, aguantando el dolor, le volvió a pegar con la pistola, esta vez en el cuello, y otra vez, mientras la Ferrallista volvía a caer, intentó golpearla, pero en esta ocasión sólo le rozó con el cañón del arma la oreja izquierda, separándole el lóbulo de la cara. *El camión se quejaba como si se revolviera en un mal sueño. Doblas volvía a darle vueltas a la manivela, le sonaban con desasosiego las tripas al camión. El sargento bizqueaba los ojos por el humo de un cigarro que tenía entre los labios. Yo miraba. En medio del frío yo pensaba en Serena.* Serena Vergara caminaba por una acera con los adoquines levantados, gris la acera, casi negra. En medio de la calle unos hombres colocaban sacos de tierra, algunos con uniformes, todos con armas.

Iba Corrons a marcharse de la Casona, a pasar por encima del cuerpo de la Ferrallista, cuando ésta le agarró un pie, se abrazó a la rodilla y le mordió con furia, decidida a arrancar el bocado, en la parte trasera de la pierna. Aulló Corrons. Bajó la mirada de los árboles el faquir Ramírez al oír un grito dentro del edificio. Se revolvió rápido Corrons. Golpeó con la pistola la cabeza de la mujer. Al verse la pierna, el pantalón roto, la sangre, el dolor, dio una patada en las costillas a la Ferrallista, que, encogida sobre sí misma, abrazada a sus rodillas, recibió los golpes, las patadas de Corrons, en la espalda, en el cuello, otra vez en las costillas.

Salió del edificio Corrons, cojeando y con un gesto de dolor en la cara. No vio al faquir Ramírez, que se detuvo entre los árboles. Mirándolo. Iba hacia los talleres Corrons. Corrió entre los árboles en aquella dirección, sus pies dejaban huellas irregulares en el barro, pies, marcas a medio dibujar entre la hierba. Serena Vergara entraba en casa de su hermana y abrazaba a su hija. Pensó en Sintora al mirar a su hermana y sintió deseos de decirle que le quedaba poco tiempo de estar en Madrid, que iba a ser feliz, lejos de allí, lejos de todo, sin la guerra. Se calló Serena. Habló de lo tarde que se le había hecho, de los hombres que andaban revueltos por la calle. Del miedo. Corrons entró en el taller, que estaba en silencio, vacío, las máquinas alineadas como en un sueño, como en la bodega de un barco que cruzara la noche. Se dio la vuelta y salió. El enano Visente asomó la cabeza por el armario en el que estaba metido, en el taller, pensando que había oído pasos. Le pareció ver una sombra en la puerta. Siguió colocando trapos, la blancura de sus manos brillando fosforescentes en la oscuridad, subido en un taburete en el interior del armario.

El faquir iba a entrar en la Casona. Estaba ya subiendo los peldaños de la escalinata cuando escuchó la voz de Corrons que lo llamaba. Se quedó Ramírez mirando la pistola en la mano, el dedo anular por encima del gatillo, inflamado y con la uña de color rojo oscuro. Le preguntó Corrons dónde estaba Sintora. El faquir oyó unos lamentos dentro de la casa, miró hacia el interior, luego a Corrons, que volvía a hablarle. Le gritaba ahora, volviéndole a preguntar por Sintora, el de las gafas. Dijo que no sabía, el faquir, y su mano se apoyaba en la baranda fría de la escalinata. Pensaba en la nieve y en la muerte para que el otro no adivinara nada en su mirada. *El motor dio un crujido, como si fuera a partirse en dos, después inició un petardeo, un rumor de cañerías, y luego arrancó, echando un humo negro que parecía salir del vehículo entero. Doblas, victorioso, miró con odio al camión, sus faros, el morro chato. Yo miré la cara del sargento, su sonrisa entre el humo. Corrons le preguntó al faquir Ramírez si yo estaba en casa del Marqués. El faquir ya no dijo nada, encogió los hombros y negó con la cabeza. Miraba, sólo miraba el faquir que ya no comía hierros, con su cicatriz de puntos alrededor de la boca. Y oía quejidos, Ramírez, y pensaba en la nieve y en la muerte. Yo lo había visto por la mañana y le había dicho que iba con Doblas y el sargento al Centro Mecanizado. Pero él callaba y miraba. La pistola, la mano, los ojos de Corrons. Montoya iba por la ribera de los árboles. Y yo estaba lejos.*

Corrons se dio la vuelta. Subió al coche en el que había llegado. Esta vez consiguió no hacer demasiado ruido en la grava. Se le paró el automóvil en la salida del jardín. Volvió a arrancarlo. Se fue. Unos cientos de metros más abajo, quizá un kilómetro, se cruzó con Enrique Montoya, que iba por la acera, caminando entre los árboles y la tapia de piedra y musgo. No lo vio Corrons. Montoya a él, sí. Y sin saber por qué lo hacía, Montoya apretó el paso, su sombra pasaba veloz oscureciendo el terciopelo del musgo. *Yo miré el reloj. Pensé en Serena. Doblas trasteaba en el motor del camión, que tenía muchos temblores y ya echaba un humo blanco. Se nos acercó el teniente que no conocíamos, llevaba las manos en la espalda y fingía que tenía ganas de sonreír.*

El enano Visente salió del taller. Oyó el ruido de un coche alejarse. Vio entrar en el edificio al faquir Ramírez. La Ferrallista se había puesto de pie, se palpaba la boca y la oreja, tenía mareos, el suelo se balanceaba en un terremoto dulce, las paredes, que tenían la consistencia del agua, se inclinaban sobre ella. Se abrazó al faquir, para sostenerse. Maldecía la Ferrallista cuando el enano Visente entró en la Casona. La oyó desde lejos. Le miró las heridas el enano, la grieta negra del labio, el desgarro de la oreja, la nariz sin romper pero herida, y luego preguntó qué había pasado. Corrons, dijo el faquir Ramírez. Lo miró el enano con incredulidad.

—Buscaba a Sintora —dijo el faquir, chupándose las cicatrices de los labios, la cara muy triste—. Le he dicho que no sabía dónde estaba. Va a buscarlo a casa del Marqués, ha dicho.

—*Todavía no he visto al capitán Villegas* —al teniente le temblaba la sonrisa falsa en su cara a medio hacer.

—*Será cosa de la casualidad* —*Doblas sacó la cabeza del motor y la volvió a enterrar entre aquellos espasmos de metal caliente que parecían salir de los pulmones del mecánico.*

Se bajó despacio el sargento Solé Vera del camión, saludó al teniente llevándose la mano a la gorra, con descuido, como él siempre lo hacía. El teniente, sin devolverle el saludo, siguió hablando:

—*O será que no está en Madrid. Será que ha estado en Barcelona hasta que Barcelona ha caído. Será que al capitán Villegas, que por cierto ya no es capitán, que ya es el comandante Villegas, no ha vuelto nunca a Madrid.*

Montoya se acercaba a la Casona. Pensaba en Corrons, en la velocidad de su coche. El enano Visente le dijo al faquir que fuese al taller de costura y trajese el botiquín que había al fondo, dentro del mostrador. Los árboles cimbreaban sus ramas por encima de la cabeza del faquir Ramírez camino del taller, sobre la cabeza de Enrique Montoya al entrar en el jardín de la Casona y ver a lo lejos la espalda del faquir. Sintió tranquilidad Montoya al verlo con su andar tranquilo. Corrons conducía por las calles de Madrid, entre hombres en armas. Serena Vergara caminaba por esas mismas calles con su hija cogida de la mano. La niña lloraba, y por el cielo se arrastraban con lentitud las nubes, se oía cómo chocaban entre sí y cómo los rayos del sol perforaban su niebla con un leve crujido de celofán.

El sargento miró al teniente y le dijo, Y usted adónde quiere ir. Díganoslo sin tanta guasa. Si es que le hacemos tanta gracia, díganos adónde quiere ir y nosotros se lo diremos al coronel Bayón y a nuestro capitán Villegas. Y usted, si quiere, le dice lo que quiera al comandante ese que también se llama Villegas, y lo felicita por el ascenso, de nuestra parte. La guerra se está acabando y ya ha habido muchos muertos, nos parece a nosotros. Nos miró el sargento a Doblas, que había dejado de hurgar en el motor, y a mí, el amarillo jaspeado de mis gafas brillaba al sol. Los ojos demasiado grandes, me decía a mí mismo mientras miraba al teniente, su cara de seminarista.

Montoya entró en el edificio. Vio a la Ferrallista, la sangre, miró al enano. Preguntó. La Ferrallista se abrazó a su cuello. Seguía maldiciendo. Surgió el nombre, Corrons. Venía buscando a Sintora, dijo el enano. Oí ruido arriba, dijo la Ferrallista. El cuello de Montoya, la solapa de su abrigo de lana áspera, el borde sucio de su camisa, se habían manchado de una sangre que la Ferrallista intentaba limpiar con su saliva, también manchada, turbia de sangre. Miró Montoya las heridas de la mujer, luego hacia arriba de las escaleras. No hay nadie, dijo la Ferrallista. Ha ido a la casa del Marqués, para encontrarse allí con Sintora, dijo el enano. *Yo miraba al oficial, sus ojos oscureciéndose al mirar cómo el sargento Solé Vera encendía un cigarro y lo miraba tranquilo, sin echar humo. Sentí que el frío me recorría la piel, suave, la blancura de las piedras entre la hierba, los barracones a lo lejos, el humo de un fuego y una llama que ardía transparente en medio del campo, sentí el frío y sentí cómo el corazón se me llenaba de sangre y la sangre me regaba el cuerpo en un bombeo lento. Miré a Solé Vera y a Doblas, el tranquilo desafío de sus miradas. Yo estaba a su lado. Y fui feliz.* Montoya se separó de la Ferrallista, subió la escalera. Se asomó a las habitaciones, vio las gafas de Sintora en el suelo, el garabato del lazo entre el polvo de los cristales triturados. *Feliz en medio de la guerra.*

Volvió Montoya a mirar las heridas de la Ferrallista. Ese hijoputa, dijo ella. He mandado a Ramírez a por el botiquín, tendré que ponerle unos puntos en la oreja, dijo el enano, mirando desde abajo, pero siempre con actitud de mirar desde muy alto, desde muy arriba. Corrons paró el coche en la puerta de su casa. Frente a las tapias. Se bajó, la pistola guardada. El dedo roto le atrofiaba la mano entera, y tardaba en manejar las llaves. Una mujer cantaba desde alguna ventana y su voz sin cuerpo parecía que llegaba desde la lejanía de otro tiempo. *El teniente se dio la vuelta muy despacio, esquivó a Doblas, que resoplaba. Me miró*

*a mí, por saberme el más débil. Y yo tuve que escupir a su paso,
por contradecir mi juventud y mis gafas.*

Montoya salió de la Casona. A lo lejos vio cómo el faquir Ramírez regresaba de los talleres con una caja descascarillada de pintura blanca entre los brazos. Se detuvo un instante el faquir al verlo, pero Montoya siguió su camino. Cruzó el jardín y la puerta por la que unos minutos antes se había perdido el coche de Corrons. En la solapa del abrigo de lana áspera, en el cuello, llevaba restos de sangre el soldado Montoya. Serena bajaba la cuesta de la Puerta de Toledo con la niña a su lado, ya callada. *El sargento tiró el cigarro y subió a la cabina del camión, Doblas y yo lo seguimos. La figura del teniente se perdía por los barracones. Con su miedo. Pequeño.* Corrons removió la casa, a su paso se derrumbaban las sillas, se torcían los cuadros, murmuró el nombre de su mujer. Pensó en la docilidad de ella en los últimos tiempos. En su cara. Vio la cama, el dormitorio. Respiró su olor y tuvo náuseas. Y salió de la casa, Corrons, la muerte.

Desde la esquina, frente a las tapias, Serena vio a su marido subir al coche. Hacer un giro y marcharse calle adelante. Caminó más despacio, sus zapatos gastados, negros y pequeños, arrugados por tantos pasos y con el tacón un poco torcido, humildes zapatos de Serena. *El camión arañaba las marchas. Doblas, mirando al frente, estudiaba los sonidos, abriendo la boca, mostrando sus dientes de metal y achicando los ojos.* Montoya andaba rápido, otra vez entre los árboles y la tapia cubierta de musgo. La culata del fusil le golpeaba la pierna en un redoble blando y lento. El Marqués miraba el salón vacío, la señal de los cuadros. Los hombres de Corrons lo miraban vagar por la casa, sin hablar nunca con él. El Sordomudo masticaba un trozo de pescado seco, duro. Por la ventana de la sala se veían ramas de árboles. Tejados de Madrid. Humo. A veces las ramas arañaban los cristales.

Corrons detuvo el coche en la puerta del Marqués.

Oyeron sus hombres el sonido del coche. Se asomó uno de ellos, Asdrúbal probablemente, por la ventana, vio a Corrons bajándose del vehículo. Miró al Sordomudo, al cura Anselmo, al abogado Cantos, al Marqués. Todos oyeron pasos en la escalera, y a Corrons llamando en la puerta. *El camión tironeaba sobre el adoquín de la carretera. La Casona se veía al fondo. El sargento Solé Vera dijo algo del teniente con cara de seminarista que yo no oí, luego habló del capitán Villegas, comandante, saliendo con el ejército hacia la frontera francesa. Tanto desastre, dijo mirando al frente y con una mueca en la cara como la de un niño antes de llorar.* Serena miraba la casa, escudriñando las paredes, los muebles, como si le pudieran decir algo. No soltaba a la niña de la mano.

Corrons preguntó si habían visto a Sintora, el soldado de las gafas, el joven. Negaron sus hombres, mirándose entre ellos, Asdrúbal, Armando, Amadeo, el Sordomudo. Corrons todavía olía al coñac rancio de la noche. Los ojos los tenía empañados, una red de venas se lo coloreaban de sangre, y el agua de los párpados la tenía turbia, llena de escombros. A Montoya le faltaba el aire, subía rápido la cuesta. *Cuando llegamos a la Casona, la Ferrallista estaba sentada en el suelo. El enano Visente sostenía su cabeza entre las manos, y el faquir Ramírez, de pie a su lado, tenía palidez de cadáver. Se mareaba el faquir viendo echar pespuntes en la carne. Hablaron, la Ferrallista, el enano. El faquir sólo tragaba aire, sin sangre.*

Montoya llegó al pie de la casa del Marqués. Miró hacia arriba y vio que todo estaba en calma. Se aupó el fusil en el hombro. Empezó a subir los peldaños. Serena se sentó en la cama. Se escondió la cara, los ojos entre las manos, las uñas anchas, pálidas, el nudo suave de los dedos empapándose de lágrimas. La niña se miraba en el espejo del armario y jugaba a esconderse de sí misma. Miró a su madre con una sonrisa y al verla llorar miró al techo como cuando bombardeaba la aviación. *Los ojos del sargento Solé*

Vera miraron mis ojos, no a mí, sino el redondel de mis pupilas, el túnel de mi persona que empezaba en aquel redondel, mi oscuridad. Y sentí que me recorrían por dentro, que me alumbraban mis cavidades con la luz de una linterna. Montoya golpeó en la puerta, con la culata. Los hombres de Corrons y el propio Corrons detuvieron sus movimientos. Los presos dejaron de respirar y cruzaron miradas entre sí. El Marqués se santiguó con sus uñas largas y limpias, el abogado Cantos se quedó de pie, casi en posición de firmes, y el cura Anselmo se levantó despacio del sillón en el que estaba sentado. Avanzaron dos hombres de Corrons, Armando y Amadeo quizá, hacia la puerta. Montoya gritó, Ábreme, y Corrons hizo un gesto con la cabeza.

Bajamos la escalinata de la Casona. A nuestra espalda oíamos la voz del faquir, el llanto de la Ferrallista preguntando qué estaba ocurriendo. Subimos al camión el sargento, Doblas y yo. El enano Visente se sentó entre nosotros. En el temblor del espejo vi cómo se alejaba el edificio de la Casona, vi a la Ferrallista llorar en la escalinata de piedra con la cara escondida detrás del abanico de sus dedos y vi la mano del faquir Ramírez palmeando su hombro en un consuelo triste.

Muchos años después supe que Serena decía mi nombre en sueños, como lo decía entonces, llorando en la habitación, con el vaho del miedo, con el aliento del amor. Y muchos años después supe que Enrique Montoya, cuando se abrió ante él la puerta en casa del Marqués, tenía los ojos de un niño asomando a aquella cara de soldado vencido, manchado de sangre, con un fusil entre las manos y un temblor disimulado en las palabras que también, como Serena, decían mi nombre.

Llegaron los soldados del destacamento a la casa del Marqués. Llegó el camión con su ruido sordo y ahogado que imitaba el sonido de los pulmones de Doblas. Se bajaron el sargento Solé Vera, Doblas, Sintora con el temblor de sus dedos en el gatillo del fusil. El enano Visente, contó Sintora tiempo después, iba tras ellos, pequeño, encorvado, con su traje negro gastado y su paso bamboleante y zambo, una vena surcándole la prominencia de la frente. El sargento miró las ventanas tapiadas de la casa. Miró a sus hombres y luego el portal del caserón.

No había ruidos. Sólo a lo lejos se oía un goteo de líquidos, un ruido de cañerías tal vez. Miraron por el hueco de la escalera. Nada más que una espiral de hierros y madera asomaba por allí. Empezaron a subir. El sargento iba delante, Doblas y Sintora a su espalda, uno a cada lado de la escalera. El enano ocho o diez peldaños retrasado. Crujía despacio la madera vieja de los escalones. Se paraban los hombres a oír su respiración. El silencio. Llegaron al primer rellano y se detuvieron.

Reanudaron la marcha. Y fue al encarar el siguiente tramo cuando vieron el hilo de la sangre bajando lento la escalera, sigiloso, como un ciego que pasara por su lado sin verlos, continuando su camino hacia la calle. Llevaban los dedos en los gatillos y la mirada levantada, y allí, en las sombras, al hacer el último giro, vieron la figura en la escalera. Montoya estaba sentado en los peldaños, con las piernas extendidas y la espalda volcada en los escalones, casi acostado. Tenía el abrigo abierto y el fusil atravesado sobre los muslos. Lo soltó para hacerle a sus compañeros un gesto con la mano, el adiós de un niño, una mueca parecida a una sonrisa. Y al alzar la mano se deslizó un par de escalones, la nuca rebotando en ellos. Intentó decirles algo, pero sólo oyeron aquel ruido de cañerías que habían escuchado al entrar en la casa. La sangre venía de donde estaba él.

Avanzaron despacio hacia Montoya, que los esperaba con la sonrisa descompuesta mientras que con una mano empapada en sangre hacía gestos de negación señalando la puerta de la casa, abierta detrás de él. El pecho lo tenía negro de pólvora y sangre, y al ver la mirada de Sintora en su herida agarró con sus dedos sucios las solapas del abrigo y se cubrió pudoroso, lento, mirándose de reojo el desaliño del tórax. Al levantar la mirada, de nuevo con el esbozo de la sonrisa, a Sintora le pareció que la piel de la cara se le había dilatado, se le hacían pliegues bajo el cuello, en las mejillas, como si se hubiera reblandecido Montoya y se estuviese derritiendo allí, cera recalentada y pálida, azul.

Fransia fue lo primero que dijo, con una voz ronca que no era la suya más que en el acento, y resbaló otro peldaño, la cara contraída. Intentaba tragar una saliva que no tenía, y, viendo cómo el sargento repartía la vista entre su persona y la puerta de la casa, dijo:

—Se fueron. Los invitados, el dueño, todos —se le cerraba un párpado, sonrió al distinguir al enano detrás de la figura de Doblas—. Enano. Dame un sacramento, el que tú quieras, enano. Un sacramento que me purifique —intentaba reírse.

Tenía una mella Enrique Montoya al final de la sonrisa, donde le empezaba la oscuridad de la boca, y se quedó mostrándola, la sonrisa, la mella, mientras el enano Visente se acercaba a él y, besándose el pulgar y el Sagrado Corazón del detente, le hacía el signo de la cruz, tres veces, Regis nostrum, en la frente lívida. *Me miró con su ojo sin órbita. La sonrisa se le hacía blanda. Me quiso decir Sintorita, pero sólo dijo algo parecido a un eructo, después Fransia, y luego otra vez Sacramento. La mano sucia de sangre seguía agarrando la solapa humilde del abrigo que no le abrigaba. La lana áspera y verde, un campo de hierba mustia, campo de escarcha, campo tierno y sin siembra sobre el que los dedos de Enrique Montoya se iban haciendo blancos, recibiendo una nieve que le venía de dentro del cuerpo.*

Oyeron un ruido arriba, en el interior de la casa. Doblas alzó el fusil apuntando a la puerta. El sargento les hizo una señal, y Sintora y el resoplido de Doblas, mientras el enano se quedaba al lado de Montoya susurrándole palabras al oído, subieron tras el sargento hasta el rellano, hasta la entrada de la casa. Allí vieron más sangre, pero no limpia y fluyendo como la que bajaba por la escalera, sino restregada por el suelo, pisoteada, en manchas sobre la pared. Y nada más asomarse al interior de la casa, precedidos por los cañones de sus fusiles y por la pistola del sargento, vieron unos pies asomando en el vestíbulo, unas piernas, un cuerpo tumbado boca arriba en el suelo que se iba revelando a medida que ellos avanzaban y que finalizó por tener la cabeza de uno de los hombres de Corrons, el que tenía la mandíbula más cuadrada y las cejas más abundantes, Asdrúbal. Tenía una sonrisa parada en la boca y los ojos muy abiertos, como si el trozo de pared que estaban mirando fijamente estuviera lleno de sorpresas. En el cuello tenía un agujero negro, y el abrigo de color marrón se le veía empapado y húmedo, pesado por la sangre.

Doblas le dio una patada leve en un costado. Hubo un ruido subterráneo de líquido, unas ondas que parecían extenderse por el cuerpo del hombre pero que no afectaron a la expresión torcida de la boca ni a la intensidad de la mirada, tan fija en la pared, que Doblas miró hacia ella con detenimiento por ver si adivinaba qué podía haber visto allí en su última mirada el primo de Corrons. Siguió el sargento andando hacia el interior de la casa, despacio. Doblas y Sintora detrás de él.

Ya no había más sangre, pero en el salón situado delante de la biblioteca vieron la coronilla de alguien sentado en el sofá que había en medio de la habitación. Era el cráneo con pelo de alambre del abogado Cantos, que no respondió a la llamada sigilosa del sargento ni al insulto de Doblas. Rodearon el sofá y vieron las heridas y las quemaduras que el abogado, recostado sobre unos cojines y con los ojos entornados en expresión de hastío, tenía en el pecho, sólo que el abogado no tenía abrigo con el que cubrirse los destrozos de los pulmones ni vida por la que sentir pudor. El sofá lo habían dejado medio destripado, con muelles asomando y la tela quemada y con aureolas de pólvora.

Sintora estaba mirando cómo, además de las heridas del pecho, al abogado Cantos le habían disparado en los pies, el derecho tenía algunos agujeros en las babuchas y al izquierdo le faltaban la babucha y varios dedos, cuando en la biblioteca volvieron a oír un ruido. Apuntaron sus armas en la dirección de los sonidos, avanzó el sargento, se llevó el fusil a la cara Doblas y miró a su espalda, a su alrededor Sintora, pero ninguna precaución era ya necesaria en aquel lugar, porque, una vez que llegaron a la sala de los libros, después de derrumbar de una patada los volúmenes que había apilados en un rincón y de apartar un biombo de dibujos chinos, Doblas, obedeciendo un gesto del sargento Solé Vera, disparó contra uno de los estantes vacíos, después contra el que había a su lado, y, una vez encasquillada su arma, ya estaba Sintora preparado para seguir el tiroteo cuando detrás de una de aquellas maderas oyeron una voz pidiendo piedad.

El sargento, que a pesar del eco de las maderas y del miedo reconoció la voz del cura Anselmo Quintana, le dijo que saliera del agujero. Hubo un silencio, después una tos y luego un crujido. Una plancha de madera tuvo un estremecimiento y luego la tabla se retiró hacia un lado dejando al descubierto al cura, encorvado y tembloroso en aquel hueco que no tenía más de un metro de altura. Se han ido todos, fue lo primero que dijo el cura Quintana, intentando alisarse con los espasmos de la mano el pelo de alambre que le rodeaba los huesos de la calva. El sargento le preguntó por Corrons y el cura respondió lo mismo que Montoya, Se han ido todos.

Adónde, preguntó el sargento Solé, yendo ya hacia la salida de la casa, seguido de nuevo por Sintora y Doblas, aunque éste ahora llevaba cogido del brazo y casi en volandas al cura Anselmo, despeinado y frágil al lado de la mole y la respiración del mecánico. Bajaron el tramo de escalera hasta donde estaba Montoya, que ya medio había entornado también el ojo que antes mantenía abierto y que a pesar de ello esbozó una sonrisa al entrever la figura del sargento. Pero ya no dijo nada más Enrique Montoya. Se le borró la mirada, los dedos apretados en las solapas del abrigo, la sonrisa desbaratada.

El enano Visente le medía el pulso en las venas del cuello. Miró con cara de susto al sargento y éste, enfundándose la pistola en el cinturón, metió el brazo con mucho cuidado bajo la espalda del soldado herido a la par que Doblas lo hacía por el lado contrario. Lo levantaron entre los dos y empezaron a bajar la escalera. El enano Visente llevaba los fusiles de Doblas y Montoya, y Sintora el brazo del cura Anselmo. La respiración de Montoya sonaba como una flauta rota. Lo subieron con cuidado a la caja del camión y allí lo liaron en una lona que tenía olor a pescado rancio. Se le movía un pie, el tobillo desbaratado en un morse epiléptico, el cura se santiguó con sus temblores, mirando a Doblas y a Sintora.

El gesto del cura fue una señal que puso en marcha a los hombres del antiguo destacamento. El sargento saltó de la caja y corrió hacia la cabina, lo mismo que Doblas. Sintora y el enano se quedaron al lado de Montoya, oyendo su respiración, que se perdía en medio de sus pitidos y de los estertores del camión. El cura Anselmo se quedó sentado en una esquina de la caja, agarrado a las correas del toldo y observándolo todo con cara de loco.

Yo miraba a Montoya y pensaba en Corrons. No en Serena, no en mi amigo ni en los ojos transparentes del cura ni en las manos del enano ni en los dedos de Montoya aferrándose a la tela, a la vida, a la hierba mustia de su abrigo, a la tierra. Yo pensaba en Corrons mientras veía pasar los edificios de Madrid. Caras, soldados, mujeres. Buscaba la cara de Corrons, el agua de sus ojos. Y tenía miedo, de verlo, de perder a Serena, miedo de saber lo que había ocurrido, lo que sospechaba y a mí mismo no me quería decir. Y huí, en busca de más miedo, de otro miedo.

Saltó del camión Sintora cuando subían una cuesta y el motor renqueaba. Vio los ojos del sargento en la mirada del espejo que temblaba al lado de la puerta, partido en dos. Y corrió por la cuesta abajo Sintora, y el ruido del camión, los golpes de sus pies en la carretera y el pitido de los pulmones, la respiración de Enrique Montoya y los rezos del enano Visente se le mezclaban en la cabeza y lo empujaban en el vértigo de la carrera. Y ya todo fue desastre en ese día, cuando la guerra era un animal agónico y amenazaba llevarse con él a toda esa gente que andaba perdida por su piel, por la corteza del mundo.

A Enrique Montoya lo bajaron del camión dos soldados con batas que alguna vez habían sido blancas y que ahora tenían color de matadero. Seguía Montoya con la mirada perdida y aquella respiración de escapes y válvulas atoradas. También el hospital parecía a punto de acabar sus días, todo lleno de desconchones y humedades, con el olor agrio de la enfermedad escapándosele por las puertas. Pero ni el sargento ni Doblas, ni tampoco el enano Visente y el cura Quintana tuvieron mucho tiempo de respirar aquel aire podrido, porque nada más bajar a Montoya del camión, el sargento, que no había parado el motor del vehículo, lo puso en marcha y los cuatro hombres vieron alejarse aquel edificio oscuro al que le faltaban casi todos los vidrios de las ventanas y sobre el que ondeaba una bandera blanca, casi tan sucia como las ropas de los soldados.

El sargento conducía rápido, Doblas iba a su lado sin ninguna expresión en el rostro y el cura y el enano zarandeados en la caja, volcándose de un lado a otro y apartando de sí la lona en la que había estado envuelto Montoya, empapada en sangre y con el olor a pescado más fuerte, resucitado al mezclarse con los flujos del soldado herido. Oyeron disparos y vieron soldados y hombres sin uniforme que corrían armados por la calle y se apostaban en los portales para disparar contra las ventanas de un edificio del que también contestaban con fuego. Hubo una explosión en medio de la calle. *La guerra había estallado dentro de la guerra*, dejó escrito Sintora.

Están crucificando esta ciudad. Madrid va a ser santa, iba diciendo el cura Anselmo Quintana cuando el camión dio un giro brusco, le crujieron los ejes y apretó la marcha. El enano rodó por las tablas, al cura, agarrado a la madera de la caja, se le iban las piernas de un lado a otro y el motor parecía a punto de estallar. El sargento Solé Vera había visto un coche cruzar una calle perpendicular y el reflejo aguado de un rostro tras los cristales de la ventanilla, el perfil de Corrons. Giró y ya en la misma calle que el automóvil en el que creía haber visto a Corrons, observó el sargento cómo el coche reducía su marcha y se detenía a un lado de la calle, delante de un portal con emblemas comunistas.

Se bajaron de él Corrons y dos de sus hombres, el Sordomudo y Armando, quizá podría haberse afirmado que se trataba de Asdrúbal si a éste no lo hubieran dejado muerto en casa del Marqués. Estaba parando el camión el sargento unos metros más allá del vehículo de Corrons cuando éste alzó la vista y vio al sargento. Lo señaló con la mano, y uno de los individuos que iban con él, el Sordomudo, se dio la vuelta apuntando con su escopeta. Antes de acabar el giro ya había descargado dos tiros sobre el camión. Los plomos del primer disparo se incrustaron en la chapa del morro y reventaron uno de los faros, los del segundo rompieron el parabrisas y sus fragmentos y alguno de los plomos fueron a parar a la cara de Doblas, que, mientras el sargento Solé Vera se agachaba en el asiento y en la calle se armaba un revuelo de mujeres que gritaban y hombres que corrían, se quedó un instante inmóvil, agarrado al asiento y sintiendo un escozor que le invadía toda la cara y que en una mejilla, al lado de la oreja y en la boca se le convertía en dolor agudo, en una quemadura ácida.

Iba a hablar Doblas, a maldecir a Corrons y al Sordomudo al ver cómo de la cara empezaba a gotearle sangre, pero ya el otro acompañante de Corrons, Armando, quizá Amadeo, había empezado a disparar su fusil contra el camión mientras el propio Corrons se parapetaba detrás del coche y disparaba su pistola. Saltaron el sargento y Doblas del vehículo. Los disparos de Corrons y Armando martillearon secos, pausados, la cabina del camión. Una mujer mayor gritó desde una ventana, y desde el edificio que había al lado del camión tiraron un tiesto de barro que fue a partirse a los pies del sargento. El cura Anselmo y el enano Visente estaban tumbados dentro de la caja, rezando el enano y mirando el cura por una de las grietas de las maderas cómo el Sordomudo, de pie en medio de la acera, metía dos nuevos cartuchos en la escopeta y Armando, Amadeo, se refugiaba en un portal.

No veía el cura al sargento Solé Vera, pero oía cómo desde la parte delantera del camión gritaba y le daba órdenes a Doblas, que debía de estar cerca de ellos, escondido por la parte de atrás o quizá debajo del vehículo, arrastrándose entre las ruedas. De las casas volvían a escucharse voces, también venían gritos apagados de la esquina de la calle. Se oyó un disparo del sargento, un grito de Corrons y otro disparo de su pistola. El cura veía la silueta de Corrons moviéndose tras los cristales del coche. El Sordomudo cerró su arma y volvió a disparar dos veces seguidas. Un viento de fuego chocó contra la puerta y la rueda delanteras del camión, pero antes de que se disipara su estruendo bronco, debajo del vehículo se oyó un estampido leve, el disparo de Doblas, y al instante el Sordomudo giró brusco su rodilla derecha, se le volvió hacia atrás el cuerpo pero no las piernas, y cayó de costado, partiendo con su peso la escopeta en dos el Sordomudo. La pierna se le quedó temblando, dando unas sacudidas cada vez más lentas. De la boca o de algún lugar de la cabeza le salía una mancha negra que se iba extendiendo por la acera.

Del edificio que había al lado del camión volvieron a salir gritos, y luego una detonación. Disparaban sobre el sargento Solé Vera. El cura le dijo al enano que los iban a matar. Gateó el enano por la caja hacia la puerta trasera y mientras gateaba, por un agujero del suelo vio cómo Doblas, goteando sangre por la cara, se arrastraba por el suelo y apuntaba al edificio. Disparó. Dispararon desde el portal y desde la casa a la vez. Disparó Corrons, el sargento, Doblas. Una bala entró por la parte superior del toldo y se incrustó en el suelo de madera, al lado del cura.

—Rece usted, Visente —le dijo el cura, que por un instante dejó de mirar por la rendija de las tablas y cuya voz no se sabía si estaba distorsionada por el miedo o la alegría.

Y cuando volvió a mirar por la grieta desde la que había estado viendo los primeros compases del tiroteo, el cura vio estallar uno de los cristales del coche y a Corrons doblarse sobre sí mismo, quizá herido, a la vez que del portal asomaba el fusil de Armando o Amadeo y volvía a disparar. Sonó el impacto como un gong apagado y triste en la puerta del camión. Disparó el sargento contra el portal, se ocultó el fusil. Todo parecía un ballet, un juego sólo desmentido por el Sordomudo, que ya había dejado de mover la pierna, y por su sangre, que seguía decidida su camino por la acera, veloz, viva la sangre del muerto.

—Se va, Visente, se va Corrons —murmuró el cura, y luego, ya con la vista apartada de la grieta, gritó—: Sargento Vera se escapa, el asesino, se va.

Agachado detrás del coche, Corrons había abierto una puerta y se había introducido dentro del vehículo. Encorvado, intentaba arrancarlo. Salió el sargento de detrás del camión, disparó sobre el coche y sobre él dispararon desde el edificio. Apuntó Doblas a la ventana de la que venían los tiros, disparó y cayeron a la calle cristales, unas gotas de sangre. El coche de Corrons avanzaba zigzagueando por la calle, con los vidrios rotos, tironeando y con el conductor apenas asomando los ojos sobre el volante.

Cojeando, corrió el sargento Solé Vera, mi padre, detrás del coche. Disparó su pistola y el plomo de sus balas se perdió, caliente, invisible, calle adelante. Del maletero del coche saltó una chispa, un fulgor leve y apenas visible en el gris de la tarde. *Madrid era una ciudad de estatuas enterradas.* Siguió avanzando el coche de Corrons, ya veloz, ya sin ir de una acera a otra. Corrió el sargento con su cojera, apuntando al portal en el que se había refugiado el hombre de Corrons, invisible desde hacía unos segundos, quizá unos minutos. Doblas, despacio, con la cara cubierta de sangre, salió de debajo del camión, mirando a las ventanas, a los tejados de los edificios. Había nubes de plomo y todo se lo estaba tragando la primera oleada de la noche, todo se iba convirtiendo en gris, en una estampa en blanco y negro, con los contornos difusos de una fotografía antigua.

Miró el sargento la rueda delantera del camión, reventada por los disparos del Sordomudo. Se miró la pierna, el pantalón mojado de sangre. Miró a Doblas, que seguía apuntando a las alturas, y a pesar de todo subió al camión, lo arrancó y le dijo a Doblas que subiera. Con la rueda crujiendo, maniobró en la calle, lento. Giró y fue tras la estela que había seguido el coche de Corrons, forzando el motor, rebotando la llanta en los adoquines de la calle, intentando seguir el rastro del coche fugitivo. Pero ya pasarían años, décadas, antes de que el destino volviera a reunir a aquellos hombres, antes de que unos supieran de los otros y de nuevo volvieran a oír sus voces, sus nombres.

La tarde caía y era como si fuese la última tarde del mundo. Se hundía en las tinieblas Madrid, aquella ciudad por la que circulaban camiones con banderas desgarradas, soldados de un mismo ejército que se disparaban entre sí y que ya no sabían quién era el enemigo. CASADO TRAI-DOR, leyeron los antiguos hombres del destacamento en una pared comida de carteles viejos. Unos soldados con brazaletes rojos repetían el lema en la fachada limpia de una casa. Apuntaban al camión mientras otros manejaban brochas y cubos de pintura blanca. BESTEIRO MIAJA CA-SADO TRAIDORES escribían. PASARÁN, habían pintado en otro lugar otros hombres, gente anónima que después de treinta meses de desesperación y silencio empezaba a salir de sus agujeros.

La guerra, Madrid, eran más que nunca un laberinto y por en medio de ese laberinto marchaba, al caer la noche, un camión con una rueda reventada, alumbrando las calles con un solo faro. Polifemo herido y ronco que cabeceaba llevando en su interior a mi padre, el sargento Solé Vera, herido de bala en una pierna, y a su ayudante, que a cada paso escupía la sangre de un plomo que le había roto uno de sus dientes de metal, los labios y el rostro sanguinolentos, la piel agujereada por el polvo de los cristales reventados y por otros dos plomos que llevaba alojados en la mandíbula.

Callado, respirando entre ahogos, sin preguntar adónde iban, Doblas, el mecánico herido, viajaba al lado del sargento mientras detrás, en la caja del camión, por en medio de las sombras de Madrid, entre estatuas enterradas, árboles que eran espectros de árboles, edificios derruidos y gente que se escondía en la penumbra, iban con el miedo, agarrados al temblor de la madera, el enano Visente y el cura Anselmo Quintana, que ya empezaba a contarle al enano aquello que luego acabaría relatando al sargento Solé Vera y a Doblas cuando, después de haber ido a casa de Corrons y haber presenciado un nuevo tiroteo entre soldados fieles a Negrín y la gente del coronel Casado, llegaron a la Casona.

Mientras el enano Visente estuvo sacando con unas pinzas los dos plomos de la mandíbula de Doblas y mirando el agujero limpio que atravesaba el gemelo derecho del sargento Solé Vera, mientras le echaba unos polvos blancos y le vendaba la herida, el cura Quintana les dijo que siempre había sabido que ocurriría lo que ese día había ocurrido en casa del Marqués, que los hombres de Corrons y los del destacamento acabarían matándose entre sí del mismo modo que ahora se mataban los soldados de la República por las calles de Madrid, cada uno tenía su fe. Miraba con sus ojos aguados, fe en la nada o fe en una idea o incluso en un dios, pero cada uno tenía su fe. Y la de Corrons y los suyos nada tenía que ver con la del sargento Vera.

—Ustedes, sargento —con el temblor de su pie apartaba de su lado los trapos manchados de sangre que el enano Visente dejaba caer—, ustedes no sabían nada de lo que estaba ocurriendo en aquella casa. Ustedes, usted, sargento, sólo ponían su camión, una máquina, un salvoconducto falso escrito por Sebastián Hidalgo, cogían su dinero y no querían saber qué era de nosotros. Un acto de soberbia el de ustedes, pasar por encima del bien y del mal pensando que ninguna fuerza, ningún viento, ninguna lluvia salpicaría su reino de dioses pequeños. Antes o después tendrían que rendir cuentas, y hoy lo han hecho con el percance del soldado Montoya.

Doblas miraba al cura torciendo la boca ensangrentada, con los dedos, redondos y cortos, acariciando sobre sus rodillas la culata, el cañón de su fusil. Los ojos no le pestañeaban, eran dos lunas tristes, alumbradas de oscuridades marrones.

—Corrons nunca entregó ningún prisionero a nadie. Siempre hizo lo mismo, a lo mejor usted lo sospechaba, sargento Vera —miró sus propias manos, temblorosas, el cura Quintana, antes de seguir—. En el momento de recibir el dinero, los hombres de Corrons aparecían por cualquier lado y mataban al prisionero y a los familiares o a quien quiera que hubiese ido a pagar el rescate que habían pedido y que luego repartían con ustedes. El Textil, aquel al que le cayó la bomba en la coronilla, sí sabía lo que Corrons hacía con sus víctimas, siempre estuvo de acuerdo con él. El abogado Cantos los oyó una noche. Escuchó cómo el Textil y Corrons hablaban de una entrega, y de cómo habían acabado con la vida de Casimiro Olmedo, el joven que apenas estuvo en la Casona quince días, el rubio. Pagaron por él mucho dinero, de inmediato. Lo mataron al lado de su padre y de su madre, que había querido estar presente en el rescate de su único hijo, verlo. Y vio. Vio cómo Corrons le daba un tiro en la espalda, y luego otro en la cabeza, vio cómo su hijo se quedó hincado de rodillas y cómo en medio del frío le salía un hilo de humo blanco del pelo, y luego cuatro caños de sangre bajándole por la cara. Los mataron a los tres, al rubio y a sus padres. Una vez, sargento Vera, cuando se llevaron a la madre Javiera, sus soldados, Montoya y Sintora, no sé si iba con ellos algún otro, no sé si ese que se llama Ansaura, oyeron el tiroteo en medio de un bosque. Pero no quisieron saber más, como tampoco quisieron saber la suerte de Beatriz, la pobre novicia.

Levantó muy despacio la mirada el sargento Solé Vera. Dejó mi padre sus ojos fijos en los ojos del cura y le preguntó:

—¿Qué pasó con la niña?

—La mataron también, qué se piensa usted. Por saber. Por saber lo que ustedes no querían saber.

—No pagaron por ella. ¿Quién la mató?

—El Sordomudo quizá. Uno de ésos.

—No pagaron —el sargento Solé Vera hablaba con desgana, como si ya no quisiera saber ni le importara aquello de lo que hablaba.

—Le he dicho que fue por saber, sargento Vera. Eso pensamos, aunque quizá hubiese además alguna bajeza de la libido por medio. Parece que oyó hablar a Asdrúbal y Amadeo de uno de sus crímenes. La pobre Beatriz supo de pronto qué iba a ser de ella, tarde o temprano, y no tuvo la sangre fría del abogado Cantos. Era una niña. Pura, sargento Vera, una niña pura, inocente, como nadie ha sido inocente en esta guerra que ahora va a acabar y que ustedes han perdido. Se asustó al escuchar las barbaridades que decían los hombres aquellos, la descubrieron llorando y ya no se sabe lo que ocurrió. Oímos golpes, su voz, y los roces de la lujuria, el movimiento de los hombres gozando con el peor de los pecados, pecando contra Dios y contra una de sus servidoras, ultrajando a los dos. La oímos pedir clemencia. Pensaba la pobre infeliz que alguno de aquellos individuos podía tener en medio de la oscuridad de su alma un gramo de su pureza, de su piedad. El Anselmo aquel se colocó delante de la puerta, para vigilarnos. Le cortaron el cuello, allí, en la casa, al lado de donde estábamos nosotros, rezando. Sabe, sargento Vera, a veces rezábamos por ustedes.

—Para que no los soltáramos, para librarse de que el Sordomudo o alguno de ésos los matara. Rezarían por ustedes mismos —la voz de Doblas parecía salir de otro sitio que no fuese su boca. Sonaba ronca y los labios, inflamados y deformes, apenas se le movían.

—Por ustedes. Y también por esos desalmados sin Dios, esos hijos del infierno que mataron a la niña Beatriz. Se quedaron allí, al lado de ella, esperando que llegase Corrons. Lo único que hicieron fue meterle unas sábanas debajo, para que la sangre no se extendiera. Nos dijeron que había sido un accidente y ni siquiera dejaron que nos acercásemos a la pobre niña para darle el último auxilio a su espíritu. Nos llevaron a la habitación que había en la otra punta, Asdrúbal se quedó con nosotros, masticaba unas hebras de hilo y nos miraba con una medio sonrisa, sentado allí delante en uno de aquellos butacones, bailando la pierna. Cuando llegó Corrons oímos voces, muchos gritos. Corrons nos volvió a decir que había sido un accidente y que lo mejor para todos sería que ustedes no se enterasen de lo ocurrido. Se la llevaron en medio de la noche, Corrons dijo que la iban a entregar a las autoridades y que luego él se iba a Valencia, pero, por las herramientas que les vimos meter en el coche, seguro que a donde la llevaron fue a enterrarla en cualquier descampado, lejos, asustados de que se descubriera de dónde venía ese cuerpo, de perder su negocio, de no poder seguir haciendo justicia, que es lo que oyó el abogado Cantos que le decía Corrons al Textil, que cobraban por hacer justicia. Lo que hacían, sargento Vera, era matar y robar.

—El Textil tampoco sabía lo de la monja esa, la niña, o a lo mejor todo era un engaño y disimulaba, no sé. Ya nada importa. El Textil parece que murió hace mucho tiempo, no se sabe cuántos años —los ojos de mi padre tenían un tinte de sueño, una nostalgia profunda por aquel tiempo en el que el Textil todavía estaba vivo y aún era posible librar no se sabe qué batalla en medio de esa guerra que ya sólo era un panteón de sombras—. Unos muertos borran a otros, y al final también van borrándonos a nosotros, hasta convertirnos en fantasmas, en muertos a los que les late el corazón y andan por el mundo, pero ya sin vida, nada más que con los recuerdos.

—A lo mejor tendría usted que haber pensado antes muchas cosas, sargento Vera. Ya, me parece, es demasiado tarde.

Se miraron los hombres, alumbrados por una luz endeble en medio de la cantina. El sargento Solé Vera, Doblas, el enano Visente y el cura Anselmo en medio de la luz. El mago Pérez Estrada y el faquir Ramírez metidos casi en la penumbra, consolando a la silenciosa, muda, Ferrallista. El rumor, las risas, las sombras del ventrílocuo Domiciano, de la cantante Salomé Quesada, Paquito Textil, el solista Arturo Reyes, el capitán Villegas, Ansaura, el Gitano, la de Enrique Montoya, se movían por las paredes, cruzaban la habitación, pasando entre los hombres que en medio de la noche alentaban.

—También es tarde para lamentarse. Le queda, sargento Vera, hacer frente a la derrota. El paso más importante en la vida de un hombre. Yo también he perdido una guerra, acuérdese. Pero también sé que la derrota deja de ser verdadera derrota cuando uno tiene un refugio, y usted tiene una familia. Su mujer en Málaga, una hija que no conoce. Tiene el deber de llegar allí. Salvar su vida.

—La mía y la de mis hombres, de los que me quedan.

—La suya y la de sus hombres. Si alguno ha caído en el camino no ha sido responsabilidad suya. Usted no envió a Enrique Montoya a buscar a Corrons. Además, él fue por proteger a otro compañero, al pobre Sintora, el niño de las gafas, enamorado. Montoya fue generoso y quizá viva para recibir recompensa por su entrega, si no, él conocía el riesgo de su generosidad, lo supo desde el primer momento, desde que dio el primer paso en dirección a la casa del Marqués. Yo oí los golpes que dio en la puerta, la aporreó con el fusil, gritaba el nombre de Corrons. Corrons y los suyos estuvieron mirándose, sin saber qué hacer. Le abrieron cuando ya tenían las armas montadas. Yo no sabía lo que había ocurrido, pero olí la sangre y la muerte, sargento Vera. El Marqués y el abogado Cantos se quedaron en el salón principal, escuchando, pero yo me fui a la biblioteca.

—Quién, quién le disparó, a Montoya.

—No lo sé, sargento. Primero estuvieron hablando, a gritos, después hubo unos momentos en los que yo no escuché nada. Cuando empezaron otra vez las voces oí el nombre de Sintora. Hablaban de mujeres, de la de Corrons y de otra, la Ferrallista —miró el cura a la penumbra donde la Ferrallista miraba al vacío—. Corrons le dijo a Montoya que soltara su fusil, que no le apuntara, algo así. Montoya se rió, eran unas carcajadas como las que dan en el teatro, y fue en medio de la risa cuando se escucharon tres o cuatro disparos, todos a la vez. Tiros de fusil, de escopeta, de pistola quizá también hubiera alguno, y por en medio de los tiros también hubo voces, ruidos, cosas o personas que se derrumbaban. Montoya dijo con la voz muy clara, Me han matado. Alguien gritó un nombre, Asdrúbal, me parece, se escuchó un lamento, y luego hubo otro disparo. Y ya sólo se oía una especie de llanto y alguien que repetía ese nombre, Asdrúbal, o algo parecido.

El cura Quintana dejó de hablar, titubeó. Miró a Doblas, que seguía sin expresión, mirándolo a él con los ojos y la cara entera hinchados, escupiendo sangre en el suelo. Luego miró el cura al sargento. Tosió, volvió a hablar, mirándose ahora el temblor de la mano, después mirando otra vez al sargento Solé Vera.

—Quien tiembla no soy yo, sargento, y me parece que tampoco la mano, quien tiembla es el temblor, algo que nada tiene que ver conmigo. No sé si me entiende, sargento Vera, a usted, de otro modo, le ha pasado lo mismo.

Pero no importa. Después de los gritos esos que le digo, fueron hacia el interior de la casa. Oí cómo Corrons le gritaba al abogado y al Marqués, preguntándoles por mí, que dónde estaba. Yo ya me había escondido allí, donde ustedes me vieron, en el hueco de las tablas que el propio Marqués me había enseñado hacía unos meses. Oí sus pasos por la puerta de la biblioteca, estaban muy nerviosos. Volvió a gritar Corrons. El Marqués, que tenía la lengua trabada como un borracho, suplicaba y decía la verdad, que no sabía. Corrons dijo el nombre del abogado. Hubo un momento de silencio, hasta los gemidos del Marqués se callaron. Mátalo, dijo Corrons, con la voz baja, apenas lo escuché, pero lo dijo, Mátalo. Fueron tres disparos, de escopeta, los que mataron al abogado. El Marqués volvió a llorar. Yo no respiraba. Hubo carreras, algunos pasos más por la casa, y la voz del Marqués. Se lo llevaron. No sé si todavía tenían el pensamiento de poder entregarlo a alguien que pudiera pagar por él. Yo me quedé allí dentro. Oía el goteo de la sangre del abogado Cantos, imaginaba su cadáver, y también lo imaginaba vivo, como lo había visto un momento antes. Me pareció escuchar algún ruido, quizá Montoya arrastrándose, él y su fusil, porque era un ruido seco. Esperé, y cuando ya hacía un rato, no sé cuánto tiempo, que no escuchaba nada más que el crujir de los muebles y los flujos de mi cuerpo, arrastré la madera, intenté salir del boquete y fue entonces cuando los oí a ustedes, su voz en la escalera, sargento, y luego sus pasos entrando en la casa. Lo demás no tengo que contárselo, pensé que iban a matarme. No sabía que eran ustedes ni por qué habían empezado a disparar a las paredes.

—Sonaba a hueco detrás de las estanterías. Pensé que habíamos tenido suerte, que Corrons estaba escondido detrás de alguna de aquellas tablas.

Sonrió con desgana el cura, triste al mirar la tristeza del sargento Solé Vera, al mirar su pierna herida, apoyada en uno de los bancos de la cantina, ennegrecido el banco por antiguos vinos derramados, triste al ver la luz triste alumbrando las caras, del enano Visente, de Doblas, del faquir Ramírez, del mago Pérez Estrada, triste la blancura de su camisa y tristes sus dedos apoyados en la pierna triste de la silenciosa Ferrallista.

En la lejanía se oían disparos, el eco de alguna explosión. Madrid era un gran barco, también triste y desarbolado, que navegaba en las aguas negras de la noche, sin vigía, sin faro, sin rumbo ni capitán el barco herido. Y en la oscuridad, una sombra llegaba a los jardines de la Casona, caminando solitaria entre el esqueleto de los árboles.

Vi la mirada verde del sargento, partida en el cristal, un ojo en cada lado del vidrio roto, del espejo del camión. Fue un relámpago, un instante, pero aquella mirada se me grabó en la piel del cerebro o donde quiera que se guarden, almacén, célula o bodega, los fantasmas que de por vida nos acompañan. Allí se me quedó el tatuaje de la mirada, la mirada muda, la mirada sin reproche ni condena, pero que al verla, al recordarla en medio de la carrera, huyendo del camión que llevaba a mi amigo herido, me hablaba. Me gritaba más fuerte de lo que puede gritar ninguna voz, ninguna garganta ni ninguna boca, la mirada, los ojos partidos. Desertor de desertores.

Gustavo Sintora andaba por las calles de Madrid en el final de la guerra, tenía las manos manchadas por la sangre de su amigo Montoya, herido, quizá ya muerto, por él, por aquel soldado que andaba a paso rápido, esquivando miradas de otros soldados, apartándose del camino de vehículos militares, de los disparos y las carreras y los gritos que venían de las esquinas. La guerra perdida, pero todavía la vida posible. Serena era un pulso en las sienes, y me llevaban los pasos, sin pensamiento, la vida que no piensa y sólo late, bombea, abre, corre, huye.

Tuvo que refugiarse en un portal, Sintora, esconderse y subir escaleras arriba, porque en medio de la calle, en medio de una glorieta en la que acababa de entrar, un camión recubierto con planchas de hierro y con una torreta de metal montada sobre la caja había empezado a disparar su ametralladora contra un grupo de soldados que habían levantado una barrera de sacos. A su lado cayó sin vida, muerto como si llevara mucho tiempo muerto, un hombre delgado y canoso, en la mano, sin soltarlos, llevaba un bastón y un periódico con el retrato del coronel Casado, unas gotas de sangre se extendían sobre el papel, sobre la cara, las gafas, el bigote, del coronel. La fachada del edificio saltaba en pedazos, la piedra y la cal levantada por unas balas que no parecían venir de afuera, de la calle, sino del interior de los muros.

Corrió escaleras arriba Sintora, oyendo cómo los vidrios del portal y los primeros peldaños y la reja del ascensor se quebraban con las balas de la ametralladora. *Olía a guisos y a pólvora. La penumbra parecía cargada de ojos, de ojos que no miraban, de ojos cerrados, de bocas que expulsaban aquel vaho que me rodeaba. Yo estaba dentro de un pulmón enfermo, dentro del pecho de un muerto, y respiraba su aire, su oxígeno muerto.* Estuvo allí, sentado en la escalera, *sentado como había estado sentado Montoya en los peldaños de la casa del Marqués, igual de herido yo, aunque sin herida, mi amigo con el pecho roto y la voz, una palabra en los labios, sacramento,* hasta que los disparos de la calle se debilitaron.

Se asomó Sintora al portal, el fusil apuntando a la fachada de enfrente, a las ventanas, a otros portales. El camión de la torreta y las planchas de metal se perdía por una de las calles que salían de la glorieta, lento y pesado el escarabajo de hierro, cabeceando y ronco. El hombre muerto con el bastón y el periódico seguía tumbado en el suelo, parecía haber cambiado de postura en el sueño de la muerte. Corrió Sintora, se alejó del portal y de la glorieta. Iba orientándose por calles por las que nunca había transitado, reconociendo nombres, algún edificio visto alguna vez desde los camiones del destacamento. *Todo era gris, sólo gris y frío, y en una esquina alguien había encendido un fuego que con sus llamas de color naranja figuraba un boquete, la tronera por la que podía verse la vida, lo que había detrás de aquel decorado sucio, por el que yo andaba, Madrid.*

Y así, con la tarde ya vencida, llegó Sintora a la Puerta de Toledo. No había ruido de explosiones en el frente. *Los campos y los edificios bombardeados durante tantos meses habían dejado de respirar, una bruma helada caía sobre ellos. Sin árboles. La noche se los iba comiendo con dentelladas lentas, los tragaba despacio.* Sintora andaba pegado a la tapia que separaba la calle de las vías del ferrocarril. Avanzaba lento y con la vista fija en la lejanía de la otra acera, en el portal y en las ventanas de la casa de Serena Vergara, de Corrons. *Llevaba un corazón en el pecho y otro latiéndome en el cañón del fusil. Y cada uno trabajaba por su lado, bombeándome su sangre y su miedo, los dos. Se detuvo el del pecho cuando a lo lejos vi la figura de la niña, sentada en los escalones del portal.* Pero la niña no era la hija de Serena Vergara. Lo supo Sintora cuando avanzó unos metros más y vio que la niña aquella era mayor que la hija de Serena. Tenía una muñeca, un nudo de trapo con cabeza de lana amarilla entre los brazos, y se retiró al ver llegar al soldado, que entró en el portal.

Rezaba sin rezar. Levantaba los pies del suelo con mucho cuidado, simulando que no andaba. Vi la cara de Serena abriéndome la puerta, aquella noche, meses atrás, la llamarada de su fuego. La niña me miraba desde la entrada del portal con los ojos redondos. Con la mano en el gatillo. Me paré delante de la puerta. Ya no tenía corazón. No había ruidos, la niña avanzaba a mi espalda, silenciosa también. Alerta. Olí el olor de Serena y vi los muebles, la luz de las habitaciones, la cama con su colcha de rombos. Pegué la cara al frío de la puerta, a la madera y sólo oí voces de otras casas. Puse la boca del cañón contra la puerta y la golpeé, y sólo hubo el ruido del fusil en la puerta. La niña había empezado a subir los peldaños de la escalera, me miraba con los ojos todavía más redondos, asomaba la muñeca, la almohada de trapo, por encima de la baranda para que también me viera, le murmuraba al oído, a la estopa, a la lana, Míralo, me señalaba. Había unas gotas, tres, de sangre en el suelo. Tres estrellas de cien puntas, delante de la puerta. Me volvió al pecho el corazón, se me fue el miedo y me vino otro miedo, y en el tránsito de los miedos golpeé la puerta, con la mano y el fusil que tenía en la otra mano. La niña escondió la muñeca, se tapó los oídos y dijo no está.

Se volvió Sintora a mirar a la niña. Los ojos redondos estaban ahora cerrados, la muñeca en el suelo. No está, volvió a decir, ya con cara de llanto la niña. No voy a hacerte nada, mira no voy a hacerte nada, bajaba Sintora los brazos, el fusil. A mi padre lo mataron con los tiros, los fascistas, dijo la niña entre ahogos. Yo no voy a matar a nadie, tú eres una niña, no voy a hacerte nada, ¿quién no está?

—Se han ido con las maletas, la Luci.

—¿Luz, la niña?

Se quedó callada la niña, ya sin llorar, con la cara de miedo, desconfiada.

—¿La niña que vive aquí?

Afirmó, leve, con la cabeza. Miró Sintora la sangre, la puerta.

—Y su padre —dijo la niña con un asomo de voz—, y la madre de la Luci.

Me moví despacio. Vi otra gota de sangre en el suelo, separada de las demás. Por donde yo había venido. Mi abuelo también tiene gafas, dijo la niña. La miré, se reía ahora como se ríen los locos, seguía moviéndome, andando hacia la calle aunque todavía no sabía adónde iba. Había más gotas de sangre, algunas pisadas, restregado el marrón de la sangre en la suciedad del suelo. La niña subía la escalera a saltos, arrastraba, daba golpes la cabeza de la muñeca, la estopa amarilla, en el borde de los escalones. Gritaba mamá, no sé si la muñeca o la niña o quizá alguien en los pisos altos de la casa. Y corrí, miré desde la calle las ventanas de Serena, y volví a verla, su sonrisa, su mano en mi cuello, de pronto la mano del soldado resucitada en la espalda de la mujer, meses, años atrás, cuando yo era otro.

Gustavo Sintora, el soldado con gafas y miedo, miró las tapias del ferrocaril, el ladrillo rojo con corona de cemento. Y empezó a andar rápido, a acelerar el paso en medio de la noche, casi corriendo entre la tapia y los troncos de unos árboles de corteza negra que iban parejos a ella, sin hojas ni apenas ramas los árboles y el pecho de Gustavo Sintora. *A veces miraba el suelo y entre mis pies creía ver manchas de sangre, pero sólo eran mis pies y su movimiento, la noche y sus sombras. Y pensaba de quién era aquella sangre, la que sí había visto, en la puerta de Serena.*

Había soldados en los alrededores de la estación. Colas de gente mostrando sus documentos. Hombres con brazaletes blancos. Banderas y ruido dentro del edificio. En un rincón, cerca de las taquillas, se calentaban dos soldados con las llamas que salían de un bidón, el humo ennegrecía las paredes y el techo, y el relumbre de la llama alargaba las sombras y les daba aires de fantasmagoría. *Miraba las caras, andaba decidido, un niño se rió al verme las gafas, tropecé con un anciano que dormía o se había muerto en el suelo, me solté el brazo de alguien que me lo agarraba, entré en los andenes, y miré, miré el suelo por si veía sangre, miraba las caras por si veía a Serena, a Corrons, y el dedo acariciaba el arco del gatillo, el fusil que llevaba en bandolera.*

Caminaba entre la gente, Sintora, su cabeza perdida entre tantas cabezas, su cuerpo como una brizna de paja entre la paja, una gota de agua llevada por el agua de un río. Miró algunos trenes y algunas ventanillas, muchas caras y alguna nuca en las que en una primera mirada creyó reconocer las caras y las nucas, y también los hombros,

también las espaldas, las manos, de Serena Vergara, de Corrons, *llegué a verme a mí mismo, mirándome, mi cara en el*
cuerpo de otro soldado, de otro hombre, miraba, pero no miró
Sintora la ventanilla en penumbra donde un hombre herido, con el dedo metido en el gatillo de su pistola y la pistola metida en el bolsillo de su abrigo, estaba sentado
frente a su mujer, frente a su hija, llorosa, de ojos claros.

El hombre era Corrons, y estaba herido de bala, por una
bala de mi padre, debajo de las costillas, un tiro limpio que
le había entrado y salido en una trayectoria corta, sin llevarse ni tocar ningún órgano, sólo rompiendo músculo y
alguna vena menor, derramándole una sangre que continuaba empapándole el paño, la compresa que en su casa
se había colocado. La mujer era Serena Vergara, que miraba con los ojos borrosos de lágrimas a su marido, a su
hija, abrazándola, apretándola contra su pecho, para que
la niña no la viese llorar, para que la niña no le viese el dolor ni el miedo, para que no viese nada.

Pero la niña vio. Y así, como había visto en la casa la
mirada de agua rosa, casi roja, del padre, el golpe primero
que le lanzó a su mujer, en medio de la cara, un puñetazo
en el pecho, como había visto a su madre arrodillada,
como había visto la pistola y la sangre de su padre, la pistola y la sangre en las manos, la pistola apuntando la cabeza de su madre, así, como había visto la palidez del
hombre y las encías abiertas por el llanto, vio la niña a
Gustavo Sintora, con sus gafas de montura grande, con
sus ojos abiertos más abiertos, caminando frente a la ventanilla donde ella estaba con sus padres. Y lo señaló con su
dedo blanco y tembloroso, lo apuntó con el cañón de su
dedo, apoyando su yema en el frío de la ventanilla, torciendo el cuello para mirar, con una sonrisa, a su madre.

Vio, entre lágrimas, la sonrisa de la niña, Serena Vergara, y con las lágrimas que ya tenía y otras nuevas que
vinieron a derramársele por los ojos y las mejillas, vio al

soldado con cara de niño andando entre el extravío de otros soldados, lo vio con su fusil y sus manos de niño, con su capote viejo, el flequillo revuelto y las gafas, lo vio, y muy despacio, su mano, la mano de Serena Vergara, fue hacia la mano de su hija, sus ojos a sus ojos, y mientras le retiraba la mano del vidrio y se la encerraba en el calor de su propia mano, le sonrió Serena, con una lágrima nueva a la niña, y le hizo un gesto de silencio, mientras pasaba la vista por la cara de su marido, por aquellos ojos entornados por el cansancio o el dolor, y volvía a mirar, ya por última vez, la figura de un soldado joven perdido entre la multitud, perdido como en el frente se perdían los soldados entre los soldados, entre el tumulto de la guerra y los cañones, y cuando en ese instante el tren se estremeció y con un chirrido seco empezó a ponerse en movimiento, Serena Vergara sintió que era su propio pecho, su corazón, el que se rompía en un crujido ronco, su boca la que temblaba. Pero de sus labios sólo se escapó un soplo leve, el aire último, débil y tibio, que escapa de la boca de aquellos que dejan de vivir.

Y ya todo fue un rechinar de hierros y raíles, un túnel que duró nadie sabe cuántos años. Gustavo Sintora fue ya siempre un soldado sin patria, un hombre sin tierra ni bandera, alguien que hizo de su vida un sueño imposible, el sueño de otra vida, de una vida que nunca llegó a vivir. Y así, sin tener todavía certeza de su destino, en medio de las sombras, caminó esa noche Sintora por las calles de Madrid, entre disparos perdidos, por plazas con estatuas enterradas y otras que al descubierto miraban con sus ojos de piedra la negrura del cielo. *Iba por la noche y yo mismo parecía un trozo de noche, un soplo de viento que no tiene cuerpo ni memoria, y como la noche entré en los jardines, bajo aquellos árboles desnudos por los que durante tanto tiempo habían andado los pasos de mi vida.*

*F*ueron los días fríos de final de marzo. Montoya se nos mu-rió una mañana. Así empieza el último cuaderno de Gustavo Sintora, apenas unas hojas en las que con le-tra diminuta y frases a veces sin acabar, cuenta los últimos días de Madrid. Habla de cómo una mañana helada y gris el sargento Solé Vera, cojo, Doblas y él, caminando por las calles ya vencidas aunque todavía sin entregar al ejército enemigo, encontraron en la puerta del hospital a la Ferra-llista, que bajaba las escaleras con la mirada transparente, la cara herida, mirando con sus ojos azules a la lejanía, a aquel horizonte de casas largamente bombardeadas y ár-boles sin vida que se extendían a lo lejos. Supieron la noti-cia por el enano Visente, que de negro y con la cabeza aga-chada, bajaba a su lado. *No lloraba, pero al vernos lloró el enano, con su flequillo revuelto en la prominencia de su frente y sus piernas torcidas, y corrió como un niño que no sabe correr y se abrazó a las faldas, al capote enmarañado de briznas de paja y barro que el sargento llevaba por encima de su desgarrada gue-rrera de cuero. La mano blanca de la Ferrallista le consoló la nuca y el cuello al enano y también a ella, con algo que semejaba una sonrisa, le asomó una lágrima a la cara y le bajó rápida, de-rramada por la mejilla.*

Fueron los días del frío y la furia, seguía escribiendo Sintora, *y yo sentía que el frío venía hacia mi interior, y me iba ganando cavas, las vísceras o lo que allí yo tuviera. El frío y el dolor me iban excavando. El sufrimiento. Sufrí por Montoya y sufrí porque su muerte era la mía, porque a mí, sólo a mí, me habría correspondido aquella muerte. Fransia, la lluvia en el tejado y los años que estaban por venir, las palabras que nunca le dirían al oído se las había arrebatado yo tanto como Corrons o el Sordomudo o quienquiera que hubiese empuñado el arma que le había disparado a Montoya en mitad del pecho.*

El de Montoya fue un entierro solitario en medio de un campo gris, tan diferente al de Paco Textil meses atrás, casi una fiesta el del Textil, los soldados borrachos, el pelotón del brigada Garriga desfilando en silencio y los artistas dándole color a la ceremonia, Domiciano del Postigo con su verborrea y el corro de las plañideras arremolinándose por los alrededores de la Casona. Todo lejano, tan distinto a aquel día helado de marzo. El sargento Solé Vera, Doblas y Sintora, el mago Pérez Estrada cubierto con un capote gris de infantería y el faquir Ramírez fue toda la comitiva que vio entrar aquel cajón de madera basta en un boquete umbrío de ladrillos y cal húmeda. En la Casona se habían quedado el enano Visente y la Ferrallista, doblada y muda desde el día en que Montoya fue herido, intuyendo, sabiendo cuál iba a ser el desenlace de aquel disparo que llevaría a Montoya a la tumba.

El aire nos traspasaba como si ya no estuviéramos allí, como si ya el tiempo nos hubiese borrado, como si no tuviéramos carne, sostén ni esqueleto. Ni las cuerdas de los nervios siquiera. Ni la voluntad de tenerlos, tenía yo. Vagué por el viento, me hice viento y recorrí las calles. Madrid ya no era una ciudad ni un pueblo ni un cementerio, sólo un reloj marcando horas, un círculo cerrándose sobre sí mismo, sólo un cúmulo de miradas que huían de otras miradas por la calle única de la ciudad, la calle del miedo. Montoya no estaba, había muerto. Habíamos sol-

tado al cura Anselmo, el sargento le señaló con la barbilla la puerta de la Casona la noche que yo llegué como una sombra, ya con Serena perdida para siempre. También yo, de otra manera, sin los disparos que a Montoya le habían roto el pecho, sin venganza ni sangre saliendo de mis venas, había muerto.

Volvió Sintora a la casa de Serena en los días siguientes, volvió a rondar las tapias del ferrocarril, el portal, las ventanas cerradas. Miró de lejos la casa del Marqués. Ya no había ruido de bombas y el frente estaba abandonado, ya los hombres del coronel Casado y los comunistas habían concluido su guerra dentro de la guerra. Vagaban soldados por las calles, sin rumbo y a la espera de que el enemigo, piadoso o cruel, en moneda que nadie sabría de qué lado iba a caer, entrase en la ciudad rendida. *Los treinta meses de asedio y lucha, los treinta meses de correr a los sótanos, a los boquetes y a las cuevas del metro se habían tatuado en la cara de los hombres, en la mirada de los niños y en el andar sigiloso de las mujeres. Tenían las bombas en la cara como tenían el hambre, los ojos o la nariz.*

Sintora y sus compañeros del antiguo destacamento pasaban las horas en la Casona, allí donde el viejo camión había quedado con su rueda reventada y sin combustible, varado en medio del jardín, animal muerto o fósil por el que iban rodando las hojas viejas, la hierba tronzada, la arena de los días. Le fueron desgajando maderas de la caja para quemarlas en la hoguera de la chimenea, rebuscaban harina, lentejas agusanadas por la despensa, ropas abandonadas con las que conseguir en un canje desigual cualquier cosa que pudiera servirles de alimento. Ya todos querían ver a la tropa enemiga entrar con sus banderas y su victoria por las calles de Madrid. *En medio de la noche, en el frío del frío, me despertaba y me parecía oír una marcha de tambores. Eran los muertos que se levantaban.*

Y como si fuera un muerto, como si fuera un espectro, alguien que venía de otro mundo, vieron un día, cerca de la Puerta del Sol, Doblas y Sintora, al Marqués. Se lo encontraron de improviso, al girar una esquina y tropezárselo de frente. El viejo hizo amago de huir, pero el propio asombro de los dos soldados, casi la alegría pintada, entre las cicatrices de los vidrios y los perdigones, en la cara de Doblas y la sorpresa inocente en los ojos de Sintora, lo hicieron detenerse.

Nunca me habían visto ustedes al sol, es lo primero que les dijo. Llevaba un abrigo militar, y bajo él podía vérsele el batín de seda roja. Ahora va a ser a ustedes a quienes encierren y fusilen, les dijo con una sonrisa, también inocente, sin atisbo de venganza. ¿Y Corrons?, le dijo Sintora, con la esperanza de pronto renacida, por un instante, antes de morir de nuevo por aquel gesto del hombre anciano, encogido de hombros, diciendo: Ya no hay Corrons, ya no hay más Corrons, ni más cautiverio, me escapé, y ahora viene mi libertad, que no es la de ustedes.

Y entonces, caminando junto a Doblas y a Sintora, cubriéndose a cada paso el cuello y las orejas con las solapas del abrigo raído, les contó el Marqués que, en su casa, al llegar Montoya, él, lo mismo que todos los que allí había, supo lo que iba a ocurrir. Sabía que se lo iban a llevar con ellos, que la hora de su viaje había llegado. Sabía que lo iban a matar, y para perder la conciencia, para no darse cuenta del trance, sacó la botella con restos de coñac que tenía escondida entre unos cojines destripados. La apuró de un trago, mientras en la habitación de al lado oía los gritos y luego los disparos, y nada más apurarla, nada más tragar la última gota de alcohol, fue al cuarto de baño y allí se bebió el éter que tenían en un frasco de cristal.

Y era tanto el miedo que, acabado el éter, el Marqués, dando tumbos y oyendo los gemidos y nuevos gritos, otro disparo, encontró en un rincón una botella de gasolina y fue a bebérsela ante la mirada indiferente del abogado Cantos. Le había dado dos buches largos a la gasolina

cuando Corrons y uno de sus hombres, Armando pensaba
él, irrumpieron en la habitación y de un golpe le arrebata-
ron la botella de los labios. Me partieron este diente, dijo,
señalándose la boca, sin tiempo de que ni Doblas ni Sintora vieran nada. Buscaron al cura, que había desaparecido no se sabía cómo, quizá escondido en la biblioteca,
detrás de unas tablas huecas que allí había, después mataron al abogado, a sangre fría. A él se lo llevaron. Vio a uno
de los hombres de Corrons, Asdrúbal, muerto, Montoya a
su lado, también muerto, pensó él, en la entrada de la casa.
Y ya en la escalera notó, más por lo ingerido que por la
contribución del miedo, que las piernas se le doblaban
cada una para un lado, y que cada una bajaba los escalones a su manera y sin saber cómo se hacía aquella opera-
ción.

Todo empezó a oscilarle en la cabeza, notó que las tripas se le desbarataban. Lo empujaron dentro de un coche,
y lo llevaron por las calles de Madrid, que él no reconocía,
por el tiempo sin verlas, por las bombas o por la intoxica-
ción que llevaba por las venas y el entendimiento. Le temblaban los dientes, se le desmoronaban y aquella tierra
que creía tragar le producía arcadas y vahídos. Los hombres no hablaban, y cuando hablaban los oía muy de lejos,
como si Corrons y los suyos viajaran en otro coche. Se le
nubló la vista y todo lo que miraba lo veía incendiado por
una llamarada roja, el cielo, las casas y la gente, todo lo
veía tintado con el color del infierno. Detuvieron el coche
delante de un edificio del que colgaba una bandera comunista, o quizá fuera de otro color, pero él la veía roja. Corrons se bajó, el Sordomudo con él, y ambos entraron en el
edificio, que, efectivamente, tenía una hoz y un martillo
grabados en la puerta. Otro de los hombres, Armando
creía él, se quedó de pie delante del coche, Amadeo al volante. Hubo unos disparos, alguien corría por la azotea de
uno de aquellos edificios y apuntaba a la calle. El Mar-

qués, indiferente a las carreras de la gente, a los disparos que rebotaban a su lado, se bajó del coche y se perdió por una esquina, sin que ninguno de los hombres de Corrons, Amadeo ni Armando, distraídos por los tiros, advirtieran su huida, hecha sin disimulo ni estrategia, pues según contaba, se alejó del coche dando tumbos y haciendo eses, notando cómo todo era pasto de un incendio enorme, de unas llamaradas que alcanzaban a tintar el color del cielo.

No supo lo que ocurrió. Se despertó ya de noche, delirando y medio congelado en un escalón. En una calle que no conocía. Ahora vivía en un túnel del metro, volvería a su casa cuando las tropas entraran en Madrid. Se quedó mirando a Doblas y a Sintora con una sonrisa antes de despedirse de ellos y perderse calle abajo, su cuerpo insignificante dentro de aquel abrigo grande y sucio. *Un fantasma más en aquel mundo de fantasmas*, escribió con su letra menuda Sintora. Y allí mismo, en aquella calle por la que habían visto alejarse al Marqués, oyeron un ruido de gritos y tambores, correr de gente y vítores. Se miraron en silencio Doblas y Sintora. *Los ojos de Doblas eran los ojos de un animal, vaca o dragón, ojos tristes, tapados por párpados de peso y rodeados por aquella nube de cicatrices menudas. Pensé que aquéllos eran los ojos de la derrota, los ojos de un animal en la cara de un hombre.*

Oyeron acercarse el ruido y se retiraron de la calle, doblaron una esquina, y desde lejos vieron el ondear de banderas. Iba una columna de marroquíes desfilando con un redoble pobre de tambor, y por su lado corría la gente dándoles aplauso y alzando el brazo con el saludo del fascismo. *Marchaban rápido, iban limpios y alimentados, con su piel negra y la mirada negra. Y yo miré a Doblas otra vez y le vi la boca abierta, el grosor de los labios, la saliva brillándole entre los hierros de la boca, por abajo los moros y su desfile, la música de su victoria, la bandera de dos colores, y vi que una lágrima o un sudor repentino le bajaba por la cara y serpeaba por entre las costuras que el plomo y las postillas del vidrio le habían dejado en la piel, con sus ojos de animal triste, Doblas, y me vino el temblor del frío, y parecía que me fuese a desmembrar y que cada parte de mí se fuese a caer por su lado, de tanto como temblaba, iba a salirme de mi cuerpo, y Doblas, sin mirarme, mirando el desfile, dijo sin voz, sólo con el vaho de la voz, Vámonos.*

Los detuvo cerca de la Casona una columna de soldados que llevaba escolta de camisas viejas. Ya se habían desprendido de sus fusiles, los habían arrojado unos cientos de metros más abajo, entre los arbustos de un terraplén. Encañonados y con amenazas, un falangista le escupió a Sintora en las gafas y tuvieron que ponerle una bayoneta en el cuello a Doblas para contenerlo, fueron llevados a un solar cercano al que iban llegando los soldados de la victoria y nuevos presos.

En una de las esquinas del solar, debajo de unos chopos, pusieron de rodillas a uno de los presos, un oficial, y le dieron un tiro en la cabeza. Le cubrieron la cara con las ramas de un árbol. Y todavía estaban riéndose los soldados que habían disparado sobre el militar cuando a lo lejos Sintora vio aparecer en medio de un nuevo grupo de hombres al sargento Solé Vera. *Venía todavía con la cojera, con su gorra de plato torcida, el viejo capote sobre su guerrera de cuero rota y andando derecho, destacando entre aquellos hombres que se torcían por la mansedumbre natural del miedo. Por detrás vi asomar el traje que había sido blanco del mago Pérez Estrada y la figura menuda del faquir Ramírez. Oí la respiración de Doblas, su fuelle ronco, al verlos. Habían dejado libre al enano Visente. A la Ferrallista la habían encontrado ahorcada en su habitación de la Casona, había escrito el nombre de Montoya en un papel y lo tenía apretado en una mano. Su cuerpo, me dijo el mago, se había alargado con el ahorcamiento, y era un ciprés blanco, pálido, sin viento ni aire que lo meciera.*

En medio de la noche, alumbrados por los focos de un camión que iba muy despacio detrás de ellos, llevaron a todos los presos camino de la cárcel. Entre la oscuridad oían las voces y los insultos de los soldados que les daban escolta, también había risas. *Íbamos callados y sin saber si aquel ir era el de la muerte. Se oían disparos y había muertos salpicados por las calles, también hogueras, y rondas de borrachos y lamentos. Entonces sí me acordaba de Málaga y de mi madre, de cómo me miraban sus ojos, me acordaba de sus manos y también de mis manos en la palanca del tranvía, y de cómo la luz de la mañana y el mar pasaban por el fulgor de la ventanilla, notaba que ya no podía con tanta guerra, y seguía andando, pegado a la respiración de Doblas y al paso cojitranco del sargento Solé.*

Por la noche y por el día sacaban presos de la cárcel. Se los llevaban en camiones. Decían que a otra cárcel, pero todos sabíamos que era para matarlos, sin venganza ni ira, siguiendo la tarea cansada y sangrienta de los matarifes. Estuvieron varios días en la cárcel viendo el paso de militares vencedores, de falangistas y curas. Oyendo los nombres que desde una ventana un soldado iba leyendo, los nombres de aquellos que partirían en el próximo turno. Al mago Pérez Estrada y al faquir Ramírez los soltaron a los dos días de estar presos, salieron juntos, con un anciano y un adolescente, casi un niño, que habían atrapado escondido en una alcantarilla, pestilente y demacrado. El mago y el faquir salieron a pie, con pasos cortos y hombro con hombro, casi cogidos de la mano, después de despedirse del sargento y de los dos soldados del antiguo destacamento. El faquir Ramírez lloroso, con el pespunte de sus cicatrices arrugado, y el mago Pérez Estrada, digno y altivo, sobreponiendo una sonrisa por encima de la pena, elegante a pesar de la tizne y los manchurrones de su traje blanco que ya no era blanco.

Y tal como vieron salir por el portalón del patio al mago y al faquir, en la lejanía, vieron entrar días después una comitiva de militares y autoridades en medio de la cual ondeaba al viento la sotana de un cura. Sólo cuando lo tuvieron muy cerca identificaron el sargento y sus dos soldados al cura Anselmo Luque Quintana. Los oficiales y falangistas que le daban escolta se quedaron a unos pasos, él se acercó con una sonrisa, mirando al sargento Solé Vera. Lo saludó sacudiendo la cabeza con gesto afirmativo, con sus temblores. *Viéndonos, ni siquiera puso la vista en Doblas ni en mí. Sólo escudriñaba con sus ojos mojados y su temblor la cara del sargento, que seguía mirándolo, sentado en el poyo de cemento, con la pierna estirada y en alto, la herida abierta otra vez.*

Le miró la mancha del pantalón, la oscuridad de la sangre seca, el cura, y la sonrisa se le hizo triste. Usted no había estado preso nunca, verdad, sargento Vera, le preguntó el cura. Pero el sargento no le contestó, siguió mirándolo sereno, con su gorra de plato ladeada sobre la frente y una astilla de madera colgándole de los labios. Ya tiene más conocimiento, dijo el cura, ya sabe más del mundo. Los hombres que acompañaban al sacerdote miraban al sargento con repugnancia, torcían el cuello y miraban para otro lado por no ver el desprecio del sargento.

—Pero ya no le hace falta más conocimiento.

—Ni más palabras —habló el sargento por primera vez.

—Ni más palabras —se sonrió generoso el cura—. Usted y yo nunca podremos ser amigos, está escrito en las estrellas, nos quiso privar Dios de esa posibilidad. En otra vida será, así que mejor ser breves en esta que ahora vivimos. He venido aquí con estos caballeros para darle la libertad, para que se vaya de aquí, a Málaga, para salvarlo. No le parezca soberbia si se lo digo.

—Para sacar un alma del infierno.

—Sí.

—¿Para lavar sus pecados en la otra guerra?

—Sólo para salvarlo, sargento Vera.

Afirmó muy levemente el sargento con la cabeza, y de reojo miró a Doblas y a Sintora:

—Ellos son mis hombres, lo que me queda, y su suerte es la mía.

—Le queda una familia. Y la vida. Ésa es la suerte de usted.

Lo miró sin sonrisa ni palabras el sargento Solé Vera. Movió la pierna herida, que empezaba a tener el olor dulce de la podredumbre. Se sacó despacio la astilla de palo de la boca y le dijo al cura que no había venido a salvarlo, sino a tentarlo, y que no estaba haciendo el papel de un santo, de un pastor de almas, sino el papel del demonio. *Al cura le temblaron más los temblores, y una ola de labios le pasó por la sonrisa, que dejó de serlo y que volvió a resurgir entre tanto oleaje y temblor, sin dejar de mirarlo, al sargento. Doblas tenía los ojos para otro lado y a mí las gafas se me resbalaban por la nariz, como si al pronto la cabeza se me hubiera achicado.*

El cura dio unos pasos atrás y estuvo hablando unos instantes con los hombres que lo acompañaban. Había uno de bigote fino y negro, vestido de paisano, que negaba con la cabeza, que giró sobre sí mismo, escupió al suelo y se alejó del grupo, andando con zancadas largas. Dijo el nombre de Cristo cuando se iba y en el otro extremo del patio estrelló contra la pared a un preso que le estorbaba en el camino. El cura Anselmo Luque Quintana se acercó de nuevo y habló otra vez con el sargento, sin mirar nunca a Doblas ni a Sintora. Se irán con usted, sargento Vera, los dos, dijo, y luego añadió, Me he alegrado, a pesar de los pesares, de conocerlo. Y todavía, antes de irse, mirando la pierna extendida sobre el poyo de piedra, dijo, Que Dios le acompañe y le perdone los pecados. Y se fue el cura con aquella corte de uniformes y camisas azules, su sotana ondeando negra en la sombra del patio.

Vinieron dos soldados a buscarnos a los pocos minutos. Nos llevaron a una habitación sin muebles, nos pusieron desnudos a los tres. Todo tenía aire de matadero, con las paredes desnudas y los azulejos sucios, uno tenía manchas de sangre. Al sargento se le iba un caldo marrón y espeso por la pierna, Doblas se tapaba sus partes de hombre haciendo coraza con las manos. Nos trajeron ropa de calle, sucia, de muerto, y luego nos llevaron a otra dependencia donde había un militar, teniente, un mostrador y una mesa. Fue diciendo el nombre de cada uno y nos fue entregando un papel.

Al sargento Solé Vera, mi padre, lo llevaron a la enfermería. Lo metieron detrás de un biombo y le hicieron una cura. El médico le dijo que tenía la pierna medio podrida. Le puso un vendaje y le dio unas gasas y unos polvos para que se los pusiera en el camino a Málaga. Con escolta de dos soldados pasaron por la habitación donde habían estado desnudos, y el sargento miró, tiradas en el suelo, su gorra de plato con las insignias de sargento y su guerrera de cuero, alguien había pasado por encima de ella y le había dejado la huella de barro de un zapato. Desvió la vista el sargento y la desviaron sus dos soldados. Por un pasillo largo salieron al frío de Madrid en medio de la mañana.

Se fueron esa tarde, Doblas y el sargento. Ya no era sargento el sargento Solé Vera, ya no era militar ni servidor de la República, sólo un hombre herido. Se fueron esa tarde los dos en un tren que atravesaba campos abandonados y casas destruidas. Estaciones en la noche y kilómetros, ruido, ruina, paradas en medio de la madrugada y cansancio, y la nueva vida, pobre y dura, al final de los raíles. Se fueron en un tren con banderas el sargento Solé Vera y Doblas, a Málaga, y yo vi entrar en el vagón pintado de verde la cojera del sargento y la tristeza de Doblas, su boca mellada de dientes metálicos sonriéndome desde lo alto de los escalones de hierro, la mirada serena, inmóvil, del sargento.

Por Madrid mataban a la gente, y yo apretaba el salvoconducto en el bolsillo de mi chaqueta, gris y con olor a otro cuerpo. Fui a casa de Serena, a ver las ventanas sin luz y la puerta cerrada. Ya no estaban las manchas de sangre, sólo un grumo negro. La puerta tenía un eco de tumba cuando mis nu-

dillos la llamaron. Mil veces me fusilaron sobre aquellas tapias que había frente a la casa, separando la calle de las vías de los trenes, mil veces caí herido y mil veces dije su nombre mientras andaba, soldado en derrota, por las calles donde Madrid había dejado de ser una ciudad.

Dos días después de que se fueran el sargento Solé Vera y Doblas, salió Gustavo Sintora en un nuevo tren camino de Málaga. La guerra había terminado, por más que continuara todavía su trabajo de destrucción y muerte, por más que su estela se prolongara durante no se sabe cuántos años en la vida de muchos de aquellos hombres, para los que la batalla y la huida no acabaría nunca. Pero volvieron los años a reunirlos, volvieron con el tiempo a saber unos de otros. Volvió con el tiempo a saberse de los hombres que lucharon.

Vivían en Málaga el sargento Solé y Doblas, también Sintora, los ojos creciéndole lentamente detrás de las gafas. Y un día, once años después de que ellos llegaran, por separado y vencidos, de Madrid, entró por la puerta del café Cruz el comandante Villegas. No vieron sus rasgos con el contraluz y la claridad que, poniéndole aureola de santo, llegaba de la calle, pero en aquella figura alta y delgada, el sargento Solé Vera reconoció a su antiguo capitán. Y dejó de hablar el sargento que ya no era sargento, miraron a donde él miraba, su ayudante Doblas, el Toto y el padre de Luisito Sanjuán. Venía algo demacrado, con las ondas de su tupé en orden y pintado de canas, el bigote recto y un abrigo colgando del brazo, el comandante Villegas, que ya también había dejado de ser comandante, y militar, soldado. Se quedó allí de pie, dejó que mi padre se le acercara y se abrazó con un gesto lento al que había sido sargento Solé Vera. Se abrazaron los dos hombres despacio, dándose palmadas suaves en la espalda, con las sienes juntas y los ojos abiertos.

Mi hermano, que había estado hasta un momento antes cogido de la mano de mi padre, lo vio. Y vio cómo Doblas dejó su vaso de café en el mostrador y casi se puso firme para darle la mano al hombre que llegaba de tan lejos, de tanta guerra. Y aunque yo todavía no estaba en el mundo, ni sabía que el mundo existía, supe lo que ocurrió. Me lo contó mi hermano muchos años después, y también me dijo que al poco, esa misma tarde, se reunió con ellos Gustavo Sintora, que ya había dejado su empleo en los tranvías y llevaba unos meses trabajando en los talleres del diario Sur. Tenía unas arrugas finas por debajo de los ojos el comandante Villegas, y la mirada más triste, con un atardecer por dentro de las pupilas que Gustavo Sintora había visto alegres y en movimiento en medio de una habitación llena de fotos de artistas. Y esa noche, cuando ya el padre de Luisito Sanjuán se había retirado y a mi hermano lo había dejado mi padre en la casa, los supervivientes del destacamento, con el Toto de añadido, vieron cómo la oscuridad todavía se hacía más densa en los ojos de su antiguo jefe.

Hasta ese momento de la noche no hablaron de la guerra, sólo de los años, de los trabajos, de la dureza de la vida, pero entonces le contaron el fusilamiento de Ansaura, el Gitano, del que el comandante había tenido alguna vaga noticia a la que no había querido dar crédito, y también le contó el sargento Solé la muerte de Enrique Montoya, los últimos días de Madrid. Y el comandante, ya metido en la madrugada y en los vahos del alcohol, sin perder el gesto y sin que el nudo de la corbata se le ablandara un milímetro en el cuello, contó su salida de Barcelona, convertido ya en comandante, habló del camino a la frontera de Francia, el ejército en retirada mezclado con la población civil por las tierras de Gerona, mujeres que arrastraban maletas, mulos muertos, soldados heridos con vendas de mugre, coches abandonados y sin combustible en las cunetas, niños que entre los brazos llevaban un cachorro de perro, la cadena de montañas delante de ellos y la carretera serpeando cuesta arriba. El mar a un lado y el invierno dándoles azote. Una desbandada de cientos de miles de personas en medio de la que él intentaba avanzar con los suyos.

En los puestos fronterizos se acumulaba el caos. En medio del desastre, la unidad del comandante Villegas cruzó la frontera en perfecta formación y orden. Había hombres que llevaban tierra española en el puño, otros lágrimas en los ojos. Fueron desarmados nada más pasar al otro país, iban con toda la ropa puesta, porque no les dejaban llevar bultos ni macutos, nada en las manos. Días después, cuando ya toda esperanza estaba perdida, seis de sus soldados llevaron a hombros hasta el patio de un pequeño cementerio el ataúd de Machado envuelto en una bandera de tres colores. Estuvieron durmiendo en las playas de Argelès, en boquetes que excavaban en la arena para no morir de frío. Aunque comíamos, dormíamos y nos daban el trato que se les da a los animales, nadie se comportó como un animal en aquel campo de concentración, por lo menos en el lado de dentro de las alambradas, dijo el comandante Villegas, alumbrado su perfil por la luz endeble de uno de los quinqués del Cámara, ya sin ruido de clientes ni botellas, los camareros poniendo las sillas sobre las mesas y andando de puntillas al pasar por al lado de aquel hombre que rodeado de silencio hablaba pausado y firme.

Estuvo con los partisanos y combatió contra los alemanes, el comandante Villegas. Nueve años de guerra, tanta destrucción ha pasado por delante de estos ojos, susurró mirando las pinturas, los campos y las mujeres dibujados en las paredes del Cámara. Entró con la primera columna en las calles de París, el día de la liberación. En el primer carro de combate que pisó los Campos Elíseos iban dos malagueños, dijo con una sonrisa, Me acordé de ustedes, allí, tan lejos, sin saber si me acordaba de muertos o de vivos. Conoció a una francesa, pequeña y rubia, como la mujer de los sueños de la que siempre hablaba Montoya. Murió de una enfermedad del pecho, a los dos años de estar con ella. Quizá no fue la mujer de mi vida, pero la quería, y era dulce, dijo el comandante, y los hombres del antiguo destacamento pensaron todos en aquella cantante de cejas corridas y ojos negros, Salomé Quesada, que huyó con el solista Arturo Reyes llevándose para siempre la vida y el corazón de Villegas, quien, una vez muerta la joven francesa, vivió en Lyon, trabajando en una oficina de patentes, y ya cansado de estar lejos de su patria, se había decidido a volver.

Se despidieron en silencio los hombres, al amanecer, sus pasos resonando cada uno en una dirección distinta en el cruce de la calle Larios y la Alameda. Pero con el paso de los días volvieron a encontrarse, en el café Cruz, en el Cámara o en Los 21. Pasaron los años y la guerra se fue convirtiendo en una niebla entre la que de vez en vez asomaban rostros de fantasmas. Con el tiempo se unió a aquellos hombres que habían atravesado la guerra juntos Sebastián Hidalgo, llegado de la cárcel de Madrid, condenado siempre por sus estafas y falsificaciones. Y Sintora, que ya trabajaba redactando los sucesos del periódico, le buscó empleo allí, repintando fotografías, corriendo las cejas de los asesinos, frunciéndoles el ceño, borrando arrugas a los próceres, como en otro tiempo había hecho en Madrid. Yo lo vi el día de su llegada a Málaga acompañado de Sintora y Doblas, pequeño y sonriente, con una chaqueta oscura sentado en el patio de mi casa, tomando un refresco de limón con espuma de bicarbonato, haciéndome juegos de manos entre los mazos de margaritas que nacían en los arriates.

Vi a Sintora, a Doblas, a mi padre, el sargento Solé Vera, y a Sebastián Hidalgo sin saber quiénes eran, sin saber qué vida ni qué hombres se ocultaban detrás de aquellos rostros arañados de arrugas y cicatrices. Con el tiempo fui intuyéndolo, adivinando algunas historias, sabiendo otras. Oí hablar del mago Pérez Estrada, de nuevo actuando en los cabarets de Barcelona, compartiendo a veces cartel con el famoso mago Chin Lu y sacando al escenario bandadas de palomas y jóvenes vestidas con alas de ángeles, ya nunca a su caballo Ulises, perdido en la nada del espacio, pero siempre con un inmaculado frac de resplandeciente raso blanco, el mago, tan distinto su destino al del faquir Ramírez, que ya nunca quiso acercarse a cuchillo, chatarra ni metal alguno y que, ya para siempre con el bigote pespunteado de cicatrices, encontró lugar en una panadería de Talavera, amasando la materia blanda de la levadura, sólo en la madrugada, oyendo el eco de las bombas en lo hondo de sus oídos y comprobando cada amanecer, con la primera luz del día, que el mundo continuaba en paz, que en los campos de Talavera seguían germinando las cosechas y que el estruendo de las bombas sólo había estallado en la fragua de su cerebro.

A través de esos escritos supe quiénes eran aquellos hombres que combatieron en una guerra lejana, cuando ellos ya habían desaparecido del mundo, cuando ya sólo vivían en los cuadernos de Gustavo Sintora. Ellos son el rostro y la voz, la memoria de aquellos otros miles, millones de seres que sin dejar nombre ni huella vivieron los años de la furia. Todos quedaron retratados en esos cuadernos de pastas oscuras y viejas por aquel soldado joven y con gafas que ya para siempre fue un hombre sin patria, porque su verdadera patria nunca fue un territorio o una bandera, sino una mujer, una mujer que tenía el resplandor de los veranos en la mirada, el reflejo del fuego ardiendo bajo la piel. Aquélla fue en verdad su patria y por ella siguió luchando, sin importar que estuviera lejos o perdida para siempre.

La guerra ya para siempre iría con él, tronando secretamente en el silencio de su vida. No pudo el tiempo, el duro trabajo de los meses y los días, borrar aquel rumor. No pudo el olvido vencer a Gustavo Sintora. Quizá aquél fue el único triunfo de su vida, el único combate del que aquellos soldados salieron victoriosos. Con su letra ya endeble y temblorosa lo dejó escrito en el último de sus cuadernos. *Ansaura, el Gitano, mi amigo Enrique Montoya, Doblas, el sargento Solé, el capitán Villegas, los hombres que lucharon, cada día atraviesan sus fantasmas mi vigilia y van a reunirse allí, en lo hondo de mi sueño para resucitar una ciudad perdida, un tiempo de combate y furia en el que ahora, en la distancia, sé que alcancé la plenitud de mi vida. Si por algún camino oculto pudiera, yo volvería al fragor de aquel tiempo, volvería a escuchar el claxon del coche alargado y negro del Textil, las risas de Enrique Montoya o las canciones que en los escenarios pobres de los pueblos entonaba la cantante Salomé Quesada, el rumor de la cantina y la voz alegre del mago volando por encima de él. No importa que luego vinieran los disparos y la huida, la derrota, porque allí estaría ella, una mujer con un campo de girasoles ondeando en la piel. Nada importaría que ya para siempre también yo fuese un soldado perdido en la niebla, como aquellos jinetes que en el Ebro, entre casas derruidas y tanques quemados desaparecieron de la faz de la tierra, tragados por el furor de la batalla. Ni siquiera sombra ni cenizas, ni siquiera cadáveres mutilados quedó de ellos. Igual que tantos a lo largo de los siglos, desaparecieron del universo como si nunca hubieran puesto pie en él, como si nunca hubieran existido, borrados del tiempo como yo con ellos quedaría borrado en este instante si tras de mí no dejase la huella humilde de estas palabras que escribo, el nombre que ahora digo. Serena.*